KNIELEN OP EEN BED VIOLEN

Nachtschade (verhalen, 1975)
Een lust voor het oog (roman, 1977)
Weerloos (verhalen, 1978)
Oponthoud (novelle, 1980)
De herfst zal schitterend zijn (roman, 1980)
De reptielse geest (essays, 1981)
En joeg de vossen door het staande koren (roman, 1982)
Koning Cophetua en het bedelmeisje (verhalen, 1983)
De hof van onrust (roman, 1984)
De prins van nachtelijk Parijs (portretten en gesprekken, 1985)
Met afgewend hoofd (novelle, 1986)
Ereprijs (novelle, 1986)
Schaduwen in de middag (roman, 1987)
De overkant van de rivier (roman, 1990)
Sneller dan het hart (portretten, 1990)
Hartje zomer (verhalen, 1991)
Pijn is genot (wielerverhalen, 1992)
Met een half oog (novelle, 1992)
Verdwaald gezin (roman, 1993)
Laatste schooldag (verhalen, 1994)
Dorpsstraat ons dorp (briefwisseling met J. Jansen van Galen, 1995)
Vera (roman, 1997)
Daar gaat de zon nooit onder (met Rein Bloem en
Johanna Speltie, 1998)
Schuldige hond (novelle, met Klaas Gubbels, 1998)
De bloemen van Oscar Kristelijn (verhalencyclus, 1998)
Mijn leven met Tikker (roman, 1999)
Engelen van het duister (roman, 2001)
Margaretha (roman, 2002)
Eerlijke mannen op de fiets (wielerverhalen, 2002)

Vertalingen
J.-K. Huysmans, *Tegen de keer*
J.-K. Huysmans, *De Bièvre*

Jan Siebelink

Knielen op een bed violen

ROMAN

2006
DE BEZIGE BIJ
AMSTERDAM

Voor Kaj, Hanne, Teun, Alana

Copyright © 2005 Jan Siebelink
Eerste druk januari 2005
Achtentwintigste druk januari 2006
Omslagontwerp Brigitte Slangen
Omslagillustratie Jan Voerman sr., *Witte azalea's in de pot Augustine*
© St. Jan Voerman, Hattem
Foto auteur Caspari de Geus
Vormgeving binnenwerk CeevanWee, Amsterdam
Druk Wöhrmann, Zutphen
ISBN 90 234 1665 1
NUR 301

www.debezigebij.nl
www.jansiebelink.nl

...en had de liefde niet...

1 Cor. 13

Inhoud

W ie vanuit het oosten komt, van bij de Duitse grens, ziet ten slotte, over het onafzienbare veen, een grijze streep aan de horizon, en wie voor de eerste keer die weg aflegt en de rivier wil oversteken, denkt dat hij voetveer en Veluwezoom al nadert. Maar de onwetende reiziger is nog kilometers van de rivier verwijderd en onderscheidt in het platte veen, verspreid opdoemend, wonderlijke opstuikingen in het landschap. Diluviale hoogten, ontstaan in de eerste ijstijd, zoals de meester van de christelijk-nationale Koning Davidschool elk jaar aan zijn leerlingen uitlegt: oorspronkelijk een massief waarin later door erosie valleien ontstonden.

Arbeiders uit de Veendersteeg die in de steenfabrieken aan de rivier werken, en hun kinderen die naar de lagere school in Lathum gaan, beklimmen dagelijks langs smalle uitgesleten paden – eeuwenoude tracés aansluitend op doorwaadbare plaatsen in de rivier – de heuvels aan de ene zijde en dalen af aan de andere. Ze hebben het niet in de gaten: ze dalen elke keer een beetje meer dan ze geklommen hebben. Ook dat verschijnsel kan de meester, die ook hoofd is van de tweemansschool, verklaren. Dichter naar de rivier is het land door zachtere ondergrond sterker ingeklonken.

Zo brengt de aarde je vanzelf, maar heel geleidelijk, de diepte in. Het dijkdorp wekt werkelijk de indruk in een kom te liggen, wat versterkt wordt door de hoge bandijk. De inwoners kijken vanuit hun huizen tegen de dijk aan. Ze moeten door de eeuwen heen het gevoel gekregen hebben dat die barrière niet te nemen viel. Lathum is arm, de mensen zijn kleine pachtboeren of arbeiders op de steenfabriek en zij ondernemen zelden een poging om aan de overzijde van de rivier hun heil te zoeken.

Die golvende meestal blauwe streep vlak boven de dijk is de Veluwezoom: het beloofde land, het land Kanaäns. Daar komen ze slechts om een bruidsjurk of trouwpak te kopen. Het voetveer is vooral bestemd voor de reiziger die van ver komt. Zijn einddoel zal de elegante provinciehoofdstad zijn of een van de rijke dorpen onder haar rook.

Het veen is een lagunenlandschap met riet, watergoten en drijvende eilanden. Van daaruit zie je bij een bepaalde lichtval het dorp met de blauwe klokkentoren daterend uit de twaalfde eeuw eerst als in een luchtspiegeling verschijnen.

Na het veen begint een smalle strook vast land met oude verwilderde weiden, overgroeide paden en karrensporen die niet de indruk wekken ergens heen te lopen.

Aan de voet van de kerk ligt tegenover de kleine begraafplaats de lagere school.

EERSTE BOEK

Welzalig zijn d'oprechten van gemoed,
Die ongeveinsd des Heeren wet betrachten;
Die Hij op het spoor der godsvrucht wand'len doet,
Welzalig die bij dagen en bij nachten
Gods wil bepeinst en Hem als 't hoogste goed
Van harte zoekt met ingespannen krachten.

Ps 119:1

Een

1

～

De schaduw van de zware deur gleed over de tegels van het schoolplein, de ruiten weerspiegelden de blauwe kerktoren van Lathum, de kinderen renden schreeuwend de treden van de hoge stoep af.

Hans Sievez uit de vijfde klas schreeuwde noch rende, begaf zich met de oude boodschappentas van zijn moeder naar zijn vaste plek wat terzijde van de drukte, tussen de ingang en de muur die het schoolplein omsloot. Hij haalde enkele kleurige, rafelige doeken uit de tas en spreidde ze met soepele, vaste bewegingen voor zich op de grond uit, plaatste aan de rand een lege krijtdoos die hij van de meester gekregen had. Niemand betwistte hem deze plaats. Hij had zich dit gebied nu eenmaal toegeëigend.

Om tijd te rekken verschoof hij nog wat aan zijn lappen, haalde voor zover zijn astma dat toeliet diep adem, keek zoekend rond, zijn ogen met zijn hand afschermend tegen het schelle licht. In de hoek waar de bruine beuk stond waren de meisjes aan het hinkelen. Nog wachtte hij met zijn voorstelling, streek over zijn kale hoofd. Zolang ze scholier waren liepen de jongens van de Koning Davidschool met kaalgeschoren hoofd. Daarna waren ze groot genoeg om zichzelf te ontluizen. Voor meisjes gold die maatregel niet.

Nog wachtte hij. Op een paar kinderen uit de laagste klassen na, had hij geen publiek. Vanaf zijn plaats kon hij het schoolplein goed overzien. De juf en de meester deden hun vaste ronde, de meisjes hinkelden, de jongens speelden verlossertje, de geknotte stam van een dode notenboom was de verlospaal.

De meisjes leken op elkaar door hun kleding: grijze jurken, grijze kousen. Eén viel op omdat ze korte rode sokken droeg en een zonnehoed met linten. De schaduw van de hoed viel op haar gezicht en op haar armen terwijl ze gehurkt met geel krijt een streep over de tegels trok.

Hans trok een wenkbrauw wat hoger, leek 'vooruit dan maar' tegen zichzelf te zeggen, haalde diep adem, nam de houding aan van een hardloper aan de start, holde of zijn leven er van afhing (maar hardlopen als de anderen kon hij niet!), liep rood aan, hijgde, hijgde ook in het echte leven bij de geringste inspanning, stak triomfantelijk zijn dunne armen omhoog, liet zich toen in gespeelde uitputting neervallen.

Hij kreeg nog steeds weinig aandacht. Wel stak de meester vanuit de verte een hand naar hem op en zorgden een paar kleintjes voor applaus. Hij boog, bedankte met een kort knikje, keek met een eigenwijze blik van kijk-mij-eens! om zich heen, veegde met zijn arm het zweet van zijn voorhoofd. Het was heet. Ook in de schaduw van de muur. Door het lage poortje van sierlijk smeedwerk trok geen koele wind. De poort gaf uitzicht op het veen, dat dampte.

Het meisje zette de krijtstrepen wat dikker aan, nu met de rug naar hem toe. Waarom zou zij aandacht voor hem hebben? Hans' vader was putman op de steenfabriek. Haar vader woonde op de pachtboerderij tegenover het voetveer Lathum-Velp, waar de rivier een scherpe bocht maakte. Keek ze nu toch even? Haar blik ging rond alsof ze iemand zocht.

Hans liefkoosde een dier in zijn armen. Het beest ontglipte hem, hij er achteraan. De jongen luisterde, een hand aan zijn oor. Het was niet altijd duidelijk wat hij uitbeeldde. Nu zou je zeggen dat hij een schop in zijn hand hield, diep, moeizaam groef, klei in een emmer schepte, met die zware emmer sjouwde (weer dat hijgen), een ladder op uit een diepe kleiput, de klei op een kar kieperde, wiebelend weg reed over een smal spoor. Het kleine publiek begreep hem. Hij speelde zijn vader. Hun eigen vader was putman of kleitrapper. Lathum was een heel arm dijkdorp. Door zijn dunne schoenzolen voelde Hans de warmte van de tegels.

Hij speelde al toneel toen hij nog te klein was om naar school te gaan, stond op de rand van het verschoten karpet van de piepkleine Veendersteeg (want het pad liep uit het veen omhoog naar de dijk), trok de oude pet recht die hij in de schuur achter het huis had gevonden: 'Hé, ik ben, ik ben...?' Hij was een steenfabrieksarbeider als zijn vader, streek met zijn pink schuin over zijn lippen. Vaders witte litteken dwars over zijn mond. Wat had hij in zijn hand? Een schop. Zo was het begonnen. Met zijn spel op de rand van het karpet.

Nee, nog eerder.

Vanuit die kamer keek je over het Rouveen – het Rode Veen vanwege de bloeiende zuring in het voorjaar. Met zijn moeder zat hij bij het raam, in de avondschemer. In de berm aan het pad stond de geit, met zijn puntige schoften en een sik als een pluk dor gras. Moeder wachtte nog met het aansteken van het gaskousje. Gesis, gehinnik, hoefgetrappel, langs het raam schoten spookgestalten voorbij. Een zwarte veenslang. Paarden uit het veen, in galop. Hij blies adem in niet-bestaande dieren.

Moeder keek toe. 'Laat vader het maar niet zien!'

Het duister werd volledig, op de glimwormen na. Er was geen straatlantaarn. Die stond alleen bij de afrit naar de steenfabriek, en bij het veer.

Hans speelde wegstromend water. Veenwater leek altijd weg te stromen. Waarnaartoe? Weer die pink over zijn lippen. Hij was bang voor het litteken, was bang voor zijn vader. In de verte loeide de sirene van de steenfabriek. Met een halfuur kon zijn vader thuis zijn.

'Nu is het mooi geweest,' zei moeder. Hij kwam bij haar staan, keek haar aan. Hij kon haar op zijn heel speciale manier aankijken, met zijn lichtblauwe ogen, lief, dromerig. Hij zou willen dat hij geen vader had.

Twee oudere broers van Hans waren op de steenfabriek, bij een ongeluk met een kipkar, om het leven gekomen. Het waren sterke jongens geweest, met handen als klauwen. Hans kende ze alleen van een foto. Hij was een nakomertje. De zwakste. Moeders lieveling. Haar benjamin. Hij was vooral háár kind. Hans, uitblazend, legde zijn gloeiende hoofd in haar schoot.

Ze zei, terwijl ze zijn druipnatte hoofd streelde, dat hij zich helemaal van streek maakte. Zijn gezicht, tegen de buik van zijn moeder, deinde zacht met haar ademhaling op en neer.

'Kom,' zei ze, 'pappa kan er zo zijn.' Ze stond op, stak het gaskousje aan, dat wit opgloeide, oranje werd en zacht begon te suizen.

Toneelspelen zat hem in het bloed. Vandaag was hij in vorm en hij kreeg meer publiek. En het publiek speelde dat het geld in de krijtdoos mikte. Zijn theater was geloofwaardiger dan ooit. In gevecht met een gevaarlijke tegenstander deelde hij rake klappen uit, speelde vol ernst, vol overtuiging, vergat zijn te korte bloes, de tot op de draad versleten broek, geknipt uit het trouwpak van zijn vader, uitgebleekt door het vele wassen, vergat dat schriele jongetje met de hoge schouders van een astmalijder. Overdreef zijn spel toen hij haar zijn kant op zag komen. Duwde zichzelf onverwacht om, viel opzij, een aangeschoten vogel die nog bewoog, voor dood bleef liggen, klapwiekend overeind kwam, dan weer dromerig voor zich uit staarde. Een nar, die Hans Sievez, een kermisklant. Opvallen, gek doen.

Het meisje was op de hoogste tree gaan zitten, bij de schooldeur, de zonnehoed naast zich. Van bovenaf keek ze op hem neer, het donkere haar, bijeengehouden door een smalle band, rood in de zon. Heel rustig zat ze daar naar hem te kijken, alsof haar aanwezigheid vanzelfsprekend was. Ze hoorde daar te zitten.

Als hij diep nadacht raakten zijn wenkbrauwen elkaar bijna, en zag hij er onthutst uit. Hij zou haar moeten vertellen dat hij later reizend toneelspeler wilde worden, dat hij nooit op de steenfabriek wilde werken. Hij sloeg een hand voor zijn gezicht, alsof hij schrok. Zijn hele arsenaal aan kunsten moest vertoond worden.

Zij boog haar hoofd wat dieper en twee lokken, donkerder dan de rest, ontsnapten uit de smalle, roodblauw geblokte band, vielen omlaag over haar gezicht. Hij voelde de warme lucht rond zijn lichaam.

De meester blies op zijn fluit. Hans pakte zijn spullen bij elkaar, propte ze in de tas. Twee aan twee gingen de kinderen de school binnen. Daar liep hij de rij uit, hing de tas aan de kapstokhaak, naast die van Margje van Renes. Stom toeval dat hun jashaken naast elkaar zaten.

2

～

De meester schroefde zijn vlammend rode vulpen los, maakte een aantekening in zijn cijferboekje en liep naar het bord waarop hij een dijkdoorsnede had getekend, begon de aardrijkskundeles.

Hans hoorde de meester nog zeggen dat de steenfabrieken langs de rivier op alluviale aanslibbingen lagen, de zogeheten koppen. De bekendste steenfabriek is de Koppenwaard... Hij kon zijn blik niet van de pen afhouden, voelde zijn maag.

Een paar maanden geleden. Vader had net de zegen voor het eten gevraagd, doopte brood in een kom soep. Door de kleine ruiten viel slechts avondlicht in een deel van de kamer. Vader zat in het licht, moeder niet. Vader sneed het donkere vlees van een taling die hij in het veen had gevangen. Hij droeg een overhemd zonder boord, aan zijn hals dichtgemaakt met een knoopje. Zo was Hans nog banger voor zijn vader en hij durfde hem niet meer aan te kijken. Toen hij ging verzitten viel de rode vulpen van de meester uit zijn zak.

'Hoe kom jij daaraan?' Vader had zich gebukt en hem opgeraapt.

'Ik heb hem niet weggepakt.'

'Hoe komt die in jouw zak?' Het litteken over vaders mond was gaan zwellen.

'Ik mocht na school het bord schoonmaken. Meester ging de klas uit. Ik zag de vulpen liggen, ik wilde hem alleen even vasthouden.' Hij hapte naar adem, kon van benauwdheid niets meer zeggen.

'Laten we eerst afeten,' zei moeder.

'Hij gaat nu de pen terugbrengen en die diefstal opbiechten.'

'Pappa,' zei ze, 'Hans heeft hem vast niet gestolen.'

De maaltijd werd afgebroken. Hij was naar het meestershuis tegenover de kerk gelopen en had de pen teruggebracht. De meester was niet boos geweest, had zijn excuses aanvaard. Daarna was de maaltijd voortgezet. Het wilde donkere vlees van de taling, nu koud en bijna zwart, had hij niet door zijn keel kunnen krijgen. Vader had een tekst uit Spreuken over dieven en hoereerders gelezen. Na het gebed was hij overeind gekomen en had naar Hans gebaard dat hij mee moest. Moeder begon van de zenuwen met een punt van haar schort de dooraderde voet van de petroleumlamp op te poetsen.

De jongen volgde zijn vader. Zij raakte hem nog even aan. 'Zie het door de vingers, pappa,' zei ze, maar hij gaf geen antwoord, keek niet om, gunde hem de tijd niet zijn klompen aan te schieten. De jongen liep achter zijn vader aan naar buiten, waar onder het afdak de zware kleilaarzen stonden, en via een krakende plank het kleine achtererf over.

Moeder was hen na gekomen.

'Doe hem niet in de schuur. Dit keer niet.' Ze smeekte. De jongen keek om naar zijn moeder.

'Hij moet van andermans spullen afblijven,' riep hij zonder zich om te draaien. Vader trok de schuurdeur open.

De jongen was op kousenvoeten. De ijskoude vloer deed zijn tenen krommen. Vandaag was er al bijna geen zon meer geweest. Alleen boven de rivier hadden er nog vlekken rafelig blauw gezweefd.

'Man,' zei ze. 'Het is november.'

De jongen aarzelde, verdroeg de scherpe lucht van het schrale hooistof niet en de sterke geur van het varken in het hok erachter. Vader duwde hem verder de schuur in, stak de stallantaarn aan. In het hok bij de pomp zat het konijn. Naast het hok stond de geit. Hans durfde niet te kijken. Het varken schuurde tegen het schot. De adem van de jongen was kort. Van alle kanten snoof hij de geur van opgehoopt stof en tuigleer op. Aan een balk hing een gareel. Hij wist zijn moeder achter zich, in de geopende deur. 'Man,' zei ze, 'alsjeblieft, laat hem. Hij wilde niet stelen. Die pen was zo mooi roodgevlamd. Hij wilde hem alleen even vasthouden.'

Het gezicht van vader stond strak. De magere benen van zijn zoon staken af tegen de donkere deelvloer. Hij liep langzaam naar een stenen scheidingsmuur waarover jutezakken hingen. Moeder stond in de deuropening, de handen voor haar schoot gevouwen, mompelde: 'Hij kan zo hard zijn.'

In een hoek lag hooi. De jongen liep om een houten emmer heen. Zijn vader had graag vormer op de steenfabriek willen worden. Aan de vormtafel staan. Hij had ook wel aardmaker willen worden. Met blote voeten de klei kneden tot elke ongerechtigheid verdwenen was en de klei soepel genoeg voor de vormer. Vader had tijdens het werk, niet zo lang geleden, even voor de regen geschuild. De werkbaas had hem gezien.

'Wat doe je daar?'

'Ik heb het koud.'

'Koud is het voor iedereen.'

Vader wachtte tot moeder uit de deuropening verdwenen was. De jongen keek naar zijn dieren. De geit bewoog de kop op en neer. Hij stond stil bij het lage, halfafgebrokkelde muurtje. Het konijn keek hem door de tralies aan. De jongen staarde naar de korrelige wand van de schuur vol spinrag.

Vader had een stuk touw gepakt. De moeder was teruggekomen.

'Man.' Hij wenste niet naar haar om te kijken. De veenbries woei in kleine vlagen de schuur in, verspreidde de geur van stinkend water.

De man was genadeloos, onwrikbaar als de harde steen van de vloer.

'Ga naar binnen. Sluit de deur.' Zij gehoorzaamde, wit weggetrokken. De vader wachtte tot zij verdwenen was. Het konijn knaagde aan de tralies. Vader had het stuk touw weggegooid, de jongen boog zich over de lage muur, legde zijn handen op de ruwe gemetselde rand, zijn dunne blote benen bij elkaar. Hij stond volkomen roerloos. De afgelopen week had zijn vader gevraagd of hij de winter kon blijven doorwerken, maar de baas had geantwoord: 'Ga maar naar huus, de kachel uutpissen!' Aardmakers en vormers behielden hun werk ook in de winter.

Hij sloeg hem met de blote hand, zonder reserve. De jongen kneep in de harde metselrand, zijn ogen hield hij open. Moeder stond achter de deur. Meer kon ze niet doen. Het gebinte van het lage dak boven hem kraakte. Zeven keer sloeg hij.

'Man,' riep zij, 'nu is het wel genoeg.'

Korte striemende slagen. Hij staarde met wijd open ogen naar de grond. Pijn. Geen verwondering, het leek of de afstraffing langs hem heen ging. Wee, wie met zijn Formeerder twist!

Zij riep vanachter de deur. Hij zag niets meer, gaf over, viel languit tegen de stekelige muur en bleef bewegingloos liggen.

3

~

De kraakheldere kamer rook naar zondag. Het raam naar het Veenderpad stond open en de schone, overal gestopte gordijnen, bewogen licht. Het riet in het veen boog diep, suisde. De zon viel vanuit het veen op het te vaak geborstelde karpet waarvan de rafels waren vastgezet. Op de ontbijttafel stond een jampotje met de laatste Oost-Indische kers, feller oranje dan in de zomer. Vader droeg zijn zondagse kleren, met zwarte stropdas op een wit overhemd. Maar de jongen was nog in de war en hij kon niets door zijn keel krijgen. De ouders en hij zaten op rechte houten stoelen, de moeder heel bleek en klein waardoor ze ouder leek dan de vader, voorovergebogen, een hand op haar maag.

Vader las na het ontbijt een passage uit Job. Elk woord werd luid geschreeuwd: 'Hoe lang nog zult gij mijn ziel grieven?' Hij ging voor in gebed.

Na het afruimen volgden ze gedrieën, achter elkaar, het eeuwenoude tracé door het veen. Een hoogte in het landschap heette volgens vader de Sinaï. 'En Mozes beklom de berg Sinaï en naderde de donkerheid waarin God was.'

Nu werden de heuvels van de Veluwezoom tegen de hemel zichtbaar. Daarvoor doemde de blauwe kerktoren op. Vader leidde de kleine stoet. De klok begon te luiden en vader lachte schamper, maakte een wegwerpend gebaar. Hij had de hervormde kerk van Lathum verlaten, de rug toegekeerd. Daar werd volgens hem slechts een dwaalleer gepredikt.

Vader was onder invloed gekomen van turfschippers uit Oost-

Friesland. Op zaterdagmiddag legden ze aan bij de steenfabriek omdat ze niet op zondag wilden varen. Het waren afstammelingen van de Franse hugenoten die in de zeventiende eeuw eerst waren uitgeweken naar Antwerpen, toen naar Emden. Een kleine groep daar had de zuivere prediking van het oude geloof nog bewaard. De Kerk van nu verloochende Gods waarheid, in de Tachtigjarige Oorlog zo zwaar bevochten.

Korte tijd waren ze nog naar de kerk blijven gaan, maar zaten dan op de achterste bank. Op een zondag had vader na de dienst gezegd dat hij de valsheid van deze prediking niet meer kon verdragen. Thuisgekomen was hij het varken gaan voeren. Moeder had koffie ingeschonken, maar vader bleef weg.

'Ga eens kijken waar pappa is?'

Zijn vader had voorover op de ijzeren drempel van de schuurdeur gelegen. Zijn lippen vol bloed. Met moeite had hij zijn eigen zoon herkend. Hij zei dat God hem geslagen had, bij zijn nekvel had gegrepen en hem ter aarde had doen storten.

Na dat incident waren ze nooit meer naar de kerk van Lathum gegaan. Op zondag zag hij Margje van Renes niet meer. Het was een vreemd en verwarrend idee dat zijn vader geloofde en toch niets meer van de kerk wilde weten. Zijn moeder was het er niet mee eens, maar ze had geen zin en er ook niet de kracht voor om zoals ze zei 'er met hem over te strijden'.

Op de dijk namen ze de steile afrit naar steenfabriek de Koppenwaard. Achter de grijze leembulten was de aanlegsteiger. Daar lag een kleine vloot van drie schepen die naar de aartsvaders vernoemd waren: Abraham, Izaäk en Jacob. Uit de kajuit van het middelste schip klonk gezang, zwaar, op hele noten. De samenkomsten met de schippers uit Emden werden altijd in Izaäk gehouden. Vader, op de loopplank, stemde al in.

U, lieve Jezus kleef ik aan,
In licht en ook in duisternis,

Zijn moeder deed alsof ze zong, bewoog slechts haar lippen. Hij deed als zijn moeder.

4

~

Na de bel, de volgende dag, was hij niet direct naar huis gegaan, op het schoolplein blijven hangen, toen de dijk opgelopen. Margje was door vriendinnen omringd geweest.

Hij staarde over de rivier naar de overkant, naar de heuvels
van de Veluwezoom, fantaseerde dat een auto op de dijk zou
stoppen en de bestuurder hem om informatie of hulp vroeg. Hij
wist alleen niet wat voor soort informatie of hulp hem gevraagd
zou kunnen worden. Je kon je in de weg nooit vergissen. Er waren alleen de dijk en het pad door het veen.

Hans bleef hopen. In de omgeving had alleen de Heer – de
Heer van Bingerden die een landgoed bewoonde en heel Lathum
bezat – een auto. Een rode limousine, een Panhard met negen
zitplaatsen. De stoelen waren fauteuils. Als de Heer, met zijn
rentmeester, de pacht kwam innen liet hij op de dijk stilhouden.
De chauffeur, in livrei, wachtte geduldig. De Heer en de rentmeester inden het geld van de pachtboer, kregen wat van de
slacht mee, maakten een praatje.

Met andere jongens had Hans om de auto gelopen. Eén had de
chauffeur gevraagd: 'Hoeveel pk?'

'Zesentwintig,' zei de chauffeur achteloos. 'Met zes versnellin-
gen.'

'Wat kost een Panhard?' vroeg Hans.

'Daar vraag je me wat, jongen. Dit is een speciaal model. Mijn
meneer heeft hem in de autosalon van Parijs gekocht. Ze zeggen
zestigduizend. Kijk maar, dat dashboard, notenhout.'

'En je kunt al starten in zijn tweede,' zei een ander.

Toen zagen ze de Heer, in zijn tweed kostuum, de boerderij uitkomen. Hij zo rijk en machtig dat hij de leistenen kerktoren van Lathum, tegen de zin van het dorp en het kerkbestuur in, blauw had laten verven. Komend uit het oosten, vanaf de Duitse grens, moest voor reizigers, de laatste kerktoren vóór de rivier al van heel ver zichtbaar zijn.

De limousine reed geruisloos verder. Margje en haar vriendinnen liepen gearmd op de dijk, richting het veer. Met haar ging hij later trouwen, maar ze keek niet achterom, wierp hem geen snelle geruststellende glimlach toe.

Hans deed het tuinhekje open, zoog een laatste zoete petuniabloem uit, streelde in het voorbijgaan de geit, zette het scheefgezakte bord tussen de gladiolen recht:

POPPENKAST VOOR AL UW PARTIJEN
HIER TE BEVRAGEN

Hij had nog geen klanten gehad. Er kwamen in dit achterafstraatje geen voorbijgangers. Alleen in het najaar zag je jagers op hazen en fazanten. Waar was moeder? Binnen stond een kom melk voor hem klaar. Hij nam een paar slokken. De melk smaakte zoet. Daarna liep hij de schuur in, haalde het konijn uit het hok. Hij hoorde zijn moeder achter het huis. Met het konijn tegen zich aan ging hij naar haar toe, ze was bezig het wasgoed van de lijn te halen, de kledingstukken één voor één bevoelend.

Hij dacht in de verte de claxon van de auto te horen. De chauffeur claxonneerde bij elke flauwe bocht. Als de Heer hem eens zou opmerken en zou vragen: 'Jongen, zou jij deze auto willen poetsen? Ik zal je er goed voor belonen.' Of wat nog mooier was: 'Mijn dochter is gauw jarig. Zou jij een poppenkastvoorstelling willen geven in mijn landhuis?'

Hans zette het konijn op het witte grind, bond de in de storm van de afgelopen nacht verwaaide lathyrus tegen het fijne gaas op. Ze was met dit warme najaar in haar derde bloei. Moeders lievelingsbloem, met de Oost-Indische kers. Hij sneed een klein boeketje voor haar. Niets wat hij mooier vond, behalve toneelspelen. Een boeket samenstellen en corsages maken, ze omwikkelen met zilverfolie, ze op haar jurk spelden alsof ze een bruid, zijn bruid was. Wat wilde hij later worden? Geen steenfabrieksarbeider, geen boerenknecht. Hij wilde zelfstandig zijn. Clown? Tuinman? Was een tuinman zelfstandig?

'Kom mij 's helpen?' riep moeder. Hij pakte het konijn op. Ze had de was in huis gebracht en ging nu uien rooien. Hij bond ze in bossen en hing ze op staken te drogen. Toen hij klaar was mocht hij gaan spelen.

Het Veen is de rand van het niets. Een boerderij verderop achter de berg Sinaï heette Nergena. Er stond een harde wind. Het riet sloeg neer, het veen was een golvend wit tapijt, met een heleboel franje. Hij liep met het konijn tegen zich aangedrukt over het aangestampte, vochtige pad, sprong over een halfvergane stronk van een wilg, een hoge pol zegge, stapte toen over op Bereklauw, liet zich afdrijven tot Bloedzuigerseiland. Of zou hij Zuringeiland nemen dat over een modderige watergeul op hem kwam toegedreven? Hij was op weg naar Patmos. Om hem heen klonk het zacht broezende geluid van wegstromend water. Je had altijd de indruk dat het veen leegliep.

Een haas kwam voorbij.

'Wacht,' zei Hans.

'Ik ben niet zo jong meer,' zei het dier en wreef zijn voorpoten tegen elkaar. 'Ik bereid mij voor op het einde. Ik heb mijn tijd nodig.' Hij leek wel de schipper uit Emden die bij de zondagse samenkomsten het woord voerde.

De haas verdween. Hans plukte muntblad.

Het werd ander weer. Op de grens van het Veen en het Riet waar de Sinaï lag was het donker geworden. Direct zou het gaan donderen en bliksemen rond de hoogste top. 'En Mozes beklom de Sinaï en naderde de donkerheid waarin God was.' Hardop imiteerde hij de Emdense schipper tegen wie zijn vader zo opzag. Van Zuring sprong hij op een drijvende boomstam, belandde op Dovenetel, haalde net geen natte voeten. Hij was vertrouwd met het Rouveen. Hij kende alle geulen en vaarten, volgde sporen van dieren, verzamelde zeldzame planten als de tweebladige orchis. De haas kwam weer voorbij.

'Je hebt toch van Henoch gehoord,' zei Hans.

'Zegt me niets.'

'Henoch verwekte zonen en dochteren en wandelde met God. Toen hij de leeftijd van driehonderdvijfenzestig jaren had bereikt, nam God hem weg en hij was niet meer. Henoch heeft de dood niet gezien.'

De haas schudde zijn hoofd. Hans keek hem peinzend na. Dat waren nog eens tijden. Zo oud als Henoch worden en samen met God wandelen. Met God van Dovenetel op Bloedzuiger springen.

Nog voor hij Patmos bereikte waar hij zijn schuilplaats had – een in onbruik geraakte jagershut – werd het zo donker dat hij terugkeerde. Rond de top van de Sinaï stormde en flitste het al. Kijk, wolken en nevelslierten kruipen tegen de steile helling op. Mozes is daar en nadert de donkerheid waarin God is.

En God sprak met Mozes. De bazuinen klonken. Hans liet de berg tieren en razen. Mozes daalde af uit de wolk met de twee stenen tafelen door Gods vinger beschreven, zag vertoornd toe dat het volk van Israël het gouden kalf aanbad en sloeg de tafelen met de geboden op de rotsen in stukken.

Oppassen, Zuring kapseisde bijna, een bosje zilverpopulieren in een straal zon stond even in brand, brandend braambos, het pikzwarte veenwater weerspiegelde de open muil van een verzonken wilg. Met het konijn tegen zich aan sprong hij van Dovenetel op Herderstasje en bereikte de vaste wal.

5

~

Toen Hans tegen halfvijf uit school was gekomen had hij moeder op het tuinpad naast het huis gevonden. Haar ogen hadden naar de hemel gestaard. Moeders armen en benen waren verstijfd geweest. De koffiekan van gespikkelde email was uit haar hand gevallen. Hij was de dijk opgerend: 'Moeder is dood! Moeder is dood!' De buren hadden vader gewaarschuwd.

Hoog in de notenboom bij de veerafrit zag hij op het water de veerman met zijn vader. Moeder lag op een plank die over de twee banken was gelegd. De zon zwom bleek rond de roeiboot. Zijn vader had moeder op een platte kar naar het veer gereden. Aan de overkant wachtte de ziekenauto.

De boot meerde af. Moeder werd in de ziekenauto gedragen, verdween over de weg langs het veerhuis.

Hans was teruggegaan naar huis en met het konijn het veen ingelopen. Zijn nadering stoorde een paar kraaien uit een kolonie verderop in het populierenbos, die een dode haas hadden gevonden. Ze vlogen laag over hem heen, krijsend. Het zachte konijn in zijn armen, gehurkt tussen de riethalmen, zijn blik gericht op de blauwe toren, bad hij huilend: 'Breng haar weer hier! Alstublieft.'

De buurvrouw had zich afgevraagd: 'Hoe komt een mens aan zoiets?'

Hans wist het. Het waren de boze geesten, kinderen van satan, kinderen van de Baäl. 's Nachts kwamen ze uit het veen, zwierven rond hun kleine huis. Niet zo lang geleden had hij moeder in haar droom horen schreeuwen. Vader was toen al naar de steenfabriek en hij had op zijn plaats in bed gelegen. Moeder had naar haar hoofd gegrepen. Het was zeker dat satan hun huis was binnengedrongen. 'Moeder, je wordt beter. In het ziekenhuis kan Baäl je geen kwaad meer doen. Baäl is teruggekeerd in de vurige oven waar hij vandaan kwam.'

Hij kwam overeind uit zijn gehurkte houding. De zuring bloeide. Wind sloeg neer, een wolk stuifmeel benam hem de adem. Hij stapte op een voorbijdrijvend eilandje dat hij nog niet eerder had gezien en dus geen naam droeg. De zon verbrandde zijn nek en de huid onder zijn dunne bloes. 'Moeder niet bang zijn voor de grote Baäl.'

'Jongen toch.' Maar moeder kon niet meer praten. Haar tong was verlamd. Zij was als het schaap dat stom is voor het aangezicht van zijn scheerder. Zijn eiland begon te zinken. Bang in het smerige water terecht te komen sprong hij in uiterste concentratie op Herderstasje. De herderstasjes en de zegge en de weegbree zeiden dat zijn moeder weer beter zou worden.

Dat geloofde hij ook. De sponzige grond onder hem borrelde, ritselde weg. Hij meende op de bodem van het stroompje, tussen de wortels van een verveende wilg, een beest te zien. Het Beest. Hij gilde. Uit het water rees het plotseling omhoog. Was satan opnieuw uit zijn gevangenis losgelaten om hoge koortsen en verlammingen bij de mensen te brengen? 'O, Heere, verdrijf de duivel, werp hem in de poel van het vuur en de zwavel waar ook het Beest en de valse profeten zijn. Redt ons, in alle eeuwigheden.'

Hij hoorde onder zijn eiland het water wegstromen – het veen loosde zich – en het kloppen van zijn eigen hart. Een bed wateranemonen schommelde zacht voorbij. In mei was het veen rood van de zuring en van de wilde aardbei en wit van de anemonen. Hij naderde Patmos, zijn schuilhut.

Hij drukte een knoest uit een stuk vermolmd hout en zuchtte. Zou hij zijn moeder mogen opzoeken in het ziekenhuis? Als hij meemocht zou hij haar vertellen dat hij voor haar gebeden had, dat de kikvorsen hard gekwaakt hadden van verliefdheid, dat hij een beetje ging met Margje van Renes, dat... Nee, niet alles vertellen. Zwijgen over de snoek die hij gisteren in het veen had aangetroffen, half op de kant, half in het water. Een doodzieke snoek. Over de vraatzuchtige kop had hij water gesprenkeld anders zou hij uitdrogen, de half open bek maakte hem bang. Vermomde satan zich als stervende snoek? Hij ving een paar hagedissen en een grondeling, voerde die op een rietstengel. De vis, hoe ziek hij ook was, vrat alles wat Hans hem in de bek gooide. Een pluk vochtig sfagnum, een dode kikker, een toef zegge, de snavel van een roerdomp. De snoek hijgde, sloeg met zijn vinnen, snakte naar adem. Met een stok duwde hij het beest in het water.

Vol afschuw deinsde hij terug. In het veenmos stond de afdruk van een bokkenpoot. Dus toch. Satan. Baäl. Of één van de Maccabeeën uit de apocriefe boeken waar vader niets van wilde weten. Hij berekende de afstand, zette zich af, sprong op Patmos. 'Ik, Johannes, uw broeder en deelgenoot in de verdrukking en in het Koninkrijk en in de volharding in Jezus, was op het eiland Patmos en kwam in vervoering van de geest.' Patmos helde vervaarlijk over, maar hij hoefde nergens meer bang voor te zijn. Voorbij, de dreiging. Moeder werd beter. Maar de angst bleef. Om die te sussen sprak hij een fazantenhaan aan. Om de Heere God gunstig te stemmen bevrijdde hij een trillend insect uit het web van een spin, tussen het gevlekte blad van roomse krodde. Zou hij de roomse krodde aanspreken? Vader had niets met roomsen op. Die kenden de Schrift niet, wisten noch van Henoch of Mozes.

Het konijn sprong op de tafel in de schuilhut, naast het schrift waarin Hans aantekeningen maakte. Hij las de laatste notities over. 'Op Berenklauw de vuurpad gezien. Op Zuring de zonnedauw.' Hij schreef: 'Moeder in het ziekenhuis.'

Ze keken naar buiten. Om hen heen strekte zich de golvende rietvlakte uit. Hier en daar verhief zich, half verdronken, een zwarte populier, een knotwilg. Drijvend gras gleed voorbij.

Daaronder wemelde het van satanskinderen, die zacht klaagden en bij het vallen van de schemering bloed spuugden.

'Maak moeder beter.'

De wind om de hut, de wind in de zuring, het bidden, maakten slaperig. Doodmoe, aangeslagen, ging hij aan tafel zitten, zoende het konijn, streelde het konijn, viel in slaap. 'O, Heere, het getal uwer legerscharen is oneindig...'

6

~

De begraafplaats lag tussen de school en de kerk.

Een kille wind stond over de dijk, woei kaf, dor blad op een hoop. Het hele dorp had zich bij de stoet gevoegd. Een buurvrouw had ervoor gezorgd dat hij een broek droeg met keurig nette plooien. De kar reed door diepe plassen, de spaken van de wielen waren omwikkeld met breed zwart lint. Wist mamma dat het nu regende? De kar met de lijkkist spatte water op. De regen viel zo dicht dat de overzijde van de rivier en de heuvels van de Veluwezoom onzichtbaar waren. Hans liep naast zijn vader.

In een bocht van de dijk keek hij om en zag Margje van Renes tussen haar ouders, in een donkere cape. Hij rook de regen, de natte droevige novemberaarde, de geur van mamma's dode gezicht. Met angst en ontzag had hij naar zijn moeder gekeken, opgebaard in de kamer. In de schemer had hij voor het raam gestaan. De stilte buiten, over het veen, was van een verdacht soort geweest, de paarden die uit het riet langsschoten, hadden geheven staarten als van schorpioenen, met scherpe scharen. Verstard had hij toegekeken, onpasselijk, maar hij had ook helder gezien hoe hij alle onrust en gedachten over zijn moeder had verjaagd: zijn moeder was altijd zwak van gezondheid geweest. Daarom had hij maar twee broertjes gehad.

Een koe loeide, de zware roodbonte kop geheven. De kist met mamma, in een dikke laag stro gezet en bedekt met hier en daar een sparrentak, vlamde in de regen, net als de grijze leembulten van de steenfabriek. De doodgraver van Lathum liep voor de stoet uit, de paardenvoerder naast de kar hield de leidsels vast. Over het paard hing een zwarte deken. Op het gelui van de kerkklokken bewoog de stoet zich over de dijk. De ouderen die niet meer konden lopen, keken van een staldrempel toe.

Het paard stapte verschrikkelijk traag, peinzend, als met eigen gedachten bezig, zwaar snuivend bij de nadering van het kerkhof, op stijve benen, zette een stap zijwaarts naar de grazige kant, schraapte over de stenen. De kist zou doornat worden. Lieve mamma. Hij heeft haar één keer in het ziekenhuis gezien. Haar hoofd was kaalgeschoren en er was een gat in geboord.

Hans bukte zich, trok een grasstengel uit de berm en begon er hartstochtelijk op te kauwen. Hij smaakte bitter als alsem. Vader naast hem droeg een geleend pak waarvan alle naden op springen stonden. De onheilspellend blinkende kleibulten waren ze nu voorbij. Hij liep weer uit de stoet, treuzelde, bukte zich om zijn veter vast te maken.

'Vooruit,' zei zijn vader, 'niet dwars zijn.'

Vanmorgen was het ook bijna ruzie geworden met zijn vader. Hij had het konijn uit het hok gehaald, wilde het meenemen naar het kerkhof.

'Weg met dat beest!'

'Mamma zou het goedvinden.'

'En heel gauw!'

De kar spatte water tegen zijn blote benen. Hij luisterde naar de hoeven op de stenen. In het westen, boven de rivier, werd de hemel lichter en een bleke zon kwam te voorschijn, maar de harde wind die regen meevoerde bleef. Iedereen liep gebogen. Sommigen leken op het punt voorover te vallen.

De stoet had de steenfabriek achter zich gelaten. Hij wilde later niet op een steenfabriek werken. Tegen zichzelf zei hij: 'Later ga ik weg uit Lathum, ik wil met Margje trouwen.' Het paard zwoegde, leek nauwelijks voortgang te maken. Hij luisterde naar het scherpe kraken en rammelen van de wielen.

De dag van moeders dood, haar terugkeer naar huis, de dagen voor de begrafenis, sjouwde hij met het konijn rond, tot ergernis van vader, begroef zich in de warme vacht. Had moeder geroepen toen ze op het grind was gevallen? Hij staarde naar de wielen. Moeder die hem wanneer hij geen adem meer had, stiekem in bed nam, zacht over zijn buik wreef om hem te kalmeren, tot hij uiteindelijk insliep.

De stoet verliet de dijk, daalde via de Kerkstraat af naar de begraafplaats. Nu had hij opnieuw kans om Margje te zien. Ze stak haar hand omhoog. Haar regencape spiegelde in het natte wegdek. Karrenvoerder en doodgraver overlegden bij de ingang, het paard werd aan het hek gebonden, kreeg een schouderklop en een zak haver. De mensen verspreidden zich tussen de zerken, lazen de namen hardop. Allen die hier lagen waren bekend. Over de kuil lag een ladder. Daar werd de kist op gezet. Margje heeft zich ook een weg gezocht over de smalle paden, is op hem toegekomen en vlak bij hem gaan staan. Lieve Margje. Hij zag het dons op haar benen. Een schipper uit Emden bad: 'O, Gott.' Dat was niet eerlijk. Om vader te plezieren was moeder meegegaan naar de diensten op de boot. In haar hart behoorde zij nog steeds tot de gewone Hervormde Kerk. De dominee van haar kerk had de dienst moeten leiden. Er werd gezongen:

Altijd zal de rouw niet duren
Door het puin van Sions muren
werpt de hoop een blije schijn

Dag moeder. Lieve moeder. Ik weet dat je in de hemel bent. Het meisje is nog dichter bij hem gaan staan, vlak naast hem. Hij kon als hij dat wilde aan haar vlechten trekken. '...wir müssen ontbunden werden...' Lieve mamma, de Heer is er ook, in zijn rode Panhard, lieve mamma, het is opgehouden met regenen, de kerktoren is zo glanzend blauw. In het ziekenhuis hebben ze je kaalgeschoren, je hoofd kapotgeboord.

Hij huilde. De wind verspreidde het geluid van de klokken als

waterdruppels. Hij had de spookachtige echo van de paarden-
hoeven nog in zijn oren. 'O, Gott doe was gut ist in deine heilige
Augen... Dood, wo ist Ihre prikkel!'

Hans was op de rand van de kuil gaan staan, tussen de dennentakken die het zand en de klei aan het oog moesten onttrekken. De blauwe riverklei met rode aderen van ijzeroer glinsterden door de takken heen. Langzaam werden de touwen gevierd.
De kist daalde krakend en piepend. Vader staat elke ochtend om
vier uur op. Vanaf dat moment is Hans wakker, wacht. Zodra vader het huis uitgaat, kruipt hij bij moeder in bed, schurkt zich tegen haar aan. '...eine stroom ongerechtigkeiten hatte die over-
hand over mij.' Hij bleef maar kijken in het graf, terwijl de
mensen uit het dorp achter hem langstrokken.

7

~

Van het bord in de voortuin had een oogschroef losgelaten. Het hing er scheef bij, schommelde in de wind. De verweerde letters waren nauwelijks nog leesbaar. Met hoeveel plezier had hij het niet gemaakt. Vader had afgedankt hout van de steenfabriek meegebracht. Hijzelf had gezaagd, getimmerd, geschaafd, geschuurd, geschilderd, gaten gegraven voor twee ronde palen in de voortuin, zo dicht mogelijk aan de weg, en het bord er tegen aan geslagen.

Vanmorgen over het land, de stilte van de eerste vorst. Stilte, maar de wind golfde over het veen, sloeg met zijn staart tegen het verstijfde gras dat even trilde, net als de geit in de eerste ochtendzon.

Wat hoorde hij nou? Zijn vader, voor de komende dagen zonder werk, was in de groentetuin achter de schuur bezig waar nog de laatste savooienkool stond. Tegen wie sprak hij? Hij was verschrikkelijk boos.

Hans liep om de schuur heen. De savooienkool op het land, van de soort Eclips, glinsterde als bevroren wasgoed. Wat deed vader nou? Hij schopte tegen een met rijp overdekte kool en riep:

'Rot. Allemaal rot!'

De kool vloog over het land de bloementuin in. 'En die ook! Ook zo verrot als maar kan. Dat is het kwaad. Het is allemaal kwaad. In het hart van de kool. En er is al zo weinig eten. Die ook! Door en door rot en verdorven, aangevreten door de slakken.'

Bij de varkensschuur groeide de kool extra hard. Daar gooide vader het bloed uit het varken neer dat hij niet nodig had voor bloedworst en balkenbrij.

Zijn vader droeg de zware laarzen van het werk, vol aangekoekte klei.

Vader bukte zich: 'Die dan?'

Ja, eindelijk een gave kool, hard en groen, goed voor de inmaak, een echte Eclips. Toch schopte hij ook die de lucht in, ving hem op met het blad van zijn schop, hakte hem stuk, verpletterde hem. 'Gezond? Het zal wel. Jou hoef ik ook niet. Alles is kwaad en verrot. Verdelgen dit slakkengebroed. Dit addergebroedsel! Ook jij, huichelaar. Gaaf? Een demon ben je, met je zogenaamd gezonde kop, en niet anders, ha! alles kwaad en bederf. Wat moet ik met jou! Ik sla zoals een vijand slaat, zoals een meedogenloze tuchtigt.'

Vader was door het dolle heen. Hans kon zich beter uit de voeten maken. Nog een gave kool ging op de schop, werd als een vlieg tegen de schuurwand geplet.

Hans, met het konijn op schoot, stopte zijn oren dicht om het afgrijselijke krijsen niet te horen. Hij kon niet eens aan moeder in het graf denken, omdat het varken zo gilde.

Nu was het stil geworden in de schuur.

Vader zocht hem, kwam de keuken in terwijl hij het lemmet van zijn aardmakersmes aan zijn broek afveegde.

'Niet met dat beest in huis. Hoe vaak moet ik dat nog zeggen? Waar blijf je? Je hoort me toch bezig?'

Achter vader aan liep hij de schuur in. Het dode varken hing aan een dwarsbalk, uit zijn hals lekte bloed in een emmer. Er was ook bloed terechtgekomen op de uitgesleten vloerstenen. Hij zette het konijn terug in het hok.

Vader begon de huid van het dier met heet water af te schrobben. Damp sloeg van het varken alsof het gekookt werd.

Hans droeg heet water aan. Hij hielp, geduldig, zonder iets te zeggen. Een grote bleke tong hing uit de bek van het dier.

Vader sprak tussen de hangende oren van het varken door.

41

'Zout!'

Hij sleepte de kist met grof, geel zout tot onder het varken en het pekelen begon. De varkensharen knisterden als droog gras. Het beest staarde Hans aan. Je zou zeggen dat het nog ademde.

Vader riep alsof hij heel ver weg stond: 'Stro!'

Hans slikte een paar keer achterelkaar, bang dat hij moest overgeven. Hij werd altijd misselijk van het varken aan de balk. Hij zou naar buiten willen, lieve woordjes tegen de geit zeggen die zo zoet rook, haar koolblad voeren.

Hij spreidde het stro uit, bleef op een afstand toekijken. Vader bewoog zich in de schemer rond het bungelende dier. Hans dacht: Ik zou groot en sterk willen zijn en uit Lathum willen weggaan. Hij sloeg zijn ogen neer, bang dat zijn verlangen door vader opgemerkt zou worden.

Een paar dagen geleden had hij in een glimp de rode limousine van de Heer van Bingerden gezien. Negen zitplaatsen van zacht leer telde de auto. De Heer droeg aan zijn linkerhand een zegelring die op zich al meer waard was dan de geit en het varken bijelkaar. Hij droomde dat de Heer over de dijk reed en links en rechts vroeg: Ik zoek dat ene kereltje, die jongen lijkt mij bijzonder, die wil ik als een zoon in mijn huis opnemen, die laat ik nieuwe kleren aanmeten en hij krijgt autorijles. Ik koop zelf een nieuw model Panhard in Parijs. De rode is voor hem.

In zijn neus kwam de geur van het varken, vermengd met die van het oude zout, het droge hakstro. Verstard keek hij toe, in de war van de grootse droom.

Arme mamma. Arm beest. Hij gaf over, met de rug naar het dier, dacht aan niets meer. Hij zou nooit meer iets door zijn keel kunnen krijgen. De misselijkmakende stank zou de komende weken alleen maar toenemen. Bloedworst, zure zult, balkenbrij. Het konijn knaagde zacht aan de tralies.

Vader gebaarde dat hij naar buiten kon gaan.

Hij wilde wel helpen, maar haastte zich uit de schuur het licht in.

8

~

'Kijk, als je dit fijnwrijft...' Een geur van mint maakte zich
los. Zij rook aan zijn hand, hij hoorde haar langzame uitademing.

'Waar gaan we heen?'

Hij wilde haar alles laten zien, de landtong naar de Sinaï, de jagershut, de drijvende en de niet-drijvende eilanden, de matten
bloeiende anemonen, alle vaarten en stromen.

Ze waren al enkele jaren van school af. Margje was eerst bij
haar moeder thuisgebleven en werkte sinds kort als dienstmeisje
bij een fabrikantengezin in Dieren. Hans deed lichte werkzaamheden op een steenfabriek die de Muggenwaard heette. In zijn
vrije tijd hielp hij de veerman, zette over. Op het water ademde
hij vrijer. Als er geen reizigers waren zat hij op de basaltstenen
van de krib, droomde van de overzijde, de heuvels, de rijke dorpen daar. Daar wonen, een stukje eigen land bezitten, zelfstandig
zijn. Hij zag zijn geluk met zoveel precisie voor zich alsof het over
een herinnering aan werkelijk beleefde dingen ging. Alles wat
hem kon dragen, de roeiboot, de limousine van de Heer, zijn gedroom, waren echter dan het werkelijke leven. Had niemand die
hier woonde, in dit levenloze armelijke dorp, de aanvechting gekend om te vertrekken? Na de lagere schooltijd was het contact
met Margje verloren geraakt. Ze staken een hand op als ze elkaar
op de dijk tegenkwamen. Meer niet. Hij durfde haar niet aan te
spreken, bang dat ze neerkeek op hem die geen fatsoenlijk werk,
geen toekomst had. Zij had werk aan de overkant. Gisteren, toen

hij dienst had op het veer, had hij haar terugkomend na drie maanden voor een eerste weekeinde thuis overgezet, was met haar opgelopen. Ze hadden geen duidelijke afspraak gemaakt.

Hij wilde op Dovenetel springen, hield zijn sprong in. Daar stond ze. Aan de rand van het veen. Margje droeg een sjaal van rode stof. Hij vond haar een beetje een zigeunerin. Hij keek naar haar grote bruine ogen. Haar gezicht was een en al oog. In verwarring wees hij naar de diluviale opstuiking aan de horizon.

'Boven de Sinaï regent het al.'

'De Sinaï?'

'Zo noem ik die berg. De regen komt deze kant op. Dan ruikt het veenwater anders.' Hij wilde andere dingen zeggen, nam zich zijn onzekerheid kwalijk. Maar hij wist natuurlijk alles van het veen, wilde haar in één keer van alles op de hoogte brengen. Daar stond ze, een vouw in haar jurk plooiend, haar ogen op hem gericht, aan de rand van een zwarte poel. Hij stak een hand uit, zij sprong op Dovenetel en ze lieten zich afdrijven, kwamen bij het oeroude tracé, van ver voor Christus' geboorte, dat ooit op een doorwaadbare plaats in de rivier had aangesloten. Ze liepen achter elkaar. Hij stond stil, draaide zich om. 'Phelipe is een oud woord voor doorwaadbare plaats. Daar komt Velp vandaan. De meester heeft het verteld.' Zij was dat vergeten.

Het pad was als over water aangelegd, zo vochtig, zo buigzaam dat het bij elke stap bewoog. Het was beter schoenen en kousen uit te doen. Zij rolde haar jurk op tot haar knieën. Van het pad stapten ze over op een verzonken boomstam, die kapseisde. Toen op Berenklauw. De stroom nam hen mee naar open water. Hij wees naar de kringen op het water.

'De Verboden Zee.'

'Verboden Zee?' Ze blies tegen een lok donker haar die over haar lippen viel.

'Het zit hier vol met boze geesten. Zie je die lange bleke wortels? Die zijn van de alruin. Daar zitten ze, in de vorm van een pad, een slang. In hun ogen brandt vuur.' Hij begon te fluisteren. 'Als je heel stil bent, hoor je ze ademen, door het geborrel van het water heen. Meestal zitten ze verstrikt in de wortels, maar als ze losraken zijn ze tot alles in staat, steken rivieren over, verspreiden zich over de wereld, stichten kwaad. Niets kan hen tegenhouden Margje.' Hij deed of hij bang was en niet om zich heen durfde te kijken.

Ze lachte. 'Gekkie, jij speelt maar wat.'

Hij sloeg een mug op zijn arm dood. Wind stak op, rimpelde het water, boog de grassen door. Het lange haar van het meisje vloog alle kanten op. Zij zette een stap, dreigde in de spochtige grond weg te zakken, hij greep haar hand. Samen ploeterden ze door een laag blubber.

Ze zei dat ze zijn vader had gezien.

'We gaan naar Patmos,' zei hij. Hij wilde niet over zijn vader praten. Op zaterdagavond kwamen de schippers naar de Veendersteeg en hielden diensten in de huiskamer. Op zondagmorgen ging zijn vader naar de aanlegsteiger achter de steenfabriek. Het lukte hem zelden zich te onttrekken. Waarom zou hij haar met zijn afkeer daarvan vervelen?

'Is op Patmos de veenhut? Je hebt hem eens voor mij getekend. Misschien heb ik hem nog wel.' Hij was het niet vergeten.

Via Zuring bereikten ze Patmos. Harde windvlagen joegen over het veen. Hij ging haar voor over een zwartgeteerde, kromgetrokken planken vloer. Er stond een met riet bespannen stoel, een rafelig gat in het midden van de zitting. Zij ging schrijlings op de stoel zitten, met de ellebogen op de rugleuning. Door een halfrond raam, als van een stal, konden ze het dorp zien. Slechts een donkere vlek vastgeplakt tegen de dijk. Haar oog viel op een schrift.

'Wat schrijf je daar in?'

'Ik verzamel planten. Ik plak ze in, zet er de naam bij en de vindplaats. Je mag het zien.'

Hij gaf het Margje, bleef naar haar kijken terwijl ze voorzichtig de bladzijden omsloeg. De hut kraakte, ze hoorden dat zand tegen de wand sloeg. Hij legde uit dat de regen van de Sinaï altijd zand meevoerde.

'Je voelt je hier thuis, hè?'

Hij haalde zijn schouders op.

'Soms.'

'Je bent hier wel alleen. Net als op het schoolplein.' Buiten verdween het licht in het water, de geulen liepen vol. Iets bewoog onder de hut.

'Wat is dat?'

'Veen dat verschuift.' De wind raasde. Ze pakte zijn hand.

'Ik ben niet bang.' Weer bewoog de aarde onder hen. Hij keek over de natte, druipende vlakte. Zijn gebied. Ze zei: 'Op elke bladzij staat 'moeder'.'

'Moeder is in de hemel. De boze geesten kunnen niet meer bij haar komen.'

'Dat denk ik ook.'

Hij vroeg naar haar werk. Ze vertelde dat ze in een groot huis met een serre woonde. Het gezin telde acht kinderen. De vader had een houtfabriek aan het Apeldoorn-Dierenskanaal en was vaak weg, naar Rusland en Siberië om hout in te kopen. Zijn vrouw was zenuwziek en zat de hele dag te huilen. Zij zorgde ervoor dat de kinderen op tijd aan het ontbijt zaten. Zij bracht ze naar school. Sommigen waren ouder dan zijzelf. Maar ze moesten naar haar luisteren.

Hij zag hoe ze haar blote voet in een zacht stuk hout van de vloer duwde, voelde toen haar ogen op zich gericht.

'En jij?'

Ja, hij. Hij wist nog steeds niet wat hij wilde worden, schaamde zich dat hij nog steeds aan deze kant van de rivier zat, hij wilde weg, maar zei niets. In plaats dat hij haar zijn dromen vertelde, liep hij met een roestig steelpannetje naar buiten, keek omhoog de regen in. De regen sloeg tegen zijn tanden, tot in zijn keel. Toen hij terugkwam, zat ze op de vloer, haar knieën opgetrokken, armen eromheen geslagen. Hij had tranen in zijn ogen en kon niet eens zeggen of ze naar hem zat te kijken. Hij goot water over haar bemodderde voeten.

'Lief van je.'

De regen sloeg op dat moment zo hard op het water en op de

golfplaten dat hij haar bijna niet verstond. Harde klappen. Ze keek hem verschrikt aan.

'De vissen springen boven het water uit.'

Hij had wel eens een karper gevangen, of een snoek, zó'n knaap, met de hand! Hij schepte op.

'Die zat zeker verstrikt in de alruinwortels?'

Ze lachten.

Margje begon weer in zijn schrift te bladeren. Hij keek naar haar ademhaling, ze ademde anders, ademde met hem mee. De lok haar viel weer tegen haar lippen. Ze blies er tegen. Het haar van Margje ging alle kanten op. Ze keek de hut rond. Hij zag hoe ze haar voet in de rotte bodem van de vloer boorde, alsof het veenmos was. Op een dag ging hij met dit meisje trouwen.

'Hoor je?' Boven de berg Sinaï rommelde de donder. Het onweer kwam hun kant op. 'Margje, kijk, het veenwater krijgt een andere kleur. Donkerder. Zwarter. Een poel van...' Haar lippen gingen iets van elkaar, als wist ze dat ze gekust ging worden. De karpers of de snoeken sprongen boven het water uit, vielen met een zware plons terug.

'En wij...?' vroeg ze. 'Met dat onweer?'

Een donderslag, een echo over het veen. Hij was achter haar stoel gaan staan, rook het veenwater in haar haren. De storm nam toe, de golfplaten gilden. Hij gilde om zijn moeder, zij riep iets in de storm, nee gilde om boven de storm uit te komen en het schelle fluiten langs de hoeken en in het riet. Wie gilde? Wie gilde?

Ze riep hem. Er was geen direct gevaar. Zij zat op die wankele, half vergane stoel, op die zachte, door en door verrotte vloer die wel zoet naar veenkruiden geurde. Zij riep zijn naam alsof ze bang was in het moeras weg te zinken.

Ze riep hem weer, toch stond ze gezien de omstandigheden op een redelijk vaste, verharde plaats, maar ze moest hem roepen, ze wilde schreeuwen, gillen, zo dringend mogelijk, alsof er buiten de directe veiligheid iets veel belangrijkers van afhing.

9

~

Hij kwam thuis en zag bij de drempel waarover zijn vader eens gevallen was, een donker plasje bloed, als een papaver. Zijn vader stond in de schuur.

'Wat ga je doen?'

'Het konijn voeren.'

Zijn vader ging in de deuropening staan. Hij mocht er niet in. Hans was hem te snel af, glipte onder zijn arm door, zag het lege hok.

'Waar is het konijn?'

'Er kwam een opkoper langs.' Het zonlicht viel dicht en geel als stalstro in de deuropening waar zijn vader stond. Naast het huis de geit, bijna blind, met haar verdorde sik. Bloed steeg naar zijn hoofd. Als moeder nog had geleefd was dit nooit gebeurd. Hij zag het doodsbange dier voor zich, in elkaar gedoken, wegkruipend achter in het hok, zo zou het niet gezien worden. Hij zag zijn vader (of de opkoper) die het beest bij zijn nekvel uit het hok had getrokken. Wie weet eerst nog over de rug gestreeld om het gerust te stellen en toen in één beweging door de nek omgedraaid.

'Maar pappa...' stotterde hij, hikte, hikte, kwam adem tekort, voelde zijn tenen verkrampen. 'Van mijn konijn had je af moeten blijven.' Hij zag zijn vader, probeerde door de ogen van zijn vader heen naar een plek in hemzelf te kijken, zag de emmer voer, het verse gras in zijn hand dat glansde, zag toen niets meer, de schuur kantelde.

Hij reikte naar zijn spaarpot op de keukenplank naast de petroleumlamp met één- , twee- , en vijfcents munten die hij van zijn moeder kreeg als ze eieren of groente had verkocht; hij had ook wat extra's verdiend met verse kruiden uit het veen. Zijn vader was achter de schuur bezig. Hij hield het spaarvarken op zijn kop boven de tafel, schudde het heen en weer tot er eindelijk een paar munten uit de gleuf kwamen, sloeg hem ten slotte vastbesloten in de voortuin op een steen kapot.

Hij vertrok. Die beslissing viel toen hij de plas bloed bij de drempel zag en begreep. Hij vertrok uit Lathum en zou nooit meer terugkomen. Wat had hij hier nog te zoeken? Maar wanneer? Vader zou naar een samenkomst van de schippers uit Emden gaan. Dan kon hij vanavond al weg, maar het risico hem op de dijk tegen te komen was te groot. Nee, beter de ochtend afwachten en de rivier oversteken. Aan deze zijde lag een roeiboot. Hij was er handig in geworden gebruik te maken van de tegenstroom en had niemands hulp nodig om aan de overkant te komen. Hij zocht zijn kleren bij elkaar, stopte ze in de oude boodschappentas van moeder.

De gordijnen van zijn slaapkamer liet hij open om vroeg wakker te zijn. Hij lag al in bed voor vader thuiskwam. Maanlicht viel op zijn deken.

Hij hoorde zijn vader het huis verlaten, kleedde zich snel aan, liep de trap af. Hij bekeek de muren van de kamer, inspecteerde ze, de een na de ander, luisterde. Moeder had hier als een ding op bed gelegen. Aan een spijker achter de kastdeur hing haar hoofddoekje. Hij stopte dat bij zijn kleren. Uit de la van het dressoir pakte hij een kaart naalden, een knot katoen.

De mist stond tegen de ruiten. Hij kon zelfs het pad niet zien. Maar boven de mist blonk de zon. Het zou een heldere dag worden. Straks zou hij de dingen goed kunnen onderscheiden. Raven riepen. Je zoekt ze, je ziet ze nooit. Zonder geluid te maken deed hij de deur naar buiten open, toen de staldeur. De geit knipperde met de ogen, durfde niet goed uit de schaduw te komen, bang voor het eerste licht. Of begreep ze dat hij haar achterliet? Haar flanken waren zo hol. Een paar muggen deden haar verschrompelde uiers trillen.

'Kom!' Ze bewoog niet, koppig bang voor het ochtendlicht. Het leek of ze voorbij de dingen keek. Het dier streek met haar flanken tegen zijn zij. Terwijl hij haar streelde zag hij op het lege konijnenhok een bos gerooide uien uitgespreid, violette uien, en een bos witte prei, als verse riviervis. De geit wreef haar snuit tegen hem aan, hij keek om zich heen, naar de vloer, vaders laarzen, de balken. Van hier, door het stoffige raam, was de dag zacht en grijs, als de vacht van een kat.

Hij heeft alles rustig bekeken, de tijd nemend, omdat hij wist dat hij hier nooit meer terugkwam, zei toen: 'Ik ga.'

Hij plaatste de geit in de grasberm, aan een paal, in de eerste zon, wierp haar een kushandje toe, maakte met zijn lippen een zacht geluidje. In een emmer die in het grind was blijven staan, druppelde water uit de dakgoot. Hier had hij moeder gevonden, de blik in haar ogen was die van een beest in een klem.

Hij kwam langs de kleine voortuin en zag het oude bord. Het had geen betekenis meer. Het leek of de beide palen, scheefgezakt, net als de dorre staken van de stokroos, vanzelf uit de aarde gekomen waren. Hij had er ooit zo bloedig op gezweet.

Niet omkijken nu. Het dier zou er droevig bij staan. De jongen keerde het huis de rug toe, hoefde maar in de richting van de rivier te lopen en binnen een uur was hij bij het Lathumse veer. Een vogel begon te zingen. Nog een. Achter de Sinaï gloeide licht.

Wat was dat? Wachtte zijn vader hem op? Och niets, een wilg. Een wilg in het veen, in de schemer, bij opstekende wind grijs schuim.

Kom op. Loop door. Nu komt het erop aan!

En daar? Dat zwarte? Zijn ogen groot van angst. Daar net boven het riet uit. Vader die hem door had en hem opwachtte? Ja, wat jij allemaal niet ziet! Hij tuurde over het uitgestrekte plateau. Het leek onder de hemel op een nieuw firmament, maar ondersteboven. Slechts schaduwen van een dode iep, donker met lange armen. Wat zou het anders moeten zijn? Gepraat van jonge vogels. Waarschijnlijk een nest eksters.

Hij hoorde zijn zuigende voetstappen. Als hij omkeek, zou hij tegen het lichter wordende oosten het ouderlijk huis kunnen zien. Hij keek niet om, wilde niet in een zoutpilaar veranderen. Eindelijk, het dorp, de kerk. Licht verdeelde zich in flitsen over de kerkramen. Bloedrode engelen en apostelen. De dijk. De boerderijen toonden hun geopende koetspoorten. Hij passeerde de afslag naar de steenfabriek, onderscheidde vaag de vuurovens, de grimmige stoomketels, de kipkarren.

Nu begint hij meer te zien. Boven de rivier is het nooit helemaal donker. De zon is er al in geslaagd om net boven een boomgaard uit te komen, een straal licht valt voor zijn voeten.

Hij maakte de roeiboot los. Er stond als altijd een laag water in de boot. Het etensblik van de veerman dreef nog rond. Hij zette af, trok achterover hangend met alle kracht aan de riemen, voer eerst een vijftig meter stroomopwaarts, vlak langs de oever, maakte gebruik van de tegenstroom. Toen begon hij aan de oversteek. Kleine wolken damp voeren met de stroom mee. In het water gingen lichtpuntjes alle tegelijk aan en uit en in het suizen langs de boot waren het net gaskousjes.

Hans luisterde naar de riemen in het water, naar het donkere schrapen van de ijzeren riemringen om de pinnen, in de rand van de boot geslagen.

De boot kliefde de golven. Vanaf de verre oever die hij had verlaten zag hij zichzelf als een uit papier gesneden poppetje.

Hij trok de boot op het zand. Hans had de sterke indruk, eenmaal aan deze zijde – zo gemakkelijk was het gegaan, als vanzelf – dat iemand hem tot hier toe gedragen had.

Rustig liep hij de bochtige veerweg af, tussen oude, middeleeuwse bedijkingen door, richting Velp. Hij had de weg voor zich alleen. Zijn geboortedorp was al eindeloos ver.

Hans Sievez begon, zonder de bescherming van wie dan ook, zijn reis door de wereld, en de wereld was groot. Hij had toekomstplannen. Met een triomfantelijke glimlach keek hij om zich heen. Zijn donkere haar was zacht onder een lichte windvlaag. Zijn ogen waren blauw, zijn tanden heel wit. De weg veerde, zijn pas was soepel. Zijn leven zou vorm krijgen.

Die wars van 't kwaad, niet in de zonde leeft,
Maar zijnen gang bestiert naar 's Heeren wetten.
Gij, grote God, die ons bevelen geeft!
Gij eist dat w'op uw woord gestadig letten
En dat w'ons hart, aan uwen wil verkleeft,
Geduriglijk op uwe wegen zetten.

Ps 119 : 2

Twee

10

~

Mannen, bezig bladaarde te zeven, zagen een jongen met een boodschappentas kwekerij De witte lelie aan de Loosduinse Kade opkomen. Ondanks zijn armoedige kleding zag hij er verzorgd uit. Zijn schoenen waren afgestoft, in zijn opgelapte broek zat een scherpe vouw, zijn haar was gekamd. Een jongen die om zijn uiterlijk gaf. De mannen onderbraken hun werk.

Hans stak een hand uit, stelde zich voor.

'Sievez?' zei de een, een sigaret aan zijn lip. 'Vreemde naam. Die kennen we hier niet. Waar kom je vandaan?'

'Uit Lathum.'

Lathum kenden ze ook niet.

Hans zei dat hij werk zocht, dat hij het vak wilde leren. Zijn stem klonk helder, vastbesloten.

'Dan moet je bij de opzichter zijn.' Hij werd verwezen naar het kantoor naast het ketelhuis. Een van hen zei nog: 'We dachten al wel dat je uit een andere streek kwam. Maar waar vandaan geen idee.'

'Zie ik er dan zo anders uit?' Hans lachte. Ze bekeken hem van top tot teen, wisten geen antwoord. 'Nou, je kunt wel zeggen dat er geen grammetje te veel aan zit. Er was daar zeker niet veel te eten?'

'Toch hadden we elk jaar een varken.'

Hij meldde zich bij de opzichter die vroeg of hij eerder in dit vak gewerkt had. Na een kort gesprek werd hij als tuindersleerling aangenomen. Hoofdcultuur van dit bedrijf waren de lisachtigen, van zwaardlelie tot florentijnse iris. Er werden als bijproducten ook varens en gloxinia's gekweekt. Hij zou op die manier kennismaken met een redelijk breed arsenaal aan cultures. De volgende dag al kon hij beginnen. De werktijden waren van zeven tot zeven. Tussen de middag werd een uur geschaft. Zaterdag ging de poort om twaalf uur dicht. Dan vond de uitbetaling plaats. Een overall kreeg hij van het bedrijf. Het was nu augustus. Hij was verplicht zich in te schrijven voor een tuinbouwcursus in Boskoop die in september begon. Hij zocht natuurlijk een onderkomen. Het dagblad *Het Vaderland* had een rubriek waarin kamers werden aangeboden. De opzichter kon hem helpen aan het adres van een weduwe op de Laan van Meerdervoort. Daar zou hij het eerst kunnen proberen.

Hans vroeg of hij mocht overwerken. Hij wilde zoveel mogelijk verdienen.

Die mogelijkheid bestond. Op de dagen dat hij niet naar de wintercursus ging, maar hij liep nu wel erg hard van stapel. Het hing er vanaf of hij beviel.

De opzichter zocht het adres voor hem op.

Nu liep hij weer het hoge bruggetje over aan de Leyweg, waar hij was uitgestapt. In Arnhem had hij op goed geluk de trein naar Den Haag genomen. Waarom zou hij niet proberen om in die stad aan de slag te komen? Had de meester in Lathum niet smakelijk verteld over de Gelderse legeraanvoerder Maarten van Rossum die in de zestiende eeuw Den Haag was binnengevallen en met rijke buit teruggekeerd, en over de moord op de gebroeders Johan en Cornelis de Witt, bij de gevangenpoort?

Bij het Hollands Spoor had hij de Westlandse stoomtram lijn 5 genomen, en was alweer op goed geluk uitgestapt bij halte Leyweg, was het bruggetje overgelopen waaronder net een platte schuit met bloemen voer en had voor de ingang van een kwekerij gestaan. Hij hield van bloemen, en er moest geld verdiend worden.

11

~

De buitenzijde van het huis ademde gerief en rijkdom. Boven en aan weerszijden van de teakhouten voordeur hingen trossen blauwe regen in hun tweede bloei. Op een koperen plaat onder het betraliede raam las hij: mr. G. A. Fleer. Het huis stond pal aan het trottoir. Van de serre die op straat uitkeek stond een bovenraam open. Door de dichte vitrage was het onmogelijk om naar binnen te kijken.

Hij dacht dat de vitrage bewoog, voelde zich geobserveerd, greep naar de tas die hij aan zijn voeten had gezet, deed een stap naar achteren. Hij was er bijna zeker van iemand te zien – iemand die hem opnam. Om zich een houding te geven keek hij omhoog langs het huis. De woning bezat op de tweede verdieping een balkon, zoals alle huizen in deze straat. Zou hij de kamer met balkon kunnen krijgen, dan had hij een mooi uitzicht over deze brede weg met trambanen.

Hij waagde het aan te bellen. De huizen in Lathum bezaten geen deurbel. Een jongen uit Lathum, op de Haagse Laan van Meerdervoort. Hij nam zijn tas weer op, overwoog weg te hollen, de schaduw achter de vitrage kwam in beweging, kordate voetstappen waren hoorbaar. Een glazen deur in de hal ging open, lange tijd werd aan het slot gemorreld, verschillende sleutels werden in sloten gestoken. Eindelijk werd de buitendeur geopend.

'Ik kan niet anders zeggen, je spreekt keurig Nederlands. Eerlijk gezegd had ik dat niet verwacht toen ik je op de stoep zag staan.

Al is het goed te horen dat je niet uit Den Haag komt.' Zij sprak heel deftig. Haar stem leek op die van de Heer uit Lathum en Bingerden.

'De meester van de school vond juist dat ik zonder dialect sprak. Ik mocht vaak voor de klas komen om mijn opstel voor te lezen.'

Ze zaten tegenover elkaar in brede oorfauteuils. Hans keek vanuit de serre de diepe, hoge achterkamer in die uitkwam op een smallere tuinkamer waarvan de deuren wijd openstonden. Een reusachtige ruimte, met zwaar donker meubilair, een zwarte rijkbewerkte buffetkast waarop een plateau stond met kristallen karaffen en foto's in leren lijsten. Op de schoorsteenmantel van de serre stonden twee Chinese vazen. Hans dacht aan het huis in het veen waar hij was opgegroeid. Mevrouw Fleer moest erg rijk zijn. Waarom nam zij huurders in huis? Zij raadde zijn gedachten. Het ging haar niet om het geld. Het was niet goed dat in een groot huis zoveel vertrekken leegstonden.

'Je lijkt me een nette jongen. Ik heb een kamer voor je. Laat je thee niet koud worden. Na de thee gaan we boven kijken.' Haar stem klonk nu minder deftig. 'Hou je van sprits?' Het koekje lag op een apart schoteltje. 'Een sprits is lastig. Geniet ervan. Je mag knoeien. Daar zijn stofzuigers voor. Er is een banketbakker in de Fahrenheitstraat verderop, die maakt de lekkerste sprits van Den Haag. Mijn man was er gek op.' Terwijl hij voorzichtig een hap van het koekje nam gleden haar ogen naar zijn broek en schoenen. 'Een nette jongen, maar aan je kleding gaan we wat doen. En aan die magere armen.' Hij voelde haar blik op zijn hals. 'Daar mag wel wat vet bij.' Hij zette het schoteltje terug op de lage tafel waarop een krant lag, opengevouwen op de financiële pagina. In een glazen houder stond een anilinepotlood. Hij dronk zijn thee op, zij volgde zijn bewegingen. 'Het kan zijn dat de kamer je niet bevalt. In dat geval zijn we gauw uitgepraat. Kom mee. Vergeet je tas niet. Die had je beter in de gang kunnen laten.'

Uit de la van het buffet haalde ze een sleutel, ging hem voor naar de gang. Op de hoekpost van de steile trap stond een bronzen naakt, balancerend op één teen, een half opgebrande kaars in een kandelaar dragend.

Zij besteeg de trap met kloeke, bijna mannelijke stappen. Op iedere trede lag een koperen roede, blinkend als goud. Buiten hoorde hij het lichte tinkelen van een tram. Vlak voor de laatste tree keerde ze zich naar hem toe: 'Als de kamer je bevalt, hoe lang denk je dan te blijven?'

Hij kon hierop geen antwoord geven. Zij was op de overloop aangekomen, nam de tweede trap, wachtte, keek op hem neer over de leuning: 'Ik hou er niet van als iemand na een week vertrekt.'

Hij wist zeker dat dat niet zou gebeuren. Ze liep door, wachtte bij de tweede overloop. Tegen het hoge gewelf van het plafond zat een ventilator, als een monsterlijk groot roerloos insect.

Zij deed een deur van het slot.

'Deze kamer had ik voor jou gedacht.' Ze duwde de klink omlaag, opende de deur. Het was de kamer met balkon; een vloed licht viel door de open balkondeuren. Hij ging achter haar het vertrek binnen waarin een koperen bed voor twee personen het opvallendst was. De dekens hingen over het voeteneind.

'Het wordt een lauwe nacht. Een laken is voldoende.' Hans had geen aanvechting tegen die woorden in te gaan. Hij had al begrepen dat deze mevrouw Fleer over de eenvoudigste situatie een vaste mening had en geen tegenspraak duldde. Maar ze was heel vriendelijk.

Ze nam hem mee naar het balkon.

'Kijk, de tram draait op het kruispunt de Fahrenheitstraat in. En die kant uit ga je naar het centrum, de andere kant is Kijkduin. Heb je de zee weleens gezien?'

'Nee, mevrouw.'

'Daar zullen we verandering in brengen. Ik vergeet nog te zeggen: het kan hier heet zijn. Het uitzicht is mooi, maar als de zon brandt... Ik zeg altijd: alles heeft zijn goede en slechte kanten. Je kunt je verfrissen in de badkamer op de eerste etage. Daar is ook een toilet. Laat ik direct duidelijk zijn: bij een plas wordt niet doorgetrokken.' Op een nachtkastje stond een schemerlamp met bruine laaghangende kap. Ze liet hem zien hoe je met het koord de porseleinen knop kon omdraaien.

'En?'

'Ik neem hem.'

'Je accepteert het bedrag dat ik genoemd heb?'

'Ja mevrouw. De kamer is zo mooi. Ik hoopte daarnet, buiten, dat ik die zou kunnen huren.'

Ze sloeg hem korte tijd aandachtig gade, een loper van blauwe wol die in de zon flets was geworden met haar voet verschuivend.

'Je ziet er schriel en armoedig uit. Nou goed...' Hij had zijn tas nog steeds in de hand, zette die nu op het zeil, tegen de plint. 'Als je hebt ingeruimd, verwacht ik je beneden. Intussen zal het dan wel etenstijd zijn. Maar haast je niet. Ik heb genoeg te doen. Je hebt er geen bezwaar tegen samen de maaltijd te gebruiken?'

'Nee, juist niet.'

'Nog één ding. Je ziet, er is geen kachel. In de winter mag je beneden komen. Nogmaals haast je niet. Als het eten klaar is luid ik de tafelbel.'

Ze liet hem alleen, trok de deur van zijn kamer achter zich dicht. Hij wist even niet wat hij zou gaan doen, ging aan de tafel zitten midden in de kamer, stond meteen weer op, liep naar een rieten tafeltje in de hoek waarvan de voet uit een bos ronde geschilde takken bestond, bijeengehouden door ijzerdraad, voelde aan de wilgentenen, probeerde het grote bed, licht verdoofd. Hij snoof ook hier de heel speciale verwarrende geur op die in het hele huis hing, van donker meubilair, oud tapijt, geranium en vlijtig liesje, van vage parfum of bont, vluchtig, maar toch, nu al, onuitwisbaar.

Na enkele minuten keek hij iets vrijmoediger om zich heen. De kamer maakte een kale indruk. De wanden waren leeg op een gravure van de Hofvijver na, de glinsteringen in het tapijt waren niet van zilverdraad, maar diepe slijtplekken.

Hij deed zijn jasje uit, trok zijn das los, deed de bovenste knoop van zijn overhemd open.

Uit het zijvak van zijn tas haalde hij een jeugdportret van zijn moeder dat hij op het nachtkastje zette. Zijn kleren hing hij in de kast. Op het nachtkastje legde hij ook de zakbijbel die hij bij het verlaten van de lagere school gekregen had. De tas schoof hij onder het bed. In enkele minuten was hij klaar. Hij nam het portret van zijn moeder in zijn hand, ze lachte naar hem. Toen hij in de verte een tram hoorde aankomen, liep hij naar het balkon, keek neer op de kronen van de bomen onder hem, naar een winkel voor Coloniale Waren aan de overkant, volgde de tram de Fahrenheitstraat in, de ramen rood van de zon.

Hij hoorde de tafelbel, haastte zich met drie treden tegelijk naar beneden, maar bleef onder aan de trap stilstaan, gleed met zijn vingers over de frêle vrouwenfiguur, liep twee treden omhoog om haar voorhoofd te kussen en dacht aan Margje die nu haar werk deed in het Dierense fabrikantengezin. Beiden snoven ze aan de rijkdom.

Het avondeten werd in de achterkamer opgediend. Ze wees hem zijn stoel recht tegenover haar. Er was zeker voor tien man plaats. Het tafellaken was voor driekwart teruggeslagen.

'Eet smakelijk, Hans.'

Hij zei dat hij gewend was om voor het eten te bidden. Zij gaf hem gelegenheid. Hans vouwde zijn handen in zijn schoot, mompelde halfluid het vertrouwde gebed: 'Heere, zegen deze spijzen. Amen.' Met zijn ogen nog even dicht, dacht hij aan het portret van zijn moeder, boven op zijn kamer. Deze vrouw zou nooit zijn moeder kunnen zijn. Toen hij zijn ogen weer opendeed, kwam zij uit de achteloze houding die ze tijdens het gebed had aangenomen.

'Voor de tweede keer, eet smakelijk.' Onder het eten merkte ze onverwacht op, hem nadenkend aankijkend: 'Het doet me goed dat je van mooie dingen houdt. Het beeldje in de gang stelt een godin voor. Mijn man en ik zijn er nooit achtergekomen welke.'

Hij werd rood van schaamte.

Voor hij onder het laken kroop, knielde hij zoals hij thuis was gewend. Hij dankte God voor deze dag, voor alle goedertierenheid.

Hij liet de gordijnen open. De maan scheen tegen de verste plint. Ronde wolken dreven met hun schaduw langs de maan. Onder zich hoorde hij zijn hospita in haar slaapkamer heen en weer lopen.

12

~

H ans Sievez, de mouwen van zijn groene overall opge-
stroopt, een sigaret tussen zijn lippen, zijn collega's imite-
rend – hij had nog nooit gerookt en was al in staat een sigaret op
te roken zonder hem met zijn handen aan te raken – verpulverde
een brok turfmolm boven het tablet, besproeide de turf die zich
volzoog, donker werd van vochtigheid.

Een week werkte hij nu op De witte lelie aan de Loosduinse
Kade. Zijn hospita had de fiets van haar overleden man lager laten zetten. De eerste dagen had hij op het veld met zwaardlelies
gewerkt. Niet eerder had hij zulke grote witte bloemen gezien.
Weinig scheelde het of hij had tranen in zijn ogen gekregen. Van
de baal turf, bijeengehouden door smalle buigzame latten en
draad, brak hij een flink stuk af. Straks zou hij in de natte turf
jonge net bewortelde ijzervarens gaan ingraven. Iets deed hem
opkijken. Misschien de korte klik in de verte van de kasdeur? Al
eerder meende hij een zacht tikken op de kasruit te horen. Uit de
schaduw van een stapel rietmatten, net buiten de kas, zag hij dat
zich een massieve gestalte losmaakte, die de drempel overstapte,
een moment tegen de deurstijl leunde, toen op hem af kwam. De
man inspecteerde Hans met zijn rustige lichtbruine ogen, kwam
nader en stak hem over de baal turf heen de hand toe.

'Daar ben ik dan! Je kijkt verbaasd, maar ik wist dat ik je zou
ontmoeten. Later zul je het begrijpen. O, ik vergeet me bijna voor
te stellen.' Hij hield nog steeds Hans' hand vast. Bijna plechtig zei
hij: 'Ik ben Jozef Mieras. Je bent verrast. Je zult wel denken: wat

moet die kerel?' Al die tijd speelde om de ronde mond van de onbekende een vriendelijke, bijna verlegen glimlach. Hij droeg de groene overall van het bedrijf, was een knecht van hier. Toch had Hans hem nooit gezien. 'Zo Hans, jij bent dus de nieuwe. De anderen zeiden dat ik je hier kon vinden. Hans Sievez. Je naam was me al bekend. Hans Sievez.' De mond in het volle sproetige gezicht sprak zijn naam langzaam, heel nadrukkelijk uit, elke lettergreep beklemtonend. 'Werkelijk, een mooie combinatie. Nogal ongebruikelijk, die achternaam, in deze streek.' Hij ging op de baal turf zitten die onder zijn gewicht een beetje inzakte, wekte de indruk diep na te denken. Toen: 'Ik keek naar binnen, zag je ingespannen bezig, helemaal opgaand in je werk. Het is meer dan duidelijk: het bevalt je hier.'

Hans zei dat hij heel blij was hier werk te hebben gevonden. 'Ik ben wel even bang geweest voor de vochtige hete lucht in de kassen. Ik heb altijd astma gehad, maar ik kan hier juist heel vrij ademen.' Jozef keek hem met een ernstige glimlach aan.

'Ik vroeg alleen maar of het je beviel en je vertelt in een paar zinnen al zoveel over jezelf... je bent me al zo vertrouwd.'

'O, ik zei alleen dat ik astma heb gehad...'

'Nee, ga je niet verontschuldigen! Alsjeblieft niet.' Hij maakte brede armgebaren. 'Heb je je niet afgevraagd: die man heb ik hier niet eerder gezien?'

'Dat wilde ik net vragen.'

'Ik voelde me niet lekker en ben een kleine week thuisgebleven. Maar ik wil het niet over mijzelf hebben. Ik vermoed dat je uit het oosten komt, je hebt een ander accent.'

'Volgens de meester van school sprak ik zuiver Nederlands. Ik mocht altijd mijn zelfgeschreven toneelstukjes voorlezen.'

Jozef legde vaderlijk-beschermend even zijn hand op Hans' arm.

'Heb ik daar een gevoelige snaar geraakt? Het is nauwelijks een accent, ik heb je niet willen kwetsen.' Hij trok een pruillip. Het zware, goedmoedige gezicht kreeg haast een verdrietige uitdrukking.

Ze hoorden de voetstappen van de voorman. Jozef kwam van de baal turf af.

'We zien elkaar straks nog wel. Ik ben verderop aan het verspenen. Vóórkiemen. Een werkje dat erop aankomt. Niets teerder en kwetsbaarder dan een prothallium. Ik zie het aan je gezicht. Een begrip dat je niet kent. Je moet nog heel veel leren, ik wil je graag behulpzaam zijn.' Hij verwijderde zich in de richting van de deur, draaide zich halverwege om, leek nog iets te willen zeggen, maar bedacht zich.

Jozef gebaarde vanuit de verte. Hans was aan het ingraven, wilde liever doorgaan met het werk, was ook nieuwsgierig. Jozefs belangstelling voor hem was niet helemaal onaangenaam. Hans liep op hem af, Jozef stak een hand onder Hans' elleboog, alsof hij een gebrekkige was en ze gingen de kas in waar de ander werkte. Ze bleven staan. 'Eerlijk gezegd, Hans, ik vind je niet typisch van het platteland of van het oosten, je Nederlands is correct, je gezicht niet rood, je bent smal, mager. Moet je mij zien!' Met afkeer bekeek hij zichzelf. 'Met enige overdrijving, je had in Den Haag geboren kunnen zijn. Is dat geen groot compliment?'

Met zijn mollige gespreide vingers gleed hij door zijn haar dat direct in twee golven op zijn voorhoofd terugviel.

Hans bood hem een sigaret aan.

'Dank je. Ik rook niet. Maar laat jij je niet weerhouden.' Hans trok een sigaret uit een pakje van tien, stak hem op. Jozef volgde zijn gebaren met een soort weemoedige aandacht, alsof hij iets was kwijtgeraakt dat hij nooit had bezeten. 'Je bent al een volleerd roker.'

'Voor ik hier kwam had ik nog nooit een sigaret aangeraakt.'

'Je imiteert de anderen en met succes. Iedereen rookt behalve ik.' Hij zuchtte diep. 'Ik moet je wat bekennen. Ik heb je vandaag ongezien gadegeslagen. Een geheime toeschouwer bij een mooie voorstelling. Je werkte in de kas naast de mijne, je maakte huppelpasjes, zo blij was je, toen stak je zorgvuldig een sigaret tussen je lippen, deed zo precies mogelijk je collega's na. Ik was geroerd.

Nee, je hoeft je niet te generen, ik wil je ook niet in de war brengen. Je bent die je bent.' Zijn vingers wreven een kluit donkere aarde fijn. 'Toen ik ziek thuis was, hoorde ik al van de nieuwe werkkracht op het bedrijf en werd ik nieuwsgierig. Er wordt over je gesproken.'

'Over mij? Waarom? Ik doe mijn werk, ik ga naar huis...'

'Heb je echt geen idee? Of speel je nou? Wat is er deze week tijdens het schaften gebeurd? Iemand die bij het schillen van een appel zijn hand opensneed en toen hard vloekte. Jij zei er wat van. Je had verstoord gekeken. Een vloek kwetst jou. Nietwaar? Dat verhaal hoorde ik thuis op mijn kamer. In de Edisonstraat heb ik al een beeld van je gemaakt en nu staan we met elkaar te praten. De dingen kunnen wonderlijk gaan. Ik zie je denken: Wat moet ik met die man? Een gewone tuindersknecht, niet zoveel ouder, die zomaar uit de lucht komt vallen? Heb ik dat goed?'

(...)

'Nee, je zegt niets. Ik kan dat begrijpen. Wat ik zeker weet, we worden vrienden. Ik van mijn kant zou het graag willen. Ik heb jou uitverkoren.'

Hans groef ijzervarens in. Jozef had hem uitverkoren, wilde een vriend van hem worden. Wil ik dat eigenlijk wel? vroeg hij zich af. Jozef, een vreemd klinkende naam voor een Nederlander. Zou hij genoemd zijn naar de rechtvaardige raadsheer die na de kruisiging Jezus' lichaam in linnen wilde wikkelen en in een rotsgraf leggen? Deze hedendaagse Jozef had hem tot vriend verkozen.

Toen hij een sigaret opstak zag hij hem over het door de zon verlichte pad langs de broeikas lopen. Hij kwam toch niet weer op bezoek? Hans wendde zijn hoofd af, hoorde hem niet de kas binnenkomen, zag wel zijn kolossale schaduw. Nee, hij kon zich niet voorstellen waarom deze Jozef hem als zijn vriend zou hebben uitgekozen.

In de loop van de middag kwam de voorman op hem toe. Hans was bang dat hij een reprimande zou krijgen: Al twee keer vandaag heb ik je met Mieras zien praten, nogal lang. Nog los van de tijd die daar mee heengaat, ik wil je voor hem waarschuwen. Laat je niet inpalmen. Maar de voorman had slechts zijn werk geprezen. Ook zou hij binnenkort gelegenheid krijgen om over te werken. Had hij nog vragen of opmerkingen? Hans vertelde dat hij zich had opgegeven voor de wintercursus Siertuin en Snoeien. De lessen werden op dinsdag en vrijdag gegeven en begonnen om zes uur. Hij kreeg toestemming om op die dagen tijdig het werk te verlaten.

Na de laatste bel begaf hij zich naar het schaftlokaal, waste en verkleedde zich, borstelde met zorg zijn nagels en liep met zijn fiets aan de hand naar de poort. Aan Jozef Mieras had hij niet meer gedacht. Hans had zich een beeld proberen te vormen van de lessen die over enkele weken in Boskoop zouden beginnen. Hij wilde dit vak zo goed mogelijk onder de knie krijgen.

Jozef wachtte hem op bij de poort.

'Ik heb begrepen dat je op de Laan van Meerdervoort woont. Ik ben wat bescheidener gehuisvest. We kunnen samen die kant opgaan.'

Jozef fietste heel traag. Bij het hoge bruggetje stapte hij zelfs af, nam de fiets bij de hand.

'We moeten wel opschieten,' zei Hans. 'Ik wil op tijd thuis zijn.'

Zijn kersverse vriend vertelde dat hij niet graag fietste. Hij was er te zwaar en te lui voor. Hij trok zijn lippen in een grijns die het midden hield tussen voldaanheid en zelfverachting.

Op de hoek van Laan van Meerdervoort-Edisonstraat bleven ze nog even napraten.

'Nu ga ik echt. Mijn hospita wacht met het eten, Jozef.' Hij schrok toen hij die naam uitsprak. Bijna had hij eraan toegevoegd: Van Arimatea.

'Voor jou wordt goed gezorgd. Dat verdien je. Ik zou met jouw hospita ook graag kennis willen maken.'

13

~

'Van oudsher een goede zaak,' zei mevrouw Fleer. Ze stonden voor de etalage van een herenmodemagazijn op het Noordeinde.

'Geen goedkope winkel. Goedkoop is duurkoop. Het personeel kent mij en is er al jaren. Het is een goed teken wanneer een winkel zijn personeel lang vasthoudt.' Ze liep voorop naar binnen. De beide aanwezige verkopers kwamen direct naar haar toe, gaven haar een hand. 'Deze jongeman moet eens goed in de kleren gestoken worden. Zo wil ik niet langer met hem de straat op.'

Ze kochten een lange broek, een bijpassend colbert, een overhemd met stropdas. Zij vroeg de nota en rekende af. Hij protesteerde beleefd, want deze uitgaven gingen ver boven zijn begroting.

'Daar praten we zo wel over.'

Ze liet haar blik op de jongen rusten, die de pas verworven spullen had aangehouden. 'Ziezo, die boerse kleding is fini.' Oude rommel die in de prullenbak kon. 'Dit staat je als gegoten. Een prima zaak.'

'Ze gaven u allemaal een hand.'

'Dat zei ik je toch. Degelijk personeel dat zich met de zaak verbonden voelt.'

Ze liepen de straat uit, richting Buitenhof. Hij onwennig in zijn nieuwe kleren, zij klein, in een bloes en Schotse rok, stevig doorlopend, zwaaiend met haar handtas.

'Wat zou je denken van een kop koffie. Ik trakteer hoor!'

'Maar het is nu eigenlijk mijn beurt.'

Hij had voldoende geld om haar een kop koffie met gebak aan te bieden.

'Geen sprake van.'

In Maison Krul zochten ze een plaats op de verhoging, aan een tafel bij de balustrade en dicht bij de vitrine met gekoeld gebak. Hij mocht iets uitkiezen, hij moest zich niet door de prijs laten weerhouden, maar zij nam een moorkop. Die waren hier altijd goed. Hij had liever iets met advocaat gewild, had wel gezien dat de moorkoppen het goedkoopst waren. Hij koos ook voor een moorkop.

Ze savoureerden het gebak, dronken van een fijn kopje koffie. Met een knikje naar zijn polsen merkte ze op:

'De Haagse lucht doet je goed. Je bent al een stuk steviger.' Zijn handen, van nature smal, bijna meisjesachtig, werden sterker. Hij kon al een eenruiter zonder moeite boven zijn macht tillen. Zijn gezicht was gebruind door de dubbele kracht die de zon tussen het glas had.

'Zeker is dat de mensen daar aardig voor je zijn.' Ze was een keer op de tuinderij geweest om hem zijn lunchpakket na te brengen.

Hans vertelde dat hij met één collega wat meer bevriend geraakt was.

'We fietsen samen op. Hij woont in de Edisonstraat.'

'Dat is niet veel soeps, de Edisonstraat. Maar ik wil graag kennis met hem maken. Vertel wat meer over hem!' Hans wist niet meer dan dat die collega altijd alleen was. Zijn vader werkte bij een oliemaatschappij en reisde de wereld af. Hij had geen contact met zijn vader en zijn moeder was overleden.

Zij drong erop aan hem eens mee te brengen.

Hans vertelde zijn hospita niet dat Jozef hem onlangs had uitgenodigd voor een gebedsdienst in een gebouw aan het Valkenbosplein. In zijn overall had hij een folder aangetroffen. Het was een kerk die geen naam droeg. De leden wilden zuivere volgelingen van Jezus Christus zijn en zich geen naam aanmeten. Jozef had hem onder het werk hierover al enige malen aangesproken. Maar hij moest het geheel uit eigen beweging doen. Hij dacht dat Hans voor deze dingen openstond.

Mevrouw Fleer likte haar lepeltje af, schoof lege koffiekopjes en gebakschotels opzij.

'Luister, Hans, de kleding heb ik voor je afgerekend. Ik begrijp dat je onvoldoende geld hebt om dat in één keer aan mij terug te betalen. Ik stel de volgende regeling voor. Je loon is laag. Alleen voor het zijden overhemd zou je drie maanden moeten werken. Ga je akkoord als je wekelijks extra huur betaalt?'

'Mevrouw... maar het was mijn bedoeling de kleren zelf te betalen!'

'Dat weet ik. Je hebt een goede opvoeding genoten. We doen het als afgesproken.'

In verwarring gebracht – zulke dure kleren zou hij nooit willen kopen en nu moest hij ze ook nog zelf betalen, Margje had hij juist geschreven dat hij mocht overwerken om zo extra te kunnen sparen – vertelde hij haar, blozend, snel pratend, dat hij vandaag grond gekookt had.

'Mooi.'

'Wist u dat grond gekookt werd?'

Ze wist het niet, maar het was vast om bacteriën te doden. Hij had ook leren glassnijden. Een glassnijder had een gekarteld wieltje met een diamant. Daarmee kerfde je het glas. De diamant was zo klein dat hij onzichtbaar was, maar zo hard dat bij de lichtste kerf de diamant het glas al spleet. Waarom had zijn hospita zulke dure kleren gekocht zonder dit tevoren met hem te overleggen? Ze kon toch op haar vingers natellen dat hij niet zoveel wilde uitgeven.

14

~

Er waren ogenblikken dat hij deze vriend liever niet had ontmoet, geen raad met hem wist, zijn vadsigheid verafschuwde, zijn goedmoedigheid – alsof Jozef bij voorbaat iedereen alles wilde vergeven – hem van zich af wilde stoten. Op andere momenten voelde hij medelijden, zag dat niemand veel met hem op had. Hij werd geduld. Op zo'n moment was Hans gezwicht, nodigde hem uit op de Laan van Meerdervoort. Jozef had er diverse keren met grote nadruk op aangedrongen.

Hij stelde Jozef Mieras aan zijn hospita voor.
'Bezorg ik u geen last, mevrouw?' vroeg hij, een lichte buiging makend. 'Ik hoop dat Hans mijn komst heeft aangekondigd.'
'In orde hoor! Kom binnen. Zoek een plaats in de serre.'
'U woont hier mooi.'
'We zijn niet ontevreden. Vinden jullie het niet erg warm?' Zonder een antwoord af te wachten zette ze een kleine ventilator op het buffet aan, die naar links draaide en even later stof opwaaide naar rechts. Jozef herhaalde enkele malen dat het licht zo mooi naar binnen viel in deze hoge kamer.
Na de thee zei mevrouw Fleer:
'Ik heb nog van alles te doen,' en zich tot Hans wendend: 'Ik zou zeggen, jij hebt je eigen kamer boven. Laat die aan je vriend zien. Ik kan me ook voorstellen dat jullie willen praten over je werk.'
De beide vrienden gingen naar boven. Hans ontsloot zijn deur, liet Jozef voorgaan.

'De kamer met het balkon. Jij hebt het getroffen.' Hij liep op het nachtkastje af. 'Wat doet me dat een plezier.' Hij had de bijbel in zijn hand genomen, bladerde erin. 'Lees je dagelijks in Gods boek?'

'Niet elke dag.' De eerste tijd toen hij zich alleen voelde, veel aan zijn moeder moest denken, had hij hier en daar een paar regels gelezen, maar al die bekende woorden hadden hem weinig gezegd, nog minder getroost.

Jozef was op bed gaan zitten, las hardop een passage: 'Aldus staat geschreven dat de Christus moest lijden en ten derden dage opstaan uit de doden...' Hans dacht: Ik had hem niet moeten uitnodigen. Hoe lang zal hij blijven? Ik wil niet dat hij mijn bijbel vasthoudt. Ik wil niet dat hij op mijn bed zit, dat hij op mijn kamer is. Dit is de eerste en de laatste keer.

'Nee, ik zal niet verder lezen...' Hij zette het boek terug, staarde naar buiten, over de platte daken van de Edisonstraat. 'Hans, hierna zal je mijn kamer wel armoedig vinden.'

Een lange stilte viel waarin onder hen twee trams elkaar passeerden. Op tafel lagen zijn lesboeken, een schrift met aantekeningen.

'Ken je Hem? Ik durf het je nu te vragen.'

Hans zweeg. Zijn vader had de hervormde kerk van Lathum verlaten. Zijn moeder was het daar niet mee eens geweest, maar had niet tegen haar man in durven gaan. 'Ik zal het anders formuleren, Hans: is Christus levend voor jou?' Hij had Jozef nooit moeten uitnodigen. Buiten scheen de zon, een tram reed tinkelend de Fahrenheitstraat in. Hij geloofde zoals zijn moeder, op een vanzelfsprekende, stille manier, zonder er diep over na te denken. Hij nam aan dat Margje er ook zo over dacht. Ze zouden later in de hervormde kerk trouwen en als er kinderen kwamen zouden die daar gedoopt worden. Hij bad voor het eten, voor het slapen gaan, soms ging hij naar een dienst in de hervormde kerk aan het Lange Voorhout. 'Je zwijgt nog steeds. We hebben elkaar al eerder iets van ons leven verteld. Jij vlucht op een dag uit Lathum, en je belandt niet in Zwolle of 's Graveland, maar in Den

Haag. Den Haag is al zo groot, aan de Westlandse kant wemelt het van de tuinderijen. Wij hebben elkaar ontmoet. Dat is geen toeval. Jij bent op mijn weg gezet.'

Om zich van hem, van zijn woorden, los te maken, liep Hans het balkon op. Aan de overzijde, voor de winkel met Coloniale Waren omhelsden twee geliefden elkaar. Hij dacht aan Margje die hij elke week schreef. Over haar zou hij nooit met zijn vriend spreken. In de toekomst zou zij zeker een keer naar Den Haag komen. Hij zou haar niet aan Jozef voorstellen, al zou hij niet exact kunnen formuleren waarom Jozef haar niet mocht zien. Hij liet zijn blik over de uitgestrektheid van de Laan van Meerdervoort gaan, dacht aan niets in het bijzonder, verbaasde zich alleen over dat grote lichaam dat zich achter hem met een diepe zucht op het koperen bed had uitgestrekt. Hij wachtte op de tafelbel. Nog even en hij zou van Jozef Mieras verlost zijn. 'Hans, is Hij Iemand voor jou die je kunt aanraken? Ik ben daar nieuwsgierig naar.' Zijn stem klonk zachter, slepender.

De tafelbel ging. Jozef kwam moeizaam van het bed af, stak daarbij een hulpeloze hand uit die Hans niet kon negeren.

Op de overloop vroeg hij: 'Zou je over die dingen willen nadenken? Ik heb je ook gevraagd eens naar onze dienst te komen. Elke zaterdagavond kijk ik naar je uit.'

Hij zat tegenover zijn hospita aan een tafel die nog niet gedekt was. Ze zei: 'Het is nog geen etenstijd. Ik wilde je van hem verlossen. Heb ik dat goed aangevoeld? Nee, zeg nog niets. Ik moet toegeven, hij is beleefd. Maar hij deugt niet. Die wil iets van je. Zo, nu mag jij! Of...' Ze pakte haar portemonnee uit de la van het buffet. 'Ik weet wat beters. In de Fahrenheitstraat zit een nieuwe krokettentent. Het is een frisse zaak. Ze verkopen ook, zag ik, Vami-ijs. Daar heb ik zin in. Het wordt snel donker, ik weet niet tot hoe laat de zaak open is.' Ze gaf hem geld.

Toen hij terugkwam met het ijs brandde de toorts op de trappost, de roeden op de traploper lichtten op, een paar prenten en een spiegel in vergulde lijst kwamen uit het duister te voorschijn.

Op het buffet brandden kaarsen in de kandelaar. Licht speelde over de flacons en karaffen.

Ze zaten tegenover elkaar in de serre. Straatlantaarns verlichtten de trambaan en de bocht naar de Fahrenheitstraat met de winkels. Ze smulden van het ijs. Zijn hospita likte haar lippen af.

'Vami-ijs is van oudsher goed. Geniet ervan. En het is buiten droog. We mogen niet mopperen.' Toen ze het ijs op had, vroeg ze: 'Gaat het goed met de studie? Je zult misschien nog iets na moeten kijken boven, dan ga ik intussen het eten maken. Maar voor je naar boven gaat, wil ik je iets zeggen. Ik heb een besluit genomen... Je bevalt me. Het laat zich ook aanzien dat je hier voorlopig blijft. Ik heb er goed over nagedacht. Wat ik wil voorstellen: ik zou graag willen dat je me voortaan niet meer met mevrouw aanspreekt, maar met tante. Natuurlijk, ik ben geen echte tante. Geef nu geen antwoord. Denk er rustig over na.'

'Ik hoef er niet over na te denken. Ik voel me hier thuis. Ik wil graag tante zeggen.'

'Dat is dan afgesproken.'

Tante bevochtigde het anilinepotlood tussen haar lippen, streepte koersen op de financiële pagina aan. Na het eten had hij zijn studieboeken mee naar beneden gebracht en zat tegenover haar aan tafel te werken. Hij bestudeerde de oculatie van rozen.

'Hans, heb je even tijd?'

Zij legde het potlood neer, haar tong gleed langs haar mond, het paars vloeide uit.

'Aan mijn leven komt eens een eind, al voel ik me nog gezond. Wat ik wil zeggen: eens zal dit huis leeggeruimd worden. Maar de godin op de trap heb ik voor jou bestemd. Plus de twee Chinese vazen in de serre. In een ervan ligt een briefje waarop alles beschreven staat. En er is een trommel met contant geld, later voor jou. Ook dat staat daarop beschreven.'

Hans kwam overeind, liep om de tafel heen. 'Voor je me gaat bedanken zou ik je willen vragen die vriend van je te laten schieten. Meer zeg ik er niet over.'

Hij wilde haar een hand geven, bedankte haar, zij keerde hem een met rouge opgemaakte wang toe. Aarzelend gaf hij zijn tante een kus. Ze wilde er nog een en hij kuste haar andere wang. Met een rood hoofd liep hij terug naar zijn plaats aan tafel. Het was lang geleden dat hij zijn moeder had gekust.

Om zijn verwarring te verbergen probeerde hij de raadsels van het enten te doorgronden, kon zijn hoofd er niet bijhouden en begon om zich te concentreren Latijnse plantennamen in het hoofd te zetten: phlox, mirabilis, scabiosa...

15

~

Jozef Mieras wachtte vergeefs op het kruispunt Laan van Meerdervoort-Fahrenheitstraat, belde ten slotte aan. De hospita van Hans deed open. Hans had het huis op de gewone tijd verlaten. Ze moesten elkaar gemist hebben. Maar ze wachtten altijd op elkaar. Jozef was alleen naar de Loosduinse Kade gefietst. Hans was nog niet aangekomen.

Om half negen ging de kwekerij open voor particuliere klanten. De tram stopte bij halte Leywegs bruggetje. Een oud vrouwtje in een afgedragen overjas, met hoofddoekje en een slingerende handtas aan haar arm, liep met haar stok moeizaam de hoge brug op, keek neer op een met bloemen volgeladen zolderschuit, op weg naar de veiling, naderde langzaam de blinkende kassen van De witte lelie, liep de poort door. De voorman die net uit zijn kantoor kwam, sprak haar aan, maar zij beduidde met gebaren dat zij niet spreken kon. De voorman riep Jozef, die grond aan het zeven was.

'Help jij die dame?'

Jozef kwam op hem toe. Op dat moment kon Hans zijn spel niet langer volhouden, lachte uitbundig, trok masker en hoofddoek af. Jozef keek beduusd, de voorman kon de grap wel waarderen en zei: 'In het voorjaar hebben we ons gezamenlijke uitstapje. Zo'n clown kunnen we wel gebruiken.'

Daarna ging iedereen aan het werk. Hans rolde rietmatten over de Lentse bakken waarin jonge kalanchoës stonden. Een plant die alleen knop zette als hij per etmaal achttien uur in volkomen duisternis verkeerde. Een wonderbaarlijk verschijnsel. Hij moest nog lachen om zijn vermomming. Tante had direct meegewerkt. Een mooie bak, had ze gezegd. Ze zouden opkijken. In de verte zag hij Jozef naar een berghok lopen en er weer uitkomen met een zak kalk en de kalkspuit. Waarschijnlijk had hij van de voorman opdracht gekregen om te stoppen met zeven. Het had de afgelopen nacht geregend en op sommige plaatsen was de kalk van de ramen gespoeld.

Hans rolde rietmatten af, trok ze recht over het glas zodat geen licht kon binnendringen. Een kalanchoë die niet ging bloeien was onverkoopbaar. Hij zag dat Jozef zich in de witte overall met capuchon hees en in een emmer kalk met water begon aan te lengen.

'...calceolaria, halskraagdahlia, de rode pelargonium Königin Olga von Württemberg...' hij repeteerde voor zijn proefwerk vanavond... pijpgieter, broesgieter, fijnste broes is de rafraîchisseur, dient om over boeketten een fijn waas te leggen... Margje had hij gisteravond geschreven. Tante had de huur van de kamer verhoogd. Alle prijzen waren gestegen. Vele jaren nog zou hij nodig hebben om zoveel bij elkaar te hebben dat hij een stuk grond kon kopen en voor zichzelf beginnen. Maar dat hij ooit een eigen bedrijf zou hebben stond als een paal boven water.

Jozef zwaaide met zijn kalkspuit om de aandacht van Hans te trekken die deed of hij het niet in de gaten had. Jozef wilde hem iets duidelijk maken. Hans bukte zich, keek door het glas of er al planten waren die knop schoten.

'Hans!' Jozef had hem met een omtrekkende beweging van achteren benaderd. Een hemelse gedaante, onder de wijde capuchon vol natte kalkvlekken, kalkspetters op zijn gezicht, een pafferige engel, even geland op deze tuinderij. Geen Gabriël van het kerkraam uit Lathum.

'Je laat me schrikken.' Hij was bijna voorover door de ruit gevallen.

'Als er één verwarring zaait... Gekkigheid uithalen, jij kunt dat. Spelen dat je iemand anders bent en iedereen trapt erin. Ik zag hoe je genoot. Pret maken en maar lachen, altijd vrolijk zijn. Dat zit in je. Nou, het gaat je goed af, dat ziet iedereen en dat doet me plezier. Een oud dametje... Ik moest achteraf toch lachen, ik bewonder je daarin. Vermommen, vermommen en nog eens. Maar je verbergt daarmee ook iets. Je wilt niet jezelf zijn...'

De voorman verscheen en Jozef haastte zich terug naar de broeikas.

'Hij kan je niet met rust laten, hè?' De voorman schudde zijn hoofd. 'Bijt van je af, als je last van hem hebt. Je hebt intussen wel gemerkt dat de anderen niks van zijn kletspraatjes willen weten.'

Later op de dag schoot Jozef hem opnieuw aan: 'Excuses, zeg me eerlijk als ik te direct overkom. Dat kan storen en ik besef het zelf niet altijd. Weet dat ik je op geen enkele wijze tot last wil zijn.'

Langzaam liep hij weg, draaide zich om naar Hans, riep dat hij hem wilde dienen.

16

~

De cursisten zochten een plaats in het lokaal. Ook nu ging hij voorin zitten, wilde niets missen. De leraar hing een plaat voor het bord waarop in kleur de wonderlijkste snoeivormen stonden afgebeeld: de schuine snoeren, de dubbele U, de palmet candélabre. Achter hem ging geregeld de deur open, laatkomers die snel een plaats zochten. De leraar wachtte een moment met zijn uitleg, maakte geen verwijten. De cursisten kwamen van ver.

De aanwijsstok ging langs de zijscheuten, de gesteltakken. Begrippen als innijping en vergaffeling, sterke ogen, werden verklaard. Hans maakte nauwgezet aantekeningen in zijn schrift. Nog een laatkomer, die met nogal wat lawaai zijn plaats zocht. De leraar keek verstoord, zei niets.

De les was intussen een halfuur bezig. Hij legde uit dat betere snoeiing rijkere vrucht voortbracht. Hoe krachtiger de takken verbogen werden tegen hun natuurlijke groei in – hoe groter marteling – des te meer vruchtdraging.

De cursisten mochten nog enkele minuten naar de plaat voor het bord kijken. Vooral op de leiperzik, de hoogst ontwikkelde snoeivorm, kon de afgebeelde palmet candélabre worden toegepast.

En nu, uit het hoofd! Wie kon deze vorm die zeker tien jaar tijd vroeg om zich volledig te ontwikkelen op het bord zetten?

Hans stak zijn vinger op, tekende met vaste hand in geel krijt.

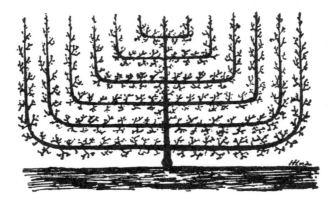

De leraar was tevreden, vroeg hem waar deze esthetische vorm voor diende.

'Om muren van buitenplaatsen mee te bekleden.' Hij kon gaan zitten, de leraar maakte een notitie in zijn aantekenboekje, loofde hem nogmaals. De jongen keek de klas in, blij met deze lof, verschoot van kleur. Op de achterste bank, heel pontificaal, zat Jozef, de zware benen in het gangpad omdat hij ze onder de bank niet kwijt kon. Hij stak trots een duim omhoog. Zijn vriend en beschermer die niet te ontlopen viel. Jozef wist dat hij vanavond cursus had en had een trein en bus na Hans genomen. Verdomme. Jozef liep hem zelfs tot hier achterna. Verdomme, verdomme, vloekte hij inwendig toen hij al lang weer op zijn plaats zat. Van die man moest hij loskomen. Er kwam een moment dat hij De witte lelie verliet en ergens anders werk zocht. Op zijn uitnodiging een dienst bij te wonen was hij nog steeds niet ingegaan. Hans vermoedde dat ze hem zou herinneren aan die van de Emdense binnenschippers in Lathum. Wat was Lathum ver weg! Door zijn vriend herinnerde hij zich in dit Boskoopse schoolgebouw de straffende hand van zijn vader. Met Jozef wilde hij niets meer te maken hebben. Hij wilde met mooie cijfers slagen voor dit onderdeel. Hoe kon hij nou zijn gedachten erbij houden? Geen woord van de leraar drong meer tot hem door. Van ergernis voelde hij zijn hart kloppen, ademde hij moeilijk. Hij maande zich tot kalmte, dwong zich te concentreren, had ook spijt van zijn kwaadaardige gedachten, richtte zijn aandacht op de leraar, op diens opmerkelijk beweeglijke ogen. Dat lukte even. Met Jozef naar een avonddienst gaan, nooit van zijn leven. Hans herinnerde zich een uitstapje naar Scheveningen. Ze hadden op het terras van de Pier gezeten. Hans had een glas bier besteld, Jozef dronk geen alcohol, wilde spuitwater met grenadine. De golven sloegen schuimend tegen de palen onder hen. Wat zei Jozef nou? 'Hans, Hij is getrouw.' Jozef, ik wil niet dat je dat steeds maar herhaalt! 'Hans, Hij is getrouw. Hij roept jou ook.' Hij had Hans bij de arm gepakt. 'Vergeef me. Ik mag het je niet tegenmaken.'

De leraar kondigde het einde van deze les aan. Na de pauze zou in het practicumlokaal het snoeien daadwerkelijk beoefend worden. Hans treuzelde voor in de klas, Jozef kwam direct op hem af. Ik heb liever dat je me tijdens de lessen met rust laat, me niet achterna reist. De stof is ingewikkeld genoeg. Ik moet mijn verstand erbij houden. Maar Hans sprak die woorden niet uit. Jozef raakte zijn schouder aan.

'Ik wilde je een plezier doen. We kunnen samen terugreizen.' Zijn stem was redelijk, heel zacht. Hans deed niet eens kortaf, zei alleen: 'Ik had je niet verwacht.'

De practicumles begon. Van een reine-claude sneed hij een scheut af die volgend jaar vrucht zou dragen. Jozef die deze cursus al jaren eerder had gedaan, zag zijn verwarring, hielp hem, corrigeerde.

In de bus naar Gouda stelde hij Hans gerust. 'Ik had me als toehoorder voor één avond ingeschreven. Je zult van mij geen last meer hebben.'

'Ik heb geen last van je. Ik had je niet verwacht.'

In de trein naar Den Haag zaten ze tegenover elkaar. Jozef glimlachte naar zijn vriend, haalde een pakje uit zijn binnenzak.

'Alsjeblieft, voor jou.' Het cadeautje zat in wit vloeipapier verpakt.

'Voor mij?'

Jozef knikte.

Werd hij voor de gek gehouden? Was het een serieus cadeau? Hij wikkelde het vloei langzaam af, hield een fossiel van een varenblad in de hand. Hans volgde met zijn wijsvinger de nerven, een gebaar dat door Jozef aandachtig werd gadegeslagen. Gaf hij zoiets zomaar weg?

'Het is gevonden in het Maasdal en het komt uit de tijd dat in ons land een tropisch klimaat heerste. Oerzeeën bedekten dit gebied.'

'Ik ben er heel blij mee.' Hij gaf Jozef een hand. 'Maar waarom geef je dat mij? Hoe kom je eraan?'

'Daar krijg je geen antwoord op. Het is voldoende dat je er blij mee bent.'

Thuis liep hij direct naar boven, verborg het cadeautje in zijn tas, zette die in de kast. Tante vertelde hij enthousiast over snoeren, piramides, palmetten, over horizontaal en verticaal aanbinden. Over Jozefs aanwezigheid zweeg hij.

Toen ze op het punt stonden de trap op te gaan zei tante: 'Ik heb nog 's over die vriend van je nagedacht. Ik zou zeggen: Laat hem schieten. Maar waar bemoei ik me mee, ik ben niet eens een echte tante van je.'

17

~

Strenge vorst deed de grond barsten, glas zette knappend uit, maar in de broeikassen was het behaaglijk warm. De ketels in de stookkelder stonden roodgloeiend. Een jakobsladder voerde van buiten onafgebroken cokes, bruinkool en antraciet aan. Hans trok met een lange haak sintels uit de vuurgloed, leegde as-la's, gooide nieuwe kolen op het vuur. Sadrak, Mesak en Abedne-go werden door Nebukadnesar in een brandende oven geworpen en het vuur had geen vat op hen. Zelfs hun hoofdhaar schroeide niet en hun mantels bleven ongeschonden. Ja, er was zelfs geen brandlucht aan hen te ontdekken. Toen hij dat verhaal voor het eerst hoorde, had hij wel met een zekere afgunst aan die drie mannen gedacht. Zoiets had hij ook wel willen meemaken. Die gedachte had hij gauw laten varen toen hij bij de Emdense schippers hoorde dat ongelovigen in zo'n vuurgloed voor altijd moesten branden zonder dat ze ooit verteerden. Er zou eeuwig een onverdraaglijk verlangen zijn naar een druppel water. Hij hoorde dat de voorman zijn naam riep. Hij sloot de ketels zorgvuldig af, wierp een blik op de thermometer en haastte zich de trap op.

De voorman zei hem dat er een bestelling van tweehonderd witte lelies was binnengekomen. Die moest voor sluitingstijd bij een bloemenmagazijn in het centrum worden afgeleverd. Er was haast bij.

'Laat Mieras je meehelpen. Die is bij de cyclamen aan 't werk.' In het halfduister van de kas hing een rode gloed boven het tablet en dichterbij werden de bloemen kleine rode lampen, als de feestverlichting op de Pier. In deze broeikas stond een nieuwe variëteit, waar veel van werd verwacht: een cyclaam met gekartelde bloemen. Op het moment dat hij de deur wilde opendoen hield hij zich in, zag Jozef roerloos in de kas staan. Hans schermde zijn ogen af tegen de vervormende rode schemer. Voor de deuren waren bij deze vorst houten schotten met een luifel geplaatst om de kou zoveel mogelijk buiten te sluiten. Jozef stak zijn hand naar een plant uit, trok met een kort rukje de bloem los, trok er nog één uit, nog één (planten die met veel extra kolen in bloei waren getrokken) drukte die fluweelzachte bloemen tegen zijn mond, rood vocht liep langs zijn kin, kneep de resten in zijn grote mollige handen samen, streek met de handen over zijn gezicht, rukte nieuwe bloemen af, een hele bos tegelijk (met zoveel moeite uit zorgvuldig geselecteerd zaad opgekweekt) plette ze tegen zijn lippen. Hans opende de deur zo voorzichtig mogelijk. Hij hoorde Jozef zijn lippen naar binnen zuigen. Zijn vriend jammerde, kermde: 'O God...' De duizenden planten schitterden oogverblindend, Jozefs gezicht stond grauw en verdrietig, was vlekkerig en paars van het plantensap. Met de hak van zijn schoen maakte hij een kuil in het pad, gooide er de resten van de afgerukte bloemen in, stampte de grond weer aan met zijn grote voeten, stampte op een woeste, gulzige manier, veegde met zijn mouw zijn gezicht schoon, bleef doodstil staan. Hij die bij alles zachtmoedig glimlachte, bij het oppotten, verspenen, grond koken, zelfs bij het openen van zijn lunchpakket. Nu glimlachte hij niet. Rond zijn mondhoeken zat een harde en trieste vouw. Hans trok de deur behoedzaam dicht. Hij zou de bestelling wel alleen klaarmaken.

18

~

'Beste Hans, we ontkomen er niet aan, ik zal de kamerhuur weer moeten verhogen.' Bang voor een te heftige reactie midden in de theesalon, een onvergeeflijke fout – een schok van kwaadheid ging door hem heen – keek hij van haar weg, staarde peinzend door het raam, zei niets. Zijn hospita moest gezien hebben dat de spieren om zijn mond verstrakten en hij wit om zijn neus werd. In die ongemakkelijke stilte reikte ze hem beleefd de kaart aan. Hij kon kiezen wat hij wilde, zij betaalde. Hij had haar het liefst toegeschreeuwd dat hij geen behoefte aan haar traktatie had, herinnerde zich de dure kleren die ze hem had aangesmeerd, stond op het punt daar alsnog een opmerking over te maken, beet op zijn tong. Op haar manier hield ze van hem, zorgde ze voor hem. Er waren momenten geweest dat hij het gemis van zijn moeder minder heftig had gevoeld.

Hij bleef zo kalm, omdat hij wist dat hij nog maar kort in het huis aan de Laan van Meerdervoort zou blijven. De tijd hier was op, was vervuld, zoals Jozef Mieras misschien wel zou zeggen. Maar hij had geen zin mevrouw Fleer iets uit te leggen, met haar in discussie te treden.

Hans glimlachte. Voor het eerst voelde hij zich op zijn minst aan haar gelijk. Zij die alles altijd beter wist. Hij niet meer het onderdanige jongetje dat ja en amen zei. Hij bezat de krachtige wil haar te verlaten. Na de koffie met gebak boog hij zich ook niet gewoontegetrouw om haar met een kus te bedanken. Hij stond erop dit uitje te betalen.

Hans werkte op het land, gooide warme, zware kluiten donkere aarde op. In een rustig ritme. Spitten behoor je niet overhaast te doen anders hou je het geen uur vol. Een lekker weertje, een paar donzige wolken aan de hemel, een steek in de aarde, sigaret in de mond, rustig het ritme houdend, denkend aan de toekomst, de aarde beheerst in een boog weggooiend, welgemoed, de tijd vergetend, vrij ademend. Niemand van het personeel te bekennen. Hij, alleen op het veld, ver van de broeikassen, dicht tegen de Loosduinse Vaart aan. De velden met de gele primula veris flakkerend als vlammen, de violen, Aalsmeerse reuzen, op kleur uitgezet, maar in het volle licht ondergedompeld leken ze alle blauw. Niemand te bekennen. Alleen, met alle geuren die opstegen en bedwelmden en hem hevig naar Margje deden verlangen.

Een kuchje achter hem. Jozef. Hans werkte de aarde in een iets minder beheerste boog een meter verder, bleef met de rug naar hem toe staan.

'Je ontloopt me.'

Dat viel niet te ontkennen. Gisteren had hij zelfs de lamp op zijn kamer niet durven aandoen, bang dat Jozef vanaf de straat zijn aandacht zou proberen te trekken. Bij tante was Jozef niet welkom, zij weigerde hem binnen te laten.

'Waarom ga je mij uit de weg? Waar heb ik dat aan verdiend? Ik wilde daar met je over praten. Hier worden we niet gestoord.'

'Laat me toch met rust,' zei Hans zacht en had al spijt van deze woorden, want het was beter om niets te zeggen, hem te negeren. Om zijn vriend niet hard te vallen, haalde hij diep adem, hij moest zich beheersen. Toen was Jozef over het incident op het personeelsfeestje begonnen. 'Je was op dreef, zeg. Op de Pier al luidruchtig, je dreigde een stoel in zee te smijten, maar je werd op tijd tegengehouden. Wat was je overmoedig! Om indruk te maken, om op te vallen. Later, in die donkere tent achter het Kurhaus. Je wist geen raad met jezelf. Een glas tegen de muur kapot gooien. Plotseling was het helemaal stil. We keken allemaal toe terwijl het bier langs de wand liep. Na dat glas nog één. Nog één. Je was ontketend. Je zag mij wel, ik die terzijde stond en je verwijtend aankeek. Toen leek je jezelf helemaal te vergeten, je was door het dolle heen, wilde alles kapot maken. Toonde je daar je ware gezicht? Voor het eerst, jij die juist niet wil opvallen? Ik heb niets gezegd, ik heb je alleen bekeken. Ten slotte werd ingegrepen. Ik geloof niet dat je spijt had. De dag erna vergoelijkte je het. Maar er zat meer achter. Het ging je om mij. Je wist dat ik je veroordeelde. Ik moest gekwetst, kapotgemaakt worden. Je wilt van me af, definitief.' Zweetdruppels liepen langs Jozefs wangen, zijn stem was niet luid, maar onberekenbaar hoog en dan weer laag. Zijn vriend sprak nog steeds, maar hij kon hem niet meer verstaan en hij zag hem nog nauwelijks. Het leek of een vlaag mist voor zijn ogen trok. Hij hoorde wel zichzelf. 'Wat zeg je daar allemaal? Kom op Jozef, wat zeg je allemaal?' De schop plantte hij diep in de aarde, hij gaf zijn vriend een zet. 'Wat moet je eigenlijk van mij? Moet ik gered worden, hè? Hoezo, zie ik er dan niet gered uit?'

Jozef verloor zijn evenwicht. Een pijnlijke grimas verscheen toen zijn logge lichaam tegen de grond sloeg, over het bed primula's heen. 'Nee, je hebt gelijk. Met jou wil ik niets te maken hebben. Dat zie je goed.'

Hij sloeg hard en raak, bewust en beheerst, als een volwassene die besefte dat hij deze kleverige evangelist met zijn religieuze opvattingen en bekeringsdrift, om eigen bestwil definitief achter zich moest laten. Hans was peziger, sterker geworden, maar zijn fijne gestalte was gebleven. Hier sloeg een man vol zelfvertrouwen, vol samengebalde begeerte naar een toekomst waarin hij van niemand afhankelijk was, door niemand lastig gevallen zou worden.

Jozef bood geen verzet, probeerde onhandig de slagen af te weren. Pijn en verdriet trokken dat zachtmoedige gezicht uit elkaar. Hij loenste.

De voorman en anderen kwamen toegerend. Jozef fluisterde: 'Ik vergeef je.' Over zijn dikke lippen stroomde bloed.

Hans haalde zijn schouders op. Nog geen tel geleden had hij dat gezicht nog willen verbrijzelen, maar de woede was uit hem

weggegleden. 'Ik ben niet boos op je,' zei Jozef. 'Ik wist dat je mee-
dogenloos kon zijn. Je had me kunnen vermoorden. Je bent ertoe
in staat. Ik zie dat je nu over je hele lichaam beeft. Je sloeg of er
iets te vereffenen viel. Ik wilde je niet tot last zijn. Ik heb me over
je willen ontfermen, omdat je zwak was. Ik deed het omdat het
moest. Als je soms denkt dat ik wat anders van je wilde, als je dat
denkt, ik heb uit goedheid gehandeld. Je had er beter aan gedaan
je aan mij uit te leveren. Ik vraag je: bid. Het gebed redt uit.' Hij
werd naar het brede middenpad geleid, keek om: 'Bid. Bid.'

Och, schonk gij mij de hulp van uwen geest,
Mocht die mij op mijn paân ten leidsman strekken,
'k Hield dan uw wet, dan leefd' ik onbevreesd
Dan zou geen schaamt' mijn aangezicht bedekken,
Wanneer ik steeds opmerkend waar' geweest
Hoe uw geboôn mij tot uw liefde wekken.

Ps 119:3

Drie

19

〰

H artje zomer. Hans en Margje stonden op de kleine begraafplaats van Lathum. De voorganger, een schipper uit Emden, een krachtige gebruinde man met kuiltjes in zijn wangen
riep dat de sterfdag voor een kiend van Gott de beste dag is, de
fröhlichste dag, de grosse kroondag, een zalige verändering. 'O,
glückliche ochtend voor deze mens, voor deze gast, deze vreem-
deling op aarde, nun hij seine reisekleed hat abgelegt.' Eeuwig gewin leverde dat op.

Touwen werden gevierd, een sparrentak viel in de kuil op wat
van moeders kist over was. Kreunend en piepend zakte de kist
met Hans' vader.

De voorganger bad: 'Hij heeft recht op zes voet grond van
Gods aardbodem. O Heere Gott, wij brengen dit kind in de groe-
ve der vertering.'

Na de plechtigheid bezochten ze het graf van haar ouders die
kort na elkaar waren gestorven. Zij was enig kind, net als Hans,
uiteindelijk. Ze zei, hem naar zich toe trekkend: 'Als er wat met
jou gebeurt... ik kan nergens naar toe, ik heb geen echte familie
meer.'

'Als er wat met jou gebeurt,' zei hij, 'ben ik ook alleen.' Maar
wat kon er gebeuren? Met de armen om elkaar liepen ze naar het
voetveer. Zij had hem nog voorgesteld naar het veen te gaan, om
te zien wat er van zijn schuilhut was geworden. Maar om het
veen te bereiken zouden ze langs het huis aan de Veendersteeg
moeten. Hij had zijn opgebaarde vader ook niet willen zien.

De groepjes wilgen in de uiterwaarden waren lichtgroene vitrages; een bries schoof ze even opzij en ze zagen de rivier, de roodwitte korven op de kribben voor de scheepvaart, de overzijde.

Ze zei: 'Ik moet denken aan de woorden bij het graf. Ik werd er een beetje naar van. Ging dat bij je moeder ook zo? Ik kan het me niet meer herinneren. Er waren geen woorden van troost. Voor niemand. Ik kon er niet goed tegen. Het stond allemaal zo ver af van wat mij thuis geleerd is. Je zou bijna zeggen dat dat geloof met de jaren nog strenger is geworden.' Als antwoord bleef hij staan, zoende haar hartstochtelijk, bedoelde te zeggen dat hij met die wereld niets te maken wilde hebben, dat hij het dorp zo snel mogelijk wilde verlaten. Vanaf de dijk renden ze over het smalle uitgesleten pad naar het veer. Aan de aanlegsteiger lag een boot. Hans had geen veerman nodig. Hij luisterde naar het lichte geluid van haar schoenen op de losse planken, hielp haar in de roeiboot. Midden op de rivier liet hij de riemen los. De wereld was als kalm water waarin zij waren ondergedompeld, de hemel boven hen een vloed van blauw. Hij overdekte haar met kussen. Ze lagen midden op de stroom, water liep suizend om de boot. Een passerende rijnaak bracht de enige beroering in de blauwe stilte.

In het veerhuis verkleedden ze zich. Hij was uit het westen gekomen, zij uit Dieren. Bij het Velpse spoorstation had hij fietsen gehuurd. Hij wachtte buiten, op het achtererf. Zij vertoonde zich even later, in haar blauwe zomerjurk waarop grote zakken waren genaaid en op platte linnen schoenen, op haar mond de rode lippenstift die hij gestuurd had.

'Kom mee,' zei Margje. 'Ik wil je iets laten zien.' Hij dacht dat ze naar Dieren gingen, dat ze hem wilde laten zien waar ze gewerkt had, hem aan die familie wilde voorstellen. Maar ze fietsten in de richting van de bebouwde kom van Velp, zij legde haar hand op die van hem, op het stuur. In het verblindende licht waren haar ogen nog groter en donkerder – haar gezicht waren die ogen – alsof ze zich buitensporig had opgemaakt. Ze reden het dorp binnen, in een vreemde opwinding, zij doelbewuster dan hij.

'Je hebt geen idee?' vroeg ze. Hij had wel een idee, maar hij schudde zijn hoofd, wilde aan niets denken, alleen haar volgen. Zij kon zich nauwelijks inhouden, zei dat ze iets ontdekt had... Hij zou wel zien. 'Maar misschien stel ik je wel teleur.' Nee, hij zou niet teleurgesteld zijn. Zij had immers een verrassing. Stiekem bijna, zonder er al te veel ruchtbaarheid aan te geven waren ze al jaren op zoek... 'Wacht maar. We zijn er bijna.'

Ze reden de ene straat in, de andere uit, ze stegen en daalden want Velp is tegen de heuvels van de Veluwezoom gebouwd, kwamen via de Rozendaalseweg en de Wilhelminastraat op de steile Bergweg, passeerden een halfrond pleintje met twee hoge, rode beuken en twee grijze doodshuisjes.

'Weer een begraafplaats, sorry. We hadden beter een andere weg kunnen nemen.' Meteen had ze spijt van de plagerige toon die ongepast was. 'Nu zijn we heel dichtbij.' Ze stapte af. 'Misschien moeten we helemaal niet gaan vandaag, bedenk ik nu.' Maar hij hoorde aan haar stem dat ze het niet meende. Met de fiets aan de hand liepen ze nog vijftig meter door en stonden voor een breed pad dat met onverwachte wendingen tussen woonhuizen doorliep. Een bord: Terrein te koop. 'Ik ben al gaan kijken,' bekende ze, 'al twee keer deze week. De eigenaar woont op nummer zeventien,' wees naar het kleine vrijstaande huis dat geheel met wingerd was overdekt. Ze zetten hun fietsen tegen elkaar. Het pad voerde naar een binnenterrein, een verwaarloosd dichtgegroeid park. Zij ging hem voor, wilde hem het gebied laten zien, baande zich een weg op overwoekerde paden, tussen adelaarsvarens, vlieropslag en braamstruiken door. De paden liepen wat omhoog. In een dennenbos op het hoogste punt bleven ze stilstaan voor een vervallen tuinhuis met een paar verweerde ligstoelen. Vanaf dit punt kregen ze een helder beeld van het terrein dat aan alle kanten was ingesloten door dichte hagen en oude, brokkelige muren. Boven een van de hagen rees een wit Christusbeeld uit, aan het kruis genageld, overhuifd door een treurberk. Daar was de begraafplaats waar ze langs waren gekomen. Twee sequoia's aan deze kant van de haag correspondeerden met de rode beuken. Als wachters. Een dorpelwachter... gewend aan d'ijdele vreugd in 's bozen tent... Een duistere psalmregel die zomaar in hem opdook. Zij legde uit dat het brede middenpad, daarginds waar de oude muur ophield, een scherpe bocht maakte en bij de Schonenbergsingel uitkwam. In de vorige eeuw was er een landgoed Schonenberg geweest dat later was verkaveld.

In de brede goot die om het ronde dak van het tuinhuis liep, zagen ze tussen het dorre blad iets roods en puntigs omhoogsteken. Hij haakte zijn vingers in elkaar en zij stapte er met haar voet in, leunde een ogenblik licht tegen hem aan, hield toen haar hoofd achterover zodat haar halsspieren zich spanden, hij tilde haar hoger, bijna boven zich uit, voorbij de dakgoot. Ze vond een speelgoedvliegtuigje, lang geleden hier neergekomen. Ze legden het behoedzaam als een kostbaar voorwerp binnen in het tuinhuis neer en dachten beiden hetzelfde.

Vandaaruit hadden ze ook goed zicht op de zuidmuur met een oranjerie waar geen hele ruit meer in zat. Tegen de ijzeren stijlen en verroeste nokramen klom een druivenstok.

Die oranjerie zou goed te herstellen zijn. Hij kon er kuipplanten met citrusvruchten in onderbrengen, een gevoelige peer als de Duchesse d'Angoulème of een Engelse kroospruim. Niet voor de verkoop. Voor eigen gebruik. Hij keek haar verrukt aan.

'Maar het geld. Kunnen we dit betalen?'

Zij had al informatie ingewonnen. Ze konden het land direct van de eigenaar kopen. Dat scheelde de makelaarskosten. De man begreep dat ze veel moesten spenderen aan het kappen van hout, dat ze niet ruim bij kas zaten. 'Hij vraagt een kleine zesduizend gulden. Mevrouwtje, zei hij tegen mij, het is een mooi stukje grond, een enclave, je hebt met niemand iets te maken, je zit dicht bij het dorp, om je vingers bij af te likken.' Ik zwicht voor je mooie ogen! had hij gezegd.

Als ze alles bij elkaar legden bezaten ze aan spaargeld het dubbele. Van de andere helft moest een hele kwekerij opgezet worden. Zij zei dat ze voorlopig haar baan aanhield.

Hij dacht aan mevrouw Fleer. Toen hij haar zijn vertrek aankondigde had ze koeltjes gezegd: 'Dat vermoedde ik al,' en bij het afscheid had ze hem venijnig toegevoegd: 'Het zou me niets verbazen als je onder invloed van die Mieras bent geraakt.' Na De witte lelie was Hans op een kwekerij in 's Graveland terechtgekomen en had een nieuw kosthuis gevonden. Kort na zijn vertrek was zij met een beroerte opgenomen in het Bronovoziekenhuis. Hans had haar direct opgezocht. Met haar mond scheef had ze geen duidelijk woord kunnen uitbrengen. Misschien had ze hem iets willen meedelen over de plaats van het toegezegde geld, de beloofde objecten.

De begrafenis van zijn hospita vond plaats op Oud Eik en Duinen. Er was slechts één volgwagen geweest. Daarin had een verre nicht gezeten die hij nog nooit had gezien. Hij wachtte op een bericht van de executeur-testamentair, genoemd in het overlijdensbericht. Ten slotte zocht hij zelf contact. De man wilde alleen zeggen dat hij niet vernoemd was. Van toegezegd contant geld was hem niets bekend; er was geen briefje in een vaas gevonden, over een bronzen beeld kon hij niets meedelen. Sindsdien had hij de herinnering aan die tijd zo diep mogelijk weggestopt, hoewel hij niet wist wie hij iets kwalijk moest nemen, en had bijna spijt gekregen van zijn gedrag jegens Mieras omdat dit deels door haar was ingegeven.

'En het woonhuis?'

Dat kwam over een jaar vrij.

'Dan hebben wij recht van eerste koop. En als we op dat moment geen geld hebben kunnen we het huren.'

Hij keek naar het rode pannendak dat boven de bomen uitstak. 'Doen we het?' Ze wisten al dat ze dit zouden kopen, waren verliefd op dit stukje land van ruim dertig are en wat centiaren. Zij zei: 'Je moet wel bedenken dat je niet de enige tuinderij in de buurt bent. Ik heb in de gauwigheid vier hoveniers geteld.'

Hij, luchtig: 'Hoveniers. Die onderhouden tuinen. Velp is een chique plaats met veel villa's. Daar zijn hoveniers voor nodig. Ik ga zelf planten kweken, ik ben bloemist, bedien een ander soort klanten.' Natuurlijk zou hij concurrentie tegenkomen. En risico's hoorden bij het ondernemen.

'Dus, we doen het?'

'We doen het.'

Zij had voor die middag al een afspraak met de eigenaar gemaakt. 'Een rustend arts, nogal een vreemde snoeshaan, die op een sportfiets rijdt, aan één broekspijp een wasknijper. Je zult wel zien.'

Na Hans te hebben aangehoord zei de oude man: 'Een idee is altijd een goed idee als het iets op gang brengt, zelfs als het verkeerd zou worden uitgevoerd.' Ja, het was een vreemde snoeshaan. Met zo'n gedachtegang wisten ze geen raad. Verkeerd uitvoeren? Wie had het over verkeerd uitvoeren? Maar het was waar dat ze niet de makkelijkste weg namen.

Margje zei: 'Als we nu beslissen en wij betalen u een voorschot, wilt u dan nog iets zakken met de prijs? We moeten veel investeren.' Ze dong driehonderd gulden af. De man maakte in lila inkt op een receptenbriefje een contractje op. Zij had een voorschot van zevenhonderdvijftig gulden bij zich en betaalde dat voor hem uit in briefjes van tien, van haar spaargeld.

Toen ze weer buiten stonden zei hij stil: 'Je had alles geregeld.'

'Ik heb nog meer gedaan. De opstal was bij de Eerste Onderlinge tegen brand- en glasschade verzekerd. Die kon ik voor bijna niets overnemen. Als we nieuwe kassen bouwen zijn ze automatisch verzekerd, al zal de premie moeten worden aangepast.'

Ze liepen de Bergweg af, sloegen rechtsaf de Wilhelminastraat in en kwamen op de Hoofdstraat. Bij een banketbakker, bij de bushalte naar de stad, naast een bloemenzaak, misschien een toekomstige klant, want hij wilde voor particulieren en winkels kweken (de laatste zouden grotere partijen afnemen) kochten ze twee tompoezen. Buiten maakten ze de doos open, likten tegelijk van het roze glazuur, voelden de zon op hun hoofd branden; zij zag zijn smalle, sterke handen, donker van de zon. Ze voelden elkaars lichaam. Niet eerder was een zomer zo glorieus geweest.

In de overtuin van hotel-restaurant Naeff, meer naar het centrum toe, vonden ze een plaats aan de vijver, aan een wit ijzeren tafeltje met gedraaide poten. Zij dronk een anisette, hij een citroentje. Ze bedacht dat hij het tuinhuis met weinig moeite kon verbouwen tot een tijdelijke woning, een soort vrijgezellenhuisje. Er moest natuurlijk toezicht zijn.

'Mag ik ook meedenken over de inrichting van de kwekerij? Ik zou menen dat ik daar wel recht op heb.' Ze stootte hem plagerig aan. 'En elke avond na mijn werk kom ik je uit Dieren opzoeken.' Hij liet zijn hand over het filigraan tafelblad gaan, imiteerde hun gang vanmiddag over het land, struikelend, elkaar vasthoudend, liet zijn hand van tafel vallen en ze keken elkaar aan, zij schoot in de lach, hij lachte, ze kregen tranen in hun ogen, lachten tegen de toekomst, werden ineens ernstig. Hij gleed met zijn vinger langs haar wenkbrauwen, over haar slaap; ze zeiden niets. Ze hadden wel iemand begraven vandaag.

Diezelfde dag nog, de eerste avond van hun eigen land, waren ze op straat voor het huis blijven staan. Een straatlantaarn wierp een bundel licht in de donkere voorkamer, maakte de serredeuren naar de huiskamer vaag zichtbaar. Ze keken de weg af naar boven en naar beneden en waren het pad opgelopen om naar de andere ramen van het huis te kijken. De ramen van de slaapkamer, de kinderkamer. In hun fantasie woonden ze er al, sliep al een kind in hun huis en ze zagen het raam opengaan dat over het land keek – zij riep iets naar hem of hij lachte. Ze gingen de hele tuin over, bleven bij de scherpe bocht staan waarna het pad in rechte lijn tot aan de Singel doorliep.

'In deze bocht,' zei hij, 'ja, hier plant ik voor mijn eerste kind, een vroege perzik, een Précoce Béatrice.'

'Je gaat er zomaar van uit dat het een meisje wordt.'

Wat een prachtig gebied! Dertig are en nog wat centiare groot. Genoeg om er een bestaan op te bouwen.

20

~

P unt voor punt, de herbouw van tuinhuis en oranjerie, de in-
deling van de grond, hoeveel vierkante meter hoog en plat
glas, waar moest de loods voor de transport- en bakfiets komen,
stookkelder, waterbassin, een afdak voor de rietmatten, de
bloempotten, overlegden ze samen, bevrijdden zich van een heel
verleden aan gedroom en gefantaseer. Samen dienden ze uitge-
werkte plannen in bij de afdeling Bouw- en Woningtoezicht. De
ambtenaar uitte zijn verbazing. In een straal van een halve kilo-
meter waren wel vijf tuinderijen, bloemisterijen, kwekerijen, hoe
je het noemen wilde. Hij liet merken dat hij hen ongelooflijk
naïef vond. Hans herhaalde dat hij niet aan tuinaanleg deed, dat
hij nou juist geen zin had om 'in de grond van anderen te wroe-
ten', maar in zijn eigen grond bezig wilde zijn. Daar moest iets uit
voortkomen. Je moest opvallen. Je onderscheiden. Zij vulde aan:
'Wij denken er een goede boterham te kunnen verdienen.' Hij
voegde er nog aan toe: 'Ik richt mij vooral op de tussenhandel.'

Tot hun verrassing hoefden ze niet lang op goedkeuring te
wachten. Margje veronderstelde dat de gemeente blij was dat dit
verwaarloosde stukje land, weliswaar terzijde van het centrum,
in cultuur werd gebracht.

Tussendoor had Hans contact met zijn collega's in de buurt
gezocht. Hij kreeg geen bijval. Integendeel. Niet doen. Hij begon
in de verkeerde tijd. Overal malaise, werkloosheid. Er was weinig
animo om bloemen te kopen. Nog altijd een luxe artikel. Voor elke verdiende gulden moest bijna een dubbeltje aan weeldebelas-

ting worden afgedragen. Een van die collega's, een actief lid van de plaatselijke Anti-Revolutionaire Partij die maandelijks in een bovenzaal van hotel-restaurant Naeff vergaderde, voerde zelfs de onrust in Duitsland aan. Daar kon van alles uit voortkomen. Dat lag nog in de schoot van de toekomst verborgen.

Nogal beduusd vertelde hij deze reacties aan Margje.

'Ze zien je niet graag komen, zijn bang voor je.'

Hans kreeg 's avonds hulp van een jonge timmerman onder aan de straat die wat wilde bijverdienen. Van de houtimporteur in Dieren waar Margje was blijven werken konden ze hout krijgen en hij wilde niet dat er iets voor betaald werd.

Het tuinhuis kreeg er een verdieping bij en werd een opvallend slank bouwsel. Een breed overhangende dakrand gaf het extra intimiteit. Een zwartgeteerde ladder voerde naar de zolder waar plaats was voor rietmatten, glas, potten stopverf, manden om op te maken. Zij beitste de planken vloer, richtte de enige kamer in, deelde de ruimte in tweeën: een kantoortje met bureau en een woon-slaapgedeelte. Tegen de kale wanden hing zij zijn ingelijste tuindersdiploma's, een kalender, een schilderijtje van een waterplas met eenden, de tekening van de veenhut die hij voor haar gemaakt had en ansichten die zij hem gestuurd had. Een Gezicht op de IJssel bij Dieren en Hotel de Engel (ze had er als lakenmeisje gewerkt in de weekeinden om extra te kunnen sparen). Ze bevestigde ze met punaises, of schoof ze tussen de deurpost en muur of zomaar tussen de lijsten van de diploma's. Ook een foto van het eerste bedrijf waar hij gewerkt had, met alle knechten en de voorman. Die dikke, glimlachende man naast Hans was haar opgevallen. Wie is dat? Hoe heet hij? Heb je daar nog contact mee? Hij had daar nogal vaag over gedaan. Met geen van hen had hij nog contact. Even vaag deed hij over de herkomst van de versteende varennerf die ze op zijn bureau had gezet. Hij had die een keer van iemand gekregen.

Ze schilderde de buitenkant groen, de luiken rood. Zijn vrijgezellenhuis. Een Hans-en-Grietjehuis. Hun sprookjeshuis. Een nuttig bouwwerk. Door de ramen was het hele gebied te overzien, zag je de witmarmeren Christus met het betraande gelaat boven de beukenhaag uitsteken, en nog verder de beide kerktorens, die van de gereformeerde in de Parkstraat, de rooms-katholieke in de Emmastraat. De Nederlands Hervormde Kerk in de Kerkstraat die zij soms bezochten – maar lang niet elke zondag – was niet zichtbaar.

'Ik heb wat voor je.' Hij had een pakje in zijn hand, vroeg haar te raden.

'Alweer? En ik heb al zoveel van je gekregen.' Op de vloer zittend, haar benen opgetrokken, maakte ze het open. Een zwart langwerpig doosje, in satijn een halssnoer van bloedkoralen. Ze was verrukt, vloog overeind, kuste hem, liet hem niet los. Maar zo zou ze nog te laat komen, vlug deed ze haar schoenen aan en samen liepen ze naar de bushalte. Ze wachtten, verstrengeld. Hij fluisterde dat hij al een naam voor de kwekerij bedacht had. Die zou ze nooit kunnen raden. 'Sempervirens'. Ze vond het goed klinken. 'Altijd groen,' legde hij uit. De hoofdcultuur zouden varens zijn die altijd groen bleven. Dan zou zij haar 'oom' in Dieren vragen een mooi bord te laten maken. Nee, twee mooie borden. Voor de beide poorten. Zo in elkaar verdiept lieten ze de laatste bus voorbijgaan. Hand in hand liepen ze terug, passeerden het deze week klaargekomen waterbassin. Een deel was beplankt. Daarop stonden de gieters uitgestald, de broeskoppen van de tuit gedraaid. Stoere, krachtige tuiten, die van de twaalf-litergieters, en fijnere, met omgeslagen rand om net opgekomen voorkiemen mee te besproeien. In het maanlicht leken ze wit goud.

'Net een stoppelveld.'

'Of beesten met hun snuit in de lucht.'

'Nee, wijd opengesperde neusgaten.'

'Nee, soldaten met hun geweer.' Ze schoten in de lach. 'Kom,' zei ze. 'We moeten morgen heel vroeg op.'

21

~

Gebruikmakend van de natuurlijke hoogteverschillen legde hij terrassen aan, bestelde rondhout om ze af te bakenen. Van nature niet ongeduldig wachtte hij rustig de leverantie van deze bestelling af, groef intussen de stookkelder uit die een diepte van zes meter moest krijgen. Toen hij de rondins ontving, ging hij met de terrassen verder, grensde ze af, bracht er goede grond op aan, kocht jong pootgoed.

Hans stond elke morgen om vijf uur op, werkte rustig door, zonder overhaasting, nam ook de tijd om het werk te overzien. Hij was eigen baas, van niemand afhankelijk. Tot in alle eeuwigheden, maar het zou nog zeker een of twee jaar duren voor er sprake van inkomsten kon zijn.

Bijna alles deed hij zelf, had zich metselen aangeleerd, kon ramen op maat snijden, glas inzetten. Hij was handig, maar kon niet weten of de constructie van een muur doelmatig was. Hij geloofde erin. Zijn handen waren bruinverbrand, bespikkeld met kleine wonden, littekens, kloven, van glassplinters, potscherven, scherpe keien. Gezonde handen die snel genazen. Bij de aanleg van de kassen en verwarmingsbuizen had hij de hulp van vaklui nodig. Het uurloon van aannemer en loodgieter was hoog.

Wat werd geleverd – raffia, lint, kit, verguldsel – betaalde hij zoveel mogelijk contant. Hij wilde als het enigszins mogelijk was geen schulden maken. Vooral de kosten van de verwarming vielen tegen. De twee ketels met voldoende capaciteit voor kassen en bakken kon hij tweedehands op de kop tikken. Niet de buizen, de leidingen. Vanuit de ketels liepen ze in een ingewikkeld stelsel door de kassen en dan met wonderlijke vertakkingen onder de grond over het hele terrein. De loodgieter pleitte voor een derde ketel, in een afzonderlijke kelder. De leidingen in hun lange weg zouden veel van hun kostbare warmte verliezen. Hij zag het nut ervan in. Er was geen geld voor.

Bij de Boerenleenbank aan de Hoofdstraat sloot hij een lening af van tweeduizend gulden, waarin hij Margje niet kende. Het zou er allemaal uitkomen als de productie eenmaal op gang kwam. In het *Vakblad voor de Bloemisterij* werden stekken te koop aangeboden van een nieuw ontwikkelde salvia, een blauwe variëteit, de Blue Enigma. Er stond een plaatje bij. Een diep raadselachtig blauw, als het uitspansel. Hij kocht een partij, verwachtte er veel van. Toen ze aankwamen uit Aalsmeer, met andere bestelde soorten, plantte hij ze direct op de terrassen uit, zij etiketteerde de nieuwe soorten met smalle gele strips waarop zij in haar ronde, nog meisjesachtige handschrift de namen had geschreven, in inkt bestand tegen regen. De zuidmuur, blauw en geel van de korstmossen, en de oranjerie werden in oude staat hersteld. Hij plantte leifruit. Snoeien had hij in Boskoop geleerd. Ze spraken over de kwekerij als over een dierbare vriend.

De kwekerij, getoverd uit het niets, was ook revanche. Wraak op de Veendersteeg, de armoede, Lathum. Opeens, een sigaret opstekend, even uitblazend, flitsten herinneringen aan die tijd als welgemikte steentjes uit een katapult. Dan kan hij zich niet afdoende beschermen tegen ijselijke gedachten. En ruikt hij weer die heel speciale geur uit het huis van zijn voormalige hospita.

Nog een kleine lening bij de bank. Ze kenden hem daar intussen, wilden hem nog wel een keer tegemoetkomen. Hij was bescheiden, en gedreven, maar had nauwelijks onderpand. Dit keer vijfhonderd gulden. Er moest ook geleefd worden. Er waren de vaste lasten van water, licht, een onophoudelijke stroom kleine en grote rekeningen.

Tijdens de bouw van de kassen – de staketsels stonden er nu – had hij verwacht dat ambtenaren van Bouw- en Woningtoezicht kwamen inspecteren. Hield die jonge ondernemer zich aan de gestelde voorwaarden? Geen mens kwam kijken.

Margje merkte op: 'Ze vertrouwen jou.'

Hans corrigeerde: 'Ons.'

Hij kookte grond in een oude teil die Margje voor hem had opgescharreld, vulde de zaadpan van rode steen, zaaide varensporen uit die hij zelf verzameld had. Hij waste rivierzand en liet het tussen zijn vingers door over het zaaigoed vallen in een vliesdun laagje om niet te verstikken, bebroesde met het kleinste gietertje. Het zand ging de snelle uitdroging tegen. Hij dekte de ronde zaadpan af met een glasruit, ook al weer om de grond vochtig te laten blijven.

Na enkele dagen vertoonde zich een groen waas. De prothallia. Maar toen hij zag dat de tere voorkiemen die boven de grond uit kwamen – nog nauwelijks een plant te noemen, eerder een voorplant – hier en daar wegvielen door een schimmel, aan het verspochten waren, haalde hij de glasplaat er snel af, loste wat aniline in water op, bestrooide de sterk ontstoken plaatsen, stopte het vernietigingsproces. Een week later verspeende hij de voorkiemen met een rietje waaraan hij een scherpe punt had gesneden. Precies in die punt maakte hij een kleine inkeping van enkele millimeters. Daarmee lichtte hij iedere voorkiem apart uit de zaadpan en zette hem over in een verspeenbak. Hij genoot. Hierom had hij dit vak gekozen.

Planten opkweken van spoor tot volwassen plant. Een arbeidsintensieve cultuur met veel lasten en geringe inkomsten.

22

~

Zondag waren ze 's morgens naar een dienst in de hervormde kerk geweest. Het was prachtig nazomerweer en ze hadden niet zoveel zin in kerkgang gehad. Ze waren toch gegaan. Juist op de dag dat ze zich gingen verloven, was het toch God verzoeken op de dag des Heren de voorkeur aan de buitenlucht te geven. Maar direct na afloop waren ze in de richting van de rivier gefietst en de oever afgedaald bij een klein strand tussen twee kribben. Vanaf het fietspad kon niemand hen zien, vanaf de rivier alleen de schippers die op zondag voeren.

Ze wisselden de smalle gouden ringen uit, zoenden elkaar, strekten zich uit op het warme zand. Haar ogen in het overdadige licht waren donkere kiertjes. Van de schippers die vanaf het dek op hun vingers floten trokken ze zich niets aan.

Later keken ze naar de boten die puffend passeerden. In de trillende lucht waren schoorsteen en luchtkoker vreemd vervormd. De boten leken zich door de rivier te wurmen, het water stond laag. Ze lagen te soezen; als ze nu hun stem zouden gebruiken zou die van vervoering vreemd klinken. Hij leunde op zijn elleboog om een sigaret op te steken, keek naar dat overbelichte, nu bijna bleke gezicht naast zich. Zij vroeg om een trek en hij stak zijn sigaret tussen haar lippen. De witte korven van de bakens op de kribben waren in de dampige hitte witte tulbanden.

Vóór dit moment had hij het nooit zo sterk beseft. Tien jaar lang had hij zich als knecht verhuurd om het vak te leren, om geld te sparen, om uiteindelijk voor zichzelf te kunnen beginnen. Die tien jaar kwamen hem nu als duizelingwekkend lang voor.

Maandagmorgen kwamen twee heren de tuin op. Hans was bezig kasranden en roeden af te kitten. De heren waren van Bouw- en Woningtoezicht en kwamen een kijkje nemen.

'Nu alles bijna klaar is,' lachte Hans, wees trots om zich heen. De kassen lagen te blinken en van afstand, met de gekitte roeden en de nokramen open op de hoogste stand, recht omhoogstekend, hadden ze veel weg van een rij zwart-witte parasols. Hij maakte zich geen zorgen, er waren duidelijke afspraken gemaakt. Hij had zich aan de voorwaarden gehouden. Beleefd bood hij koffie aan, liet hen hun gang gaan. Ze maten de lengte, de hoogte van de kassen, maakten notities in een boekje, doorliepen het hele terrein. Een lichte ongerustheid maakte zich van hem meester. Die pottenkijkers hadden hier toch verder niets te zoeken? Het was zijn land. Ze deden of ze heer en meester waren.

Een paar dagen later was hij in de werkplaats toen de post werd bezorgd. Hij maakte de brief van Bouw- en Woningtoezicht open en begon te beven. De afstand van rooilijn tot nok mocht niet meer dan vier meter bedragen. Bij metingen was een nokhoogte van vier meter twintig gemeten. De kassen moesten worden afgebroken. Hij legde de brief op de inpaktafel en wilde doorgaan met zijn werk, de brief met de noodlottige boodschap negeren. Hij was bezig geraniums te stekken. De stekken moesten schuin worden afgesneden om sneller wortels te maken. Hij had zijn vingers niet in bedwang. Hoe kon zoiets nou? Waarom overkwam hem dit? Hij kon zich niet herinneren dat er grenzen aan de hoogte waren gesteld. Hij was niet van plan tien meter hoge palmen te kweken, had de kassen met plezier twintig centimeter lager willen maken.

Margje trof hem die avond gelaten aan, maar zij liet het er niet bij zitten. 'Wij hebben geen enkele schuld. Die ambtenaren deugen niet. We doen gewoon alsof we die brief niet ontvangen hebben. Die kassen zijn solide. Al ons geld zit erin. We luisteren gewoon niet, zien wel wat ervan komt. Ze denken daar zeker dat we miljonair zijn. We breken niets af. We staan in ons recht.' Ze zweeg, voelde zich onzeker worden. Ze wilde, moest praten, omwille van hem, maar het recht halen kostte tijd en geld. Kon Bouw- en Woningtoezicht dat niet eerder bedenken? Zij ging verhaal halen. Nergens stond zwart op wit dat de kassen niet zo hoog mochten worden.

Een auto reed vanuit de Bergweg de kwekerij op. Twee heren stapten uit, andere, met aktetassen.

'Daar zul je 't hebben,' zei Hans.

'Ze komen ons nu zeker vertellen dat we onze verlovingsringen moeten inleveren!' Of zaten er tuinders achter die liever hadden gezien dat zij hier niet gekomen waren? Dat konden ze zich niet voorstellen.

De beide heren waren onderdanig, excuseerden zich, hun collega's hadden zich beroepen op een verordening die al jaren nietig was verklaard. Degene die Hans toen had gesproken was inmiddels met pensioen gegaan. Het ene misverstand was op het andere gevolgd. Vanzelfsprekend zouden ze als compensatie een kleine tegemoetkoming krijgen. Alle onrust leverde hun honderdvijfentwintig gulden op.

Hij was weer het vrolijke kind, imiteerde met gekke sprongen spoken en demonen, had zich op een avond als heks verkleed toen zij de tuin opkwam. Had hij niets beters te doen?

Hij kruide grond, dichtte gleuven van oud, barstend hout met stopverf, spande tuidraden aan de hoge schoorsteen die in een lange doorbuiging naar de vier verste hoeken liepen, bouwde een overdekte loods. Zijn huid werd donkerder van het werken tussen het weerkaatsende glas. Nu was hij verderop bezig rotsplanten te scheuren. Waarom liet hij zich zo snel van de wijs brengen? Te zacht voor de alledaagse werkelijkheid. Of te weinig gewend aan tegenslag?

23

~

De eigenaar van het woonhuis kondigde zijn vertrek aan, eerder dan was voorzien. Geld om het huis te kopen was er niet en ze durfden ook geen geld meer te lenen, bang voor de extra lasten. Ze mochten het huren tegen een schappelijke prijs, vijfentwintig gulden per maand. Voor een zacht, bijna symbolisch prijsje, bood hij hun ook vloerkleden, vitrage, overgordijnen en meubilair aan. Voegde er nog een theekastje en een dressoir aan toe, en een paar schilderijtjes.

Niet alles wat ze overnamen werd gebruikt. De vloerkleden waarop een leven lang gelopen was, borg Hans op in de loods. Ze konden dienstdoen om af te dekken bij strenge vorst. Margje bekleedde zelf de stoelen opnieuw; de vitrage en overgordijnen werden lang in de week gezet, grondig gewassen en in de wind gehangen. Plafonds werden gewit, houtwerk gerepareerd. Voor bestek, servies- en linnengoed had zij in haar Dierense jaren gezorgd.

Nog voor ze het huis gingen bewonen trouwden ze in de Nederlands Hervormde Kerk van Velp. De wijkpredikant die Israël heette, een opvallende naam die alleen maar een gunstig teken kon zijn, bezocht hen. Ze spraken af dat hij zou preken over Corinthiërs 13:2.

'...maar had de liefde niet, ik ware niets.' De koster van de hervormde kerk moet verbaasd zijn geweest over het geringe aantal gasten. De 'oom' bij wie ze had gewerkt wilde om principiële redenen niet in een kerkgebouw komen. Margje had in Dieren bij een koor gezongen. Enkele vriendinnen van het koor waren aanwezig. Ze hadden ook de naaste buren uitgenodigd. Na afloop was er een receptie in een bovenzaal van hotel-restaurant Naeff aan de Hoofdstraat.

Zij naderde. De afgelopen nacht hadden ze voor de eerste keer in hun eigen huis geslapen. Zij naderde over de rode steenslag van het middenpad, blootsvoets, het haar donker, echt zwart, strak achterover, haar huid door en door bruin van de zon, uitstekende jukbeenderen. Hij droeg tegen de hitte tussen de kassen een maaiershoed met brede randen, tot vlak boven zijn wenkbrauwen. Het stond exotisch. Hij was aan het schoffelen maar ging op de rand van het waterbassin zitten toen hij haar zag. Ze kwam bij hem en legde een hand op zijn knie.

'Ik ben zwanger,' zei ze. Hij wist niet zo gauw de juiste woorden, maar stond op om naar zijn oude vrijgezellenwoning te lopen, kwam terug met een envelop.

'Ga vanmiddag in de stad maar eens iets moois voor jezelf kopen.'

Ze stonden op het middenpad tussen bassin en werkplaats. Hun lange schaduwen vielen over het water, de batterij gieters. Ze zei dat ze nu naar huis terugging. Voor ze de bus nam, zou ze nog op de tuin langskomen. Hij zag haar zich verwijderen, waarna hij scheen te bedenken wat hij ging doen. Hij pakte zijn schoffel weer op.

Ze kregen een zoon. De geboorte verliep voorspoedig. De verloskundige prees haar brede bekken. Ze wilden hem niet vernoemen, zoals in beide families gebruikelijk was. Ze noemden hem Ruben, naar de eerstgeborene van aartsvader Jacob. Nu was hij in zekere zin toch vernoemd, maar de naam stond hen aan. Twee maanden later werd het kind gedoopt. Er was geen sprake van dat ze het de doop zouden onthouden, al speelde in hun kringen de twist over kinder- of volwassendoop. Ze geloofden, zonder dogmatisch te zijn, op 'kerkse' wijze en zonder diep na te denken over de doop als mysterieuze inlijving in de gemeenschap met Christus. Ze namen voor zeker aan dat God, de God van Abraham, Izaäk en Jacob, weet had van de beide ouders, en van het kind, en dat bood bescherming.

TWEEDE BOEK

Ik zal, oprecht van hart, uw' naam, o Heer
Gestaag de roem van uwe grootheid geven,
Als ik 't gezag en 't heilig oogmerk leer
Van 't vlekloos recht, door uwe hand beschreven,
'k Zal uw geboôn bewaren tot uw eer;
Verlaat mij toch niet ganselijk in dit leven!

Ps 119: 4

Vier

24

~

Een veld scabiosa werd, als ging er een reuzenhand overheen
door de wind gladgestreken. De schittering van blauw licht
over het land. Hans Sievez stond er met plezier naar te kijken.
Ruben ook. Bijna tien. Zijn natuurlijke opvolger. De jongen was
buiten schooltijd altijd bij zijn vader te vinden. De scabiosa was
dit jaar extra mooi, het blauw heel licht, het blad dicht en fijn. Er
was vandaag nog geen klant voor geweest. Dat was toch een teleurstelling: de wel erg geringe inkomsten die het bedrijf gaf. Hij
had gedroomd van lange rijen klanten. Een droom die hij nog
steeds koesterde, maar die wel nooit bewaarheid zou worden.
Steeds bedrevener in het kweken van prachtige planten, maar de
verkoop hield geen gelijke tred. Wie de plukvelden bezocht was
enthousiast en toch ging het verhaal onvoldoende rond. De paar
boeketten per dag, waarvoor een groot stuk land nodig was,
brachten in verhouding te weinig op. 'Je moet misschien adverte-
ren,' had Margje aangeraden. Hij had een advertentie geplaatst
om meer particuliere klanten te lokken. Dat was hem duur te
staan gekomen. Nu had hij zich opgesteld als concurrent van de
bloemenzaken in de omgeving die het van de particuliere klanten moesten hebben. Enkele winkels wilden sindsdien geen planten meer van hem betrekken. Zijn bedrijf hinkte op twee gedachten. De loop kwam er niet in.

Hij had ook last van de sociale werkplaats waaraan een grote
tuinderij verbonden was. Het werk werd er verricht door ver-
standelijk gehandicapten, zodat de planten ver onder de prijs

konden worden geleverd. Als hij over die dingen nadacht had hij even het gevoel dat hij gefaald had, dat hij niets waard was. Maar hij was opgewekt van nature. Het was jammer dat er na aftrek van de vaste lasten nauwelijks geld overbleef om van te leven. En het weinige dat gespaard kon worden moest worden weggezet om de kolenschuld af te lossen. Hij deed zijn best, werkte van 's morgens vroeg tot 's avonds laat. Meer kon hij niet doen.

Margje kwam de tuin op. Er waren achter elkaar twee telefoontjes binnengekomen. Weidema in de stad had dertig gloxinia's nodig en een kist gemengde varens, Wieland aan de Hoofdstraat wilde voor veertig gulden bruidsgroen. Voor beide bestellingen gold dat er haast bij was.

Een goed bericht. Ruben vroeg of hij mee mocht naar de stad. Natuurlijk mocht hij mee. Hans was gelukkig als hij de jongen bij zich had. Margje stelde voor het bruidsgroen te bezorgen. Ze zoende haar man, trok van opluchting haar zoon naar zich toe, veegde met een punt van haar schort haar tranen af. De huur moest al een week geleden betaald zijn. Ze had niet geweten waar het geld vandaan te halen. Zij zou de nota meenemen, wie weet betaalde Wieland dit keer contant. Wieland met zijn goedbeklante deftige zaak in het centrum was om het zacht te zeggen een heel trage betaler. Er stond een schuld van zo'n zeshonderd gulden die hij maar mondjesmaat, in grillige bedragen van achttien of drieëndertig gulden afbetaalde. Schandalig natuurlijk. Je moest hem achter de vodden zitten voor je eigen geld. Maar ze konden hem niet missen. Hij had veel nodig. Ze durfden hem niet voor te stellen dat hij bij levering direct zou betalen, bang hem dan kwijt te raken.

Ruben op het bankje in de werkplaats, reikte naar de schap boven de oppottafel waar het vlijmscherpe tommymes lag. Zijn moeder waarschuwde hem voor het mes. Ze was bang dat hij zichzelf daar nog eens wat mee aandeed.

Achter een tussendeur begon de asparaguskas. Hans sneed lange ranken voor het bruidsboeket en korte voor de corsages. Staande aan de inpaktafel schreef hij de nota. Toen Margje vertrokken was, zocht hij met Ruben de gloxinia's uit. Het waren mooie, gedrongen planten, volop in bloei. Hij doopte ze in een emmer met lauw water, borstelde de groene aanslag van de potten, wikkelde elke bloem – paars fluweel – in wit vloeipapier.

Gesmette bloemen maakten de plant direct onverkoopbaar. Hij rolde ze voorzichtig in een krant waarbij Ruben de breekbare stelen vasthield, speldde ze van boven dicht zodat de wind er niet in kon slaan. Ze zetten ze in smalle kisten van elk tien. De kleine Ruben was even opgelucht als zijn ouders. Twee bestellingen achter elkaar. Hans streek de jongen over het haar. Hij mocht de bakfiets uit de loods halen.

Daarna zochten ze samen de varens uit. Hij schreef de nota's, verwisselde zijn werkkleding voor een net manchester pak, zijn klompen voor schoenen. Op het moment dat ze wilden weggaan, kwam een mevrouw via de ingang aan de Schonenbergsingel de kwekerij op. Ze woonde in een villa aan de Singel en kon vanuit haar kamer het veld scabiosa zien. Zo betoverend mooi. Of ze een boeket mocht snijden? Onder een afdak, op een schraag, kleine messen, bindgaren, papier en gedrukte kaartjes met de tekst door Margje bedacht: de gever heeft dit boeket zelf geplukt op kwekerij Sempervirens. Ze wachtten tot zij klaar was, Hans rekende af. Zij prees nog de mooie tuinderij. Hans borg het geld in zijn portemonnee. Margje kwam intussen terug. Wieland had grote haast gehad, de nota zou hij zo gauw mogelijk voldoen. Een kleine teleurstelling. Ruben pakte zijn fiets. Ze gingen op weg naar de stad. Margje zwaaide tot ze om de bocht van het middenpad verdwenen waren.

De Arnhemse Straatweg steeg geleidelijk. Aan weerszijden lagen ver van de weg grote witte villa's in Indische stijl, met veranda's. Ze passeerden, naast elkaar fietsend, het landgoed Bronbeek, met het standbeeld van Van Heutz. Op de paden, in de schaduw van hoge bomen, bewogen oud-militairen in donkere uniformen met oranje tressen. Bijna allen misten een arm of een been.

'Die hebben toch in Indië gevochten?' Hij vroeg naar de bekende weg. 'En jij pap, tegen de Duitsers, hè?'

'Niet gevochten.' Hans had ondergedoken gezeten in de stook-kelder op de kwekerij. Ze hadden hem opgepakt en hij had loop-graven moeten maken bij de stelling Westervoort. Op een vroege ochtend was hij met enkele anderen gevlucht.

'Pappa, hoe kwam je aan het tommymes?'

Hij had het verhaal al zo vaak verteld. De jongen kreeg er nooit genoeg van.

'Het lag in een weiland.'

'Tussen doodgeschoten koeien, hè?'

'Koeien, kalveren, kippen.'

'En er zat geen blad meer aan de bomen van al het schieten...'

De weg ging nu omlaag, ze konden freewheelen. Ruben keek tegen zijn vader op. Zijn vader was een held.

Ze reden onder het viaduct door. Op de Steenstraat parkeerde Hans de bakfiets tegen de trottoirrand. De eigenaar van de zaak en een medewerker waren in de etalage bezig een vaas met rozen op een sokkel te zetten waarover ze een zwart fluwelen doek had-den gedrapeerd. Deze winkel was zo mogelijk nog chiquer dan die van Wieland. Het grote boeket vormde de blikvanger voor de passanten in de drukke winkelstraat. Daaromheen, op lage ku-bussen, stond een witte orchidee of bijzonder glaswerk.

Ruben hield de deur voor zijn vader open. Hans zette de kist op de grond, groette beleefd. In plaats van terug te groeten zei Weidema: 'Wat kwam jij met een rotgang die bocht omscheurû! Haastige spoed... je weet wel!' De bloemenwinkelier was een ka-lende, corpulente, zelfvoldane man, met de vanzelfsprekende hooghartigheid van wie het goed gaat en die in zijn eigen omge-ving bewonderd wordt. Hij sprak plat-Arnhems. De medewer-ker, een bloembinder met een bleek gezicht, schaterde het uit. Hans lachte een beetje. Hoe kon hij commentaar leveren? Hier was geen verweer mogelijk. Weidema had veel planten nodig en betaalde altijd contant. Daar moest kennelijk dit tegenover staan. En nog meer.

De planten waren afgeleverd, de lege kisten stonden weer op de bakfiets. Hans wachtte met de nota van achtenzestig gulden in zijn hand. Ruben stond vlak naast hem. Hij voelde het warme lichaam van zijn zoon. De eigenaar en de medewerker stonden met de rug naar hen toe aan de grote met zink beslagen tafel rozen te ontdoornen. Hans hoopte dat hij snel zou worden geholpen. Er was thuis nog veel te doen. Dat moest Weidema toch ook begrijpen. Maar hij durfde hem niet aan te spreken. Ze stonden daar maar, waren lucht voor de twee bezige mannen. Hans schaamde zich tegenover Ruben.

Weidema werkte, een sigaar in zijn mond. Hij kreeg een langdurige hoestbui, spuugde een brok slijm op de grond die hij met zijn voet wegveegde onder de tafel waar plantenafval en potscherven lagen. Na veel gekuch stak hij de sigaar weer tussen zijn tanden.

'Och Sievez,' zei hij, met de rug naar Hans toe, 'wat daar ligt kun jij wel gebruiken voor je composthoop. Neem gerust mee.' Hans verbleekte. Die rotzooi vol fluimen wilde hij helemaal niet. Niet protesteren, nu. Weidema was snel aangebrand, maar gunde Hans regelmatig een flinke bestelling. Er moest geld binnenkomen. Met Ruben laadde hij de afval op de bakfiets. Hans dekte de volle kisten zo goed mogelijk met krantenpapier af. Ze wachtten.

Weidema liep nu naar een schemerig verlicht vertrek, waar ook de kassa stond, en kwam terug met een hoogopgewerkt bloemstuk. Hij pakte het zorgvuldig in, liep ermee naar buiten en zetten het tussen de kisten in op de bakfiets.

Hij gaf Hans het adres.

'Je komt er praktisch langs.' Het bloemstuk moest op de Hoogkamp worden bezorgd, een steile klim die zeker een omweg van een uur betekende. Toen vroeg hij de nota. Uit de binnenzak van zijn groene stofjas haalde hij een bosje bankpapier. Zijn handelsgeld waar hij altijd mee schermde. Zomaar in de binnenzak, een dikke duizend gulden. Bij elke aflevering liet hij weer zien hoe goed het met hem ging. En het ging hem zeer voor de wind. Hij mocht als enige bloemenzaak leveren aan hotel-restaurant Royal aan het Willemsplein. Sinds kort had hij ook de Schouwburg erbij.

Hij betaalde achtenzestig gulden.

Weidema's stem vol plat-Arnhemse klanken droeg hij in zijn oren mee. De vent was ook nog katholiek, al deed hij nergens meer aan. Zoals Margje bij voorkeur kleren kocht in de stad bij protestantse zaken – Peek & Cloppenburg – zou hij het liefst willen leveren aan zaken van protestantse signatuur. Maar de hele bloemenhandel was in handen van roomsen.

Ze laadden de bakfiets af toen ze thuis waren. Hij gaf de jongen een gulden voor zijn spaarpot.

'Ik hoef niet zoveel.'

'Je hebt me geholpen. Ik was blij dat je bij me was.'

Margje kwam naar buiten.

'Waar blijven jullie toch? Ik had jullie al lang thuis verwacht. Ik maakte me ongerust. Deed Weidema weer vervelend?' Ze zag het plantenafval. Ruben was bezig de potscherven eruit weg te halen. 'Die vent maakt misbruik van jouw goedheid. Je zou moeten weigeren. Kon dat maar.'

Ze zaten om de keukentafel, lieten de achterdeur openstaan, zodat ze de tuin in de gaten konden houden. Margje deed vijfentwintig gulden in een envelop. Ruben bracht de huur weg.

'Er was nog iemand voor je, daarstraks. Ik dacht dat hij een boeket wilde. Ik kan u ook helpen, zei ik. Hij wilde jou spreken. Ik vroeg of ik de boodschap kon overbrengen. Hij schudde zijn hoofd.' Mijn man kan elk moment thuiskomen, had ze gezegd, u mag op de kwekerij wachten of hier in de keuken. 'Hij is toen in de keuken gaan zitten en ik heb hem een kop thee gegeven, en later nog één. Hij had een grote koffer bij zich, volgepropt met ik weet niet wat. Een rieten koffer met leren riemen. Eerst had ik hem niet gehoord. Ik was achter bezig toen de bel aan de voordeur heel lang overging. Weer een collecte, dacht ik nog. Ik had pas gegeven voor Vrij Ambon. Dus ik liep niet al te hard. Ik heb zelfs overwogen om de bel de bel te laten, maar het kon evengoed een klant zijn die jou zocht. Door het ruitje van de voordeur zag ik een grote man. Ik begrijp het niet van mezelf, zo doe ik anders nooit, ik dacht: ik doe niet open dit keer, en gebukt liep ik achterwaarts terug naar de kamer, alsof ik me moest verstoppen in mijn eigen huis. In de kamer dacht ik: dit is te gek voor woorden. Ik ben buitenom gelopen. Over de voortuin viel een schaduw. Op het voorstoepje die man, zwaar, massief, in een lange, zwarte jas en glimmende rijglaarzen. Jas en laarzen leken nogal nieuw, maar de koffer was oud en rafelig, met afgesleten leren hoeken. Ik schrok, Hans. Die grote man in ons nietige voortuintje. Ik weet niet goed waarom. Was het een klant? Een vertegenwoordiger? Vast en zeker! Anders had hij niet die aan alle kanten uitpuilende koffer bij zich. Ik durfde niet te vragen wat hij verkocht. Ik dacht aan aardewerk. Ik had er even een vervelend gevoel over maar dat trok weg. Hij was vriendelijk, voorkomend. Eerder bedeesd. Niet het type vertegenwoordiger dat zijn spullen al heeft uitgestald nog voor hij iemand gesproken heeft. Maar hij was het natuurlijk wel. Ik had met hem te doen. Het is toch al zo'n treurig beroep. Dingen aansmeren waar geen mens op zit te wachten. Hij maakte een opmerking over de stickertjes op de deurpost: Vrij Ambon, Protestants Interkerkelijk Thuisfront. Ik begrijp, zei hij, dat u bij een collecte aan de deur eerst vraagt van welke gezindte het uitgaat. Hij heeft zich voorgesteld, maar ik kon zijn naam niet verstaan. Eerst heeft hij een tijdje heen en weer lopen drentelen en toen is hij in de keuken gekomen. Met die zwarte kleren had hij iets van een boeteprediker, zo iemand die zichzelf geselt, maar daarvoor zag hij er te goed doorvoed uit. Ik wist niet wat ik van hem denken moest. Ik vroeg of hij jou kende en toen glimlachte hij. Zachtmoedig, bijna meewarig. Ik had zelf het gevoel dat ik hem ergens van kende, dat ik hem eerder had gezien, en toch, ik kon hem niet thuisbrengen. Later is hij alleen de tuin opgelopen, zeulend met zijn koffer. Toen kwam dat rare gevoel weer terug. Ik voelde me niet onveilig, hij zag er ook niet naar uit kwaad in de zin te hebben. Maar die man op onze tuin. Jij weg, en Ruben. Misschien zie ik spoken omdat ik zwanger ben.'

25

~

Diezelfde avond. Het werd al gauw te donker om te verspenen en hij had de lamp boven de werktafel aangedaan. Het licht viel naar buiten tot aan het waterbassin. Verspenen, een secuur werkje. Hij bewoog de sigaret tussen zijn lippen, de rook krulde omhoog, werd ongemerkt ingezogen. Met het rietje lichtte hij een voorkiem uit de zaaibak, kon maar moeilijk zijn hand stilhouden. Margje had vanmiddag oog in oog met Jozef Mieras gestaan. Hij stak een nieuwe sigaret op. Het vlammetje van de aansteker beefde. Het was een ontmoeting die hij altijd had willen voorkomen. De afgelopen maand had hij al enige keren een korte brief op de inpaktafel gevonden.

Zijn oude Haagse vriend wilde opnieuw met hem in contact komen. Hij had de brieven niet beantwoord. Ze riepen te sterk de herinnering aan zijn hospita op. Had zij hem bewust kwaad willen doen? Het kopen van die dure kleren op het Noordeinde was een rare streek geweest, die hij Margje nooit had verteld. Wat wilde Jozef? De vriendschap weer oppakken? Daar had Hans geen behoefte aan. Maar bij de tweede brief had hij toch geaarzeld. De beledigingen die hij bij sommige winkeliers ondervond zaten hem meer dwars dan hij Margje liet blijken, dan hij zichzelf wilde toegeven. De krenkingen waren talrijker de laatste tijd. Hij onderging ze lijdzaam. Zo lag het kennelijk besloten. Hans leed eronder. En dan die vreemde pech: gelijkwaardige tuinderijen qua ligging, qua grootte, die hij had bezocht om zich te oriënteren, floreerden. Hij begreep er niets van. Lag het aan hem? Op de kwekerij zelf voelde hij zich onaantastbaar. Dat besef compenseerde. Van Margje hield hij. Ruben zou hem later opvolgen. Er ontbrak niet zoveel aan zijn geluk.

Een schaduw viel over de glazen bekapping boven hem. Een massieve gedaante in het licht buiten. Jozef Mieras stond in de deuropening van de werkplaats naar hem te kijken, een mollige hand bezaaid met sproeten op de deurklink, de koffer aan zijn voeten. De heldere, innemende blik op Hans gevestigd. Zijn haar was dunner geworden, verder teruggeweken. Hij had een rode snor laten staan die het droevige in het gezicht benadrukte, maar het goeiige, het vriendelijke was gebleven.

'Daar ben ik dan. In levenden lijve. Het moest er eens van komen.'

Nog bleef hij wachten, glimlachte naar Hans die zijn sigaret liet vallen en onder zijn klomp doofde.

'Ik ben toch welkom?'

Met een gebaar nodigde hij hem binnen te komen, hielp Jozef Mieras de koffer dragen. In de werkplaats bood hij hem zijn eigen bankje aan en nam zelf een omgekeerde emmer.

'Ik hoorde van mijn vrouw dat je aan de deur bent geweest.' Jozef vond Hans weinig veranderd; hij was slanker geworden en dat stond hem goed.

'En je hebt een mooi bedrijf, jongen. Ik heb op een dag dat je er niet was de kans gehad rond te kijken. De tuin ziet er verzorgd uit. Aangeharkte paden, vrij van mos, de bedden in onberispelijke rijen, als langs een meetlat. Gebruik je daar een richtsnoer voor? Zoals ons op De witte lelie is geleerd? Ik zag in die tijd al dat je een bedreven vakman zou worden. Toen ik een week geleden even rondkeek – vergeef me mijn pottenkijkerij, ik kon het niet laten, ik was geroerd – rook ik in één van de kassen pure nicotine. Had je last van slakken? Herinner jij je nog de eerste keer dat we samen het ongedierte verdelgden? De rook sloeg op onze longen en we konden maar net op tijd de kas verlaten.' Hij keek hem met zijn allerbeminnelijkste glimlach aan. 'Over mijn longen gesproken...' Hij maakte de zin niet af, maar vervolgde toen Hans hem vragend aankeek: 'Jou kan ik het vertellen, ik loop er niet mee te koop...' Hij stak zijn hand uit en raakte Hans' arm even aan. 'Tb. Ik heb meer dan twee jaar gekuurd in een sanatorium. In de openlucht. Boven mij was een rood zeil gespannen. Sinds kort ben ik genezen verklaard. Tijdens dat lange ziekbed, Hans, heb ik mijn Pniël gehad. God heeft zich aan mij doen kennen. Ik dacht dat ik Hem kende, maar feit was dat ik dwaalde in de tijd dat wij elkaar ontmoetten, en in grote lichtzinnigheid leefde. Ik mag mij gelukkig prijzen nu in Zijn dienst te werken. Ik ben Zijn discipel.'

Hans dacht verbaasd: in grote lichtzinnigheid? Leidde mijn vriend toen zo'n frivool bestaan?

'Zit je niet meer in het bloemenvak?'

'Ik reis met de Waarheid door het land en hoop een gelijke geest te treffen, een ontvankelijk hart. Soms slijt ik een boek. Hij die getrouw is, onderhoudt mij. Ik ben nog nooit tekort gekomen. Met gelijkgezinden vieren we de agape, zoals de eerste christenen. Wij willen geen kerk. Wij vormen een gemeente *extra muros.*

Hans hoopte niet dat Margje de tuin opkwam en hen hier zou treffen. Hij kon Jozef natuurlijk voorstellen als een voormalige collega uit Den Haag. Ze zou hem direct herkennen en als hij was opgestapt precies willen weten wat hij hier kwam doen, zou misschien opmerken: Die van de foto? Wat moet die van jou?

'Goed dat wij elkaar na zo lang weer zien.' Zijn mollige hand raakte Hans weer even aan. Jozef haalde herinneringen op aan hun gezamenlijke fietstochten, vroeg of hij nog contact had met zijn hospita. Een kwiek dametje dat niet over zich heen liet lopen. Och, was ze overleden? Hij had niet de indruk dat zij besefte een kostelijke ziel te verliezen. Hij vroeg of Hans kinderen had.

'We hebben een zoon, Ruben.'

Jozef vond dat een prachtige naam. Ruben, de eerstgeborene van Jacob. Hans vertelde Jozef dat zijn vrouw van een tweede in verwachting was en dat hij op een meisje hoopte. Waarom zei hij zoiets tegen Mieras? Hij nam zich die onthulling kwalijk. Wat had zijn voormalige vriend hiermee te maken? Zelfs Margje wist van deze diepe wens niets af. Hij had met deze woorden een beetje verraad tegen haar gepleegd. Het liefst zag hij dat Jozef zo snel mogelijk verdween.

Jozef meende dat alleen de Almachtige God die koningswens kon vervullen. Hans keek langs hem heen, reageerde niet op die woorden. Jozefs blik ging naar zijn koffer waarvan het chromen handvat blonk. Zijn weke handen lagen over elkaar in zijn schoot.

Hij trok de koffer naar zich toe, mompelde toen in zichzelf: 'Nee, nu niet. Dit is niet de gerechte tijd.' Hij kwam overeind. 'Ik denk dat ik opstap. Jij wilt verder met je werk. Het is goed dat we elkaar nu voor dit moment gesproken hebben. Je bent stil, ik vermoed wat beduusd. Geen wonder. Staat je oude kameraad ineens voor je neus. In de voorbije jaren heb ik vaak aan je gedacht en ik heb me ook wel zorgen over je gemaakt. Ik vind dat je er moe uitziet. Denk aan jezelf. Ik begrijp, een eenmanszaak, de zorgen zijn niet van de lucht. Mag ik nog eens langskomen?'

Opgelucht was hij met zijn verspeenwerk aan de werktafel doorgegaan en in de uren erna restte slechts een vage indruk van zijn vriend uit de Haagse leertijd. Als deze zich nooit meer vertoonde zou Hans er geen traan om laten. Het had hem ook onaangenaam getroffen dat Jozef in zijn afwezigheid op de tuin had lopen rondsnuffelen. Hij behoorde tot een deel van zijn leven dat ver achter hem lag.

Dit alles had hij zichzelf in de uren erna nog kunnen wijsmaken, een dag later, geknield op een bed, bezig jonge violen uit te zetten, besefte hij dat deze Jozef, hardhandig afgedankt als vriend – hij had hem getrapt, had hem dood kunnen maken – hem toch maar was komen opzoeken. Niet om verhaal te halen. Integendeel, hij had zich zorgen om Hans gemaakt. Wrok was Jozef Mieras geheel vreemd. Diens trouw had hij wel wat krachtiger kunnen belonen. Zijn voormalige vriend verdiende het dat Hans Sievez, bij een volgend bezoek, wat meer tijd voor hem vrijmaakte, hem gastvrijer ontving. Hij had hem minder onverschillig tegemoet moeten treden, hem laten zien dat hij het varenfossiel bewaard had.

Met wijs- en middelvinger groef Hans een ondiep kuiltje, plaatste het plantje erin, drukte de aarde met zijn duim aan, overzag het hele bed. Als hij doorwerkte, zou dit karweitje nog voor donker afkomen. Jozef had ook gedachten over de wereld, over de zichtbare, over de onzichtbare. En een duidelijke boodschap. Een leefregel. De agape. Ze appelleerden aan Hans' hunkering naar het verborgene, het altijd zekere. Het waren ook zijn warme, welluidende stem en de vloeiende, natuurlijke manier van spreken die hem geraakt hadden. Het was aangenaam om naar Jozef te luisteren.

Hans stak beide vingers in de zachte, donkere aarde, plaatste het jonge plantje dat kopje onder ging. De kuil was te diep. Hij viste het plantje weer op, zijn lichtgroene blaadjes waren gekneusd. Maar violen waren sterk. Zeker dit blauwe ras: Aalsmeerse reuzen. Het zou eroverheen groeien. In het voorjaar zou het bed donkerblauw zijn. Nu zijn gedachten er beter bij houden! Een heimelijke onrust had bezit genomen van Hans Sievez.

26

〜

'O ja, ik herinner het me. Aardig dat je het nog steeds in je
bezit hebt.' Jozef legde het varenfossiel voorzichtig op de
inpaktafel.

Na ruim een week was hij op de kwekerij teruggekomen. Hans
had zich er de afgelopen dagen op betrapt dat hij het brede pad
afstaarde in de richting van de Schonenbergsingel in de hoop dat
Jozef om de hoek zou verschijnen. Het was hem ook overkomen
dat hij hem achter zich waande en omkeek.

Mieras trok de koffer naar zich toe en begon de leren singels
los te maken, drukte de metalen schuiven van het slot opzij dat
met een klik lossprong, zette het deksel op een kier en haalde er
met de bezwerende gebaren van een goochelaar een oud donkerbruin boek uit dat in zo'n slechte staat verkeerde dat de uit elkaar
gevallen rug met brede stroken plakband bij elkaar werd gehouden. Zijn handen gleden over het gebarsten perkament van het
omslag. Daarna sloeg hij het boek open, raakte met zijn vinger-
toppen het vergeelde en met roestvlekken doortrokken papier
aan en mompelde terwijl dun, pluizig haar dat over zijn oren viel
in een tochtvlaag opwoei:

'Een kostelijk en waardevol boek. Ik herinner me nog dat ik
in Den Haag op je kamer was. Op tafel lag een bijbel. Je vertelde
me dat je er soms in las, dat geestelijke zaken je niet onverschillig lieten. Mij deed dat goed. Hoe sta je nu tegenover deze dingen?'

Hans zei dat hij elke zondagmorgen met Margje naar de Nederlands Hervormde Kerk ging, dat hij in die kerk niet vond wat hij zocht...

Zo had Jozef zelf de situatie al ingeschat. Op zijn gezicht lag een vredige glimlach. Je zou bijna zeggen dat hij in het onduidelijke licht van de werkplaats, en soezig van de avondwind die over het glas boven hen trok, aan het wegdommelen was.

Maar hij klapte het deksel nu helemaal open. Aan de binnenkant zat een koperen plaatje waarop een lezende man was afgebeeld, een magere, uitgeteerde prediker met een lange baard. Onder de afbeelding de initialen J. M. In de koffer boeken, nogal slordig ingepakt, in drie, vier lagen gestapeld.

'Heerlijke werkjes allemaal, maar wat ik je net in handen gegeven heb, Hans, overtreft alles. Ver voor Luther stelde Thomas à Kempis in zijn *Imitatio Christi* het goddeloze katholicisme aan de kaak. Heb je belangstelling? Nee, geef nog geen antwoord. Nu nog niet. Slechts een kleinigheid wil ik ervoor hebben. Heb je er een tientje voor over?'

Hans haalde de platte portemonnee uit zijn achterzak. Er zat een briefje van tien in en wat losse munten. Het ging hem aan het hart het geld af te staan, maar hij wilde Jozef niet teleurstellen en hij was ook nieuwsgierig naar deze schrijver. Tien gulden was veel. Daarvoor moest hij veertig varens verkopen of tien gloxinia's.

Jozef borg het tientje op.

'Sta mij een kort gebed toe. Doe je mee?' Beiden vouwden de handen. Jozef vroeg Hem die op de troon zit dit kind dat begerig is ontvankelijk te maken. Mocht het zo zijn dat het boek een ingang vond. Om Jezus wil. Amen.

Jozef sloot omstandig de koffer, trok de riemen aan, legde zijn handen over elkaar op de kofferrand. De sproeten op zijn handen en zijn gezicht waren in de loop van de jaren uitgegroeid tot bruine vlekken. Jozef nam hem ernstig op: 'Hans, als de lectuur je raakt wil ik je in contact brengen met Huib Steffen, een begenadigd prediker en groot oefenaar. Het verplicht je tot niets. Mocht je daartoe behoefte voelen, laat het me weten. Ja, doe je dat?'

Jozef Mieras informeerde Hans over deze prediker. Hij was een voormalige slagersknecht. Een leek die als Aäron in oude tijden de singuliere gave van het woord gekregen had. Een geroepene van het zuiverste water. Een godsgezant. De enige die met Gods hulp, naar Mieras' inzicht, in staat was af te dalen naar de onpeilbare diepte van het menselijk hart maar ook het dak van de hemel beklommen had.

Jozef sloeg hem gade.

'Hans, kijk niet zo verbijsterd. Maar ik overval je met zoveel dingen... Laat mij het kweekkasje eens zien.'

Hans ging hem voor naar een kleine aanbouw van de broeikas waar de salamander brandde. Hier hing een zware, vochtige hitte, de glasplaten op de zaadpannen waren beslagen. Hans tilde een glasplaat op en Jozef keek met kennersoog naar de vannacht opgekomen voorkiemen. 'De couveuse van de prothallia, de broedkamer van de ijzervaren en de pteris cretica,' mompelde hij. 'Heel mooi. Vakmanschap. Voorkiemen in een roodstenen zaadpan. De Heere in zijn rondwandeling op aarde zou ervan hebben genoten.'

Met een bezweet voorhoofd nam hij afscheid. Hij raadde Hans aan dagelijks in de *Navolging* te lezen. Veel zou in het begin nog duister zijn.

'Lees elke dag een kort hoofdstuk. Bedenk dat God daar is waar duisternis heerst.' Vervolgens leek het hem beter nu al een afspraak met Steffen te maken. Hij zou dat voor Hans regelen. Het handigst was waarschijnlijk elkaar te ontmoeten in de stationsrestauratie van Arnhem. Hij zou hem op de hoogte houden.

Hans keek hem na. Mieras, vlak voor de bocht, draaide zich om, zwaaide, Hans zwaaide terug. Twee oude vrienden.

Onder de lamp bekeek hij het boek dat hij zojuist verworven had. Het was in 1701 in Leiden uitgegeven. *Over de navolging van Christus.*

Hij borg het weg onder een stapel kranten. De eerste regel wilde hij lezen als hij minder opgewonden was. Hij liep naar het tuinhuis om het fossiel terug te zetten op zijn oude schrijftafel, bekeek langdurig de foto gemaakt op De witte lelie, trok de foto van de wand en hield er zijn brandende aansteker onder.

Hij probeerde nog wat te werken maar de ware lust was verdwenen. Het was zeker dat het boek een andere plaats verdiende. Hij haalde het te voorschijn, overwoog om het in het tuinhuis te verstoppen of in de kelder, las de eerste regel: Wie mij volgt zal in duisternis niet wandelen, zegt de Heere, een zin die hem in het geheel niet duister voorkwam. Hij koos voor een klein staand kastje tegen de achterwand waarop hij een degelijk slot had laten maken. Voor hij de kast opende, las hij de punten I en II van hoofdstuk 1 en herhaalde voor zichzelf de laatste zin die hij gelezen had: IJdelheid is het lief te hebben wat snel voorbijgaat en zich niet daarheen te spoeden waar eeuwige vreugde woont.

Hans stopte het boek weg achter de bus parathion waarop een doodskop boven twee gekruiste doodsbeenderen stond afgebeeld en deed de kast op slot. Met zijn rug leunde hij tegen de inpaktafel die boven het keldergat was gebouwd, kon vanaf hier de vlammen achter de micaruitjes van de salamander zien, schudde licht het hoofd, zei zacht: 'Over de navolging van Christus' en liep de broeikas in om de nokramen te sluiten. Vanuit de donkere kas keek hij naar de verlichte werkplaats, kon zich nog niet goed voorstellen dat Jozef daar gestaan had. Voor hij Margje onder ogen kwam moest hij zich hernemen. In deze verwarring kon hij niet thuiskomen. Hij stak een sigaret op, ademde de rook deze keer diep in, dwong zichzelf tot een glimlach, stelde zich voor dat hij mét die glimlach, en met een belangstellende vraag voor haar de keuken binnenkwam. Hij voelde zich schuldig.

Maar hoorde zo'n oud en eerbiedwaardig boek als dat van deze Thomas à Kempis in het gifkastje thuis, achter een verroeste bus met parathion? Hij liep terug, ontsloot de kast en daalde even later met het boek de steile ladder naar de stookkelder af.

Thuis wilde hij direct de keuken doorlopen om aan zijn bureau te gaan zitten. Zij keek hem oplettend aan en nauwelijks haar lippen bewegend om geen gewicht aan haar woorden te geven: 'Ik ruik wat aan je. Een luchtje dat ik niet ken.'

Hij haalde zijn schouders op.

'Wat zou dat dan moeten zijn? Ik heb grond gekookt en langer laten doorkoken. Misschien is dat het?'

Ze kwam dicht bij hem staan, rook aan zijn jas.

'Nee, dat is het niet, gekookte aarde ken ik wel. Hans, wat ik me ineens afvraag: Is die man met de koffer nog bij je langs geweest?'

'Nee... ja, dat verbaast mij ook...'

'Hij was er toch zo op gebrand je te spreken?' Omdat hij zweeg, vervolgde ze: 'Vanmiddag schoot het me ineens te binnen: hij staat op de foto die ik zelf in het tuinhuis heb opgehangen. Dat moet dezelfde zijn.'

Hij gaf toe dat een kennis uit zijn Haagse tijd op bezoek was geweest. Hij heette Jozef Mieras. Een collega op de kwekerij. Maar die foto was al een tijdje zoek.

'Ik heb er laatst nog naar willen kijken.'

'In mijn herinnering was hij er kortgeleden nog wel. Maar daar wil ik vanaf wezen. Hans, het is toch bijzonder dat een oude kennis je na jaren opzoekt?'

'We zijn een tijdje min of meer bevriend geweest. Op een bepaald moment vertrok hij en ben ik hem uit het oog verloren. We hebben maar even gesproken, hij zag dat ik het erg druk had.'

'Wat had hij allemaal in die koffer zitten?'

'Boeken. Tweedehands. Daar had hij vaste klanten voor en hij moest in de buurt zijn.'

Margje keek hem onderzoekend aan. Hij kon zich toch wel voorstellen dat ze nieuwsgierig was. 'Waarom vertel je niet uit jezelf dat hij bij je langs is geweest? Van de foto herinner ik me ook dat hij naast je stond, een arm over je schouder, als een vader bijna, beschermend...'

27

~

Margje had hem gezegd: 'Je moet wat agressiever te werk gaan. Bel winkels op. Bied ze aan, desnoods tegen lagere prijs bij flinke afname.' Er was geen belangstelling geweest. Meer kon hij niet doen. Van de calceolaria, in de volksmond het pantoffelplantje, doorgaans een gewild artikel, was niets verkocht. In de aanhoudende warmte waren ze alle tegelijk in bloei gekomen. Ze stonden in een Lentse bak waarvan de ramen op houten blokken waren geplaatst om de afkoeling 's nachts te bevorderen. De maatregel had geen zichtbaar effect gehad. Nu klopte hij met Ruben de prachtige planten uit in de kruiwagen, de jongen schoof de bloempotten in elkaar. Op de metershoge composthoop was geen plaats meer. Hij kruide de waardeloze rommel waar een jaar werk in zat naar een achterafhoekje, tegen de begraafplaats aan.

Daar stond de oude appelboom, een limoen, die hij had laten staan toen hij het land voor de oorlog kocht. De boom droeg nog steeds. Margje schilde de vruchten in het najaar, sneed ze in partjes en liet ze drogen boven de stookketels. Op zondag, 's winters, aten ze gewelde appels en vanillepudding.

Hier, dicht tegen de haag, kwam nauwelijks zon. De boom, aan die zijde, had nauwelijks takken gevormd. Alleen op deze plaats was de overigens ondoordringbare afscheiding van onderen kaal. Als Hans voor een klant een graf moest beplanten kroop hij bijna plat op zijn buik daar onder de haag door. In deze hoek bracht hij in de loop van het jaar snoeihout, stro waarmee hij vorstgevoelige planten had afgedekt; de begraafplaats dumpte er tegen zijn zin verwelkte grafkransen. Hij zei er maar niets van omdat hij verscheidene graven in vast onderhoud had. Laatst had hij onder de boom een wijwaterkwast met zilveren handgreep gevonden. Hij gebruikte hem om met de zachte haren het rivierzand in een zaadpan gelijk te strijken. Hans kieperde de planten op de hoop, bij honderden, ze zakten door het halfvergane snoeihout heen. Het ging hem aan het hart. Daar zat veel werk, veel dure cokes in. Een cultuur die niets had opgebracht. Hij had er meer last van dan anders. Van een afstandje zou je zeggen: een veldje met overdadig bloeiende dotters.

Hoofdschuddend stond hij ernaar te kijken, kon wel vloeken. Toen de hele bak was leeggehaald en de potten waren gestapeld, tegen de buitenwand van de broeikas, riep hij vanuit de verte naar Ruben de petroleumkan uit de werkplaats mee te nemen. Hij was gewoon de stapel rond Pasen in brand te steken, hij verdroeg het aanzien van de onverkochte waar niet. Geneerde zich voor die weggemieterde planten. Met alle mogelijke zorg had hij ze omringd. De cokes was nog niet betaald. Met de kolenrekening liep hij een jaar achter. Hij holde achter de feiten aan.

Ruben besprenkelde de planten met petroleum. Het hout en stro brandden vanzelf wel. Hij gooide een brandende lucifer in het verse afval dat vlam vatte en direct hoog oplaaide, tot boven de appelboom, tot boven de haag. Blad van de appel schroeide, kromp in elkaar. De vlammen waren in het zonlicht bijna wit en de limoen onzichtbaar, Ruben porde met een lange stok in het vuur om meer lucht te geven. De vlammen werden kleiner, likten nog na aan enkele opzijgerolde planten. Hij dacht: De jongen moet mij later niet opvolgen. Dit bedrijf is te zorgelijk. Hij kan beter doorleren en een baan met een vast inkomen zoeken. Met zijn klompen trapte hij de laatste vlammen uit, werkte er met een hark grond overheen.

'Pappa, er is iemand voor je.'

Hij keek om en zag Jozef op het middenpad staan, zonder koffer dit keer. Hij kwam op hen toe en toen hij dichtbij was, zei hij: 'De dag komt als een oven. Dan zullen alle overmoedigen en goddelozen zijn als stoppels en de dag die nadert zal hen in brand steken.' Hij droeg zijn lange zwarte jas, zijn zwarte hoed had hij afgenomen. Jozef Mieras gaf hun een hand.

'O, dan is dat Ruben.' Hij richtte zich tot Hans: 'De tekst was uit Maleachi, de eerste zin van het laatste hoofdstuk. Een indrukwekkende profeet.'

Hans doofde opnieuw oplaaiend vuur. Een kleine vonkenregen. Jozef had hij niet verwacht. Hij was niet blij met zijn komst. Margje kon voor het slaapkamerraam staan, hen zien. Het zweet stond hem in de handen. Ik ben bang, dacht hij, vocht tegen de angst, probeerde zichzelf gerust te stellen: er was nauwelijks reden om bang te zijn. Mocht Margje Jozef zien dan kon hij zeggen dat hijzelf niet gediend was van die aandacht en zich hoogst opgelaten voelde in zijn aanwezigheid.

'Kom, laten we ergens anders gaan staan.'

'Van Steffen heb ik begrepen dat jullie een goed gesprek hadden en zelfs al een tweede hebben geregeld. Daar hoop ik ook bij te zijn.' Hans begon sneller te lopen, Mieras kon hem met moeite bijhouden. Ruben was bij de limoen gebleven. Nu waren ze beiden uit het zicht van het slaapkamerraam op de eerste verdieping en Hans besefte dat hij niet bang voor de angst was, maar een oneindig aantal angsten vreesde. Hij verkeerde in de onduidelijke maar des te pijnlijker situatie dat hij iets ongedaan wilde maken. Maar wat? Het gesprek dat hij met Huib Steffen had gevoerd in de oververhitte stationsrestauratie? Ja, dat! Maar het kon niet ongedaan worden gemaakt. Over enkele dagen zou hij hem opnieuw zien, op dezelfde plaats.

Ze bleven staan in de schaduw van een afdak waaronder rietmatten lagen. Hans keek achterom. In de verte was de jongen bezig. Boven de kassen was het licht fel. Gele en rode tongen van vuur lekten van de nokken.

Vannacht tijdens een zomerse bui was hier en daar kalk van de ramen gespoeld. Dat moest hersteld worden. De jonge planten op de tabletten vlak onder het glas zouden anders verbranden.

Het was bijna theetijd, Margje kon elk moment de tuin inkomen om hem te roepen, zou al op weg kunnen zijn. Margje moest worden tegengehouden. Zou hij Ruben vragen haar tegemoet te gaan om te zeggen dat pappa een klant had en er zo aankwam? Die boodschap zou haar wantrouwen kunnen wekken. Hij dacht zelfs niet meer aan de geruimde calceolaria's.

Jozef betoogde dat Huib Steffen een vertrouwenwekkend man was. Hij leidde gezelschappen van Goes tot Genemuiden en was vermaard om zijn exegeses. 'Jullie hadden, heb ik begrepen, een bijzonder contact. Mocht jou iets overkomen en zou ik niet bereikbaar zijn, dan kun je hem aanspreken.'

Hans keek om naar zijn zoon die op de grond liggend het gedoofde vuur probeerde op te rakelen.

'Je bent stil, Hans.' Zo kende hij hem niet, herinnerde zich zijn vroegere uitbundigheid. Het was duidelijk: er gebeurden hem dingen die hij nog niet alle kon verwerken. Voren werden gegraven, kabels gelegd. 'Er komt spanning op de draden. Eens zal de vonk overspringen. Die dingen spelen zich altijd in het verborgene af. Ik was in de buurt en wilde je slechts een hand ter bemoediging geven. Meer niet.'

Hans keek hem dankbaar aan. Op dit moment was het van belang dat hij vertrok.

'Er is veel te doen. De ruiten moeten gekalkt worden. Een andere keer heb ik meer tijd.'

'Je hoeft je niet te verontschuldigen. We kennen elkaar al zo lang. Kijk, de zon op de ramen. Je zou zeggen dat daar bloed lekt. En dan kan ik alleen maar denken aan Christus' bloedstorting, aan het onbegrijpelijke zoenoffer. O, Heere!' Hij vouwde even zijn handen. 'We zien elkaar als we tijd van leven hebben.'

Hans deed zijn kalkoverall aan, trok de capuchon over zijn hoofd, mengde water en kalk in een emmer, stelde de kalkspuit in, zoog hem vol. In de verte zag hij de jongen op zijn knieën, blazend en porrend met een takje. Hans zette een korte ladder van acht treden tegen de kaswand. Vanaf de hoogste tree plaatste hij over de roeden een langere die tot de nok liep, ging daar languit op liggen om het gewicht van zijn lichaam te verdelen. Zo kon hij een heel segment van het glas bereiken. Hij spoot kalk over de kas, klom hoger in de brandende hitte, kon over de nok van het dak in de keuken van het woonhuis kijken, zag een wit figuurtje over het pad naar hem toekomen, uitgesneden tegen de donkere achtergrond van de rij bessenstruiken, in de nevelige hitte. Nu verloor hij haar uit het oog want zij liep om de kas heen. Hij ging rechtop zitten, wachtte tot hij haar weer zag. Hij stak een hand omhoog waar de kalk vanaf drupte. Zij leunde met haar armen op de goot die het water voor het bassin binnen opving. Margje zei dat ze altijd bang was dat hij nog eens door de ramen zakte. Hij schudde zijn hoofd. De ladder op de roeden droeg zijn gewicht. Achter hen was de lege bak waar de calceolaria's hadden gestaan. Zonde. Vanmorgen was het nog één bloemenzee. Hij stond op het punt om te zeggen: Margje, je moet me helpen. Je moet iets doen. Ingrijpen!

Hij sloeg zijn capuchon terug.

'Levensgevaarlijk,' zei ze, 'met je hoofd in de zon.'

Hij keek vanaf zijn hoge plaats op haar neer. In de witte zomerjurk was al iets van haar dikke buik te zien. Ze wist waar hij naar keek, liet haar beide handen over haar buik gaan en zei dat hij ronder was in dit stadium dan bij Ruben. Bij Ruben was het meer een puntbuik.

'Ik denk dat het een meisje wordt.'

'Het wordt een meisje,' zei hij stellig.

'Misschien zijn het bakerpraatjes. En zoveel valt er nog niet te zien. Kom je zo? Ik heb thee klaar.' Ze zag Ruben en liep eerst nog die kant op.

28

~

'Waar was je toch? Ik zoek je overal. Ik heb in de kassen, in de loods, achteraan bij de hulst gekeken. Geroepen.'

Hans zei dat hij niet van de tuin af was geweest. Hij loog niet, maar kon haar ook niet de waarheid zeggen. In de verste hoek van de kwekerij, onder de limoen, bij de haagbeuk, had hij met Mieras en Steffen een ernstig gesprek gehad. Ze waren meer dan een uur gebleven. De oefenaar had in de openlucht een gebed uitgesproken. Hans had aan de hagenpreken in de zestiende eeuw moeten denken waarover de meester op de lagere school gesproken had. Jozef had na het lange krachtige bidden opgemerkt dat een gebed in de openlucht rechtstreeks de hemel inging. Onder het bidden had Hans Margjes roepen gehoord. Hij had natuurlijk niet te voorschijn kunnen komen vanachter de houtstapel. Het geroep was storend geweest. Hans had kort zijn ogen geopend en op het gezicht van de biddende oefenaar een lichte ergernis gezien.

Bij de onverwachte komst van de beide broeders was hij bezig geweest in de werkplaats. Ze hadden toegekeken hoe hij met de wijwaterkwast een laagje fijn rivierzand gladstreek over de net ingezaaide varensporen. Steffen had het ding direct als wijwaterkwast herkend en vol afschuw naar dat verworden paapse werktuig gekeken. Liever had hij gezien dat het hem nooit onder ogen was gekomen maar het was goed dat het, zodoende, afstand deed van zijn oorspronkelijke functie. Nog kon hij genieten, nagenieten, als hij dacht aan de vernielingen die de beeldenstorm in 1566 had aangericht.

Na het gebed hadden beiden afscheid genomen en op Hans' verzoek de uitweg naar de Schonenbergsingel genomen. Steffen merkte op dat hij tegen dit heimelijke gedoe eigenlijk bezwaren moest maken. Zeker, God werkte doorgaans in het verborgene, maar de mens moest toch openlijk van zijn geloof kunnen getuigen. Hij zei Hans te begrijpen in het licht van de menselijke zwakheid.

Nu zaten hij en Margje op de rand van het waterbassin.

'En waar was je dan wel? Ik ben later nog eens gaan kijken. Ik ruik weer wat aan je. Iets wat ik niet thuis kan brengen. Zit het aan je klompen? Of heb je met parathion gespoten? Dat kan zo gemeen stinken.'

Nee, hij had niets bijzonders gedaan. De parathion had hij in weken niet gebruikt.

'Toch is er wat,' hield ze vol. 'Je keek me net ook op zo'n speciale manier aan.' Ze wist het niet precies. Afwachtend, nee eerder afwerend. Ze kon er niet het juiste woord voor vinden. Maar hij hield vol dat er niets aan de hand was, dat hij net als anders was...

'Dat vind ik nou juist niet.'

Ze maakte een klein gebaar om een andere gedachte te verjagen, legde haar hand op zijn arm, keek hem aan met haar donkere ogen. Ze zaten zwijgend, vredig, naast elkaar.

29

Margje had de suitedeuren naar de voorkamer opengeschoven zodat meer licht het huis binnenkwam. Op zondag ontbeten ze niet in de keuken, maar in de huiskamer. Na het ontbijt liep Hans naar de kwekerij om de kassen te luchten.

'Blijf niet te lang weg,' riep ze hem na. 'We zijn aan de late kant.' De dienst begon om tien uur. Het was gewoonte rond halftien te vertrekken. Ruben had de fietsen klaargezet.

'Ruben ga eens kijken waar pappa blijft.' De jongen rende de tuin op, trof zijn vader zittend op de rand van een broeibak, het hoofd naar beneden gericht, de handen gevouwen. Hij wilde zijn vader niet storen en bleef bij het waterbassin, op een afstand, staan toekijken. Het gezicht van zijn vader zag er bleek en vertrokken uit.

Hans had hem gehoord en zijn gebed afgemaakt. Nu kwam hij overeind.

'Pap, we gaan zo.'

'Ik denk dat ik vandaag niet meega.'

'Ben je ziek?'

'Nee...' Hij was niet ziek.

Ruben zei dat de fietsen al klaarstonden, dat mamma het huis had afgesloten.

Hans nam een slok water aan de kraan. Het was zeker dat hij vandaag niet meeging naar de dienst in de hervormde kerk, maar hij voelde dat hij nog niet in staat was zich volledig uit te spreken. Wat zich in hem afspeelde moest hij nog voor zich houden. Hij zou er niet de juiste woorden voor weten te vinden als er al woorden voor bestonden.

Tegen Margje die met een bezorgd gezicht bij hem was komen staan, zei hij dat hij zich niet echt ziek maar ook niet helemaal goed voelde.

'Dan blijven wij ook thuis.'

Hij had liever dat zij gingen. Dan had hij alle gelegenheid om in de *Navolging van Christus* te lezen of in een predikatie van de ex-predikant Poort die Steffen hem de laatste keer had gegeven (hij had er niets voor willen hebben).

Margje zei: 'Dat van Ruben vind je vervelend. Pieker daar maar niet langer over. Ik denk dat het best goed met hem komt, al zit het ons beiden niet lekker.'

Hij greep de door haar aangevoerde reden met graagte aan.

'Jullie moeten gaan. Ik loop wat rond, ik kan het vakblad even inkijken.'

Toen hij ze de Bergweg zag af fietsen haastte hij zich terug naar de kwekerij. Vanonder een stapel kranten haalde hij een dun boekje in een bruin kaft te voorschijn. Het bevatte de predikatie van Poort, gehouden op 12 november 1929 in de Grote Kerk van Middelburg. Met zijn bankje liep hij naar het land achter de zonnebloemen, zette het neer onder de limoen, dicht bij de haag. Hij staarde naar een vers slakkenspoor, naar een huisjesslak op een tak snoeihout – ook een schepsel Gods, echter zonder een ziel te verliezen – sloeg het geschrift open en las hardop: 'O, aanbiddelijk Opperwezen...' In het dorp begonnen de klokken te luiden van de hervormde, de gereformeerde, de katholieke kerk. Hij ademde diep in, luisterde naar het klokgelui, grillig op de lauwe ochtendwind, dat langzaam wegstierf.

De gelovigen werden opgeroepen, maar het ware geloof was daar niet te vinden. Bijna twee uur had hij voor zich alleen. De blauwe scabiosa wiegde, het veld brandende liefde was een rode zee. Hans zag dat allemaal niet want hij had zijn gezicht ten hemel geheven.

Hij hoorde Margje en Ruben thuiskomen, liep op het woonhuis toe. Ze zei dat het een mooie dienst was en ze hadden nog even gezellig nagepraat.

'En hoe gaat het met jou? Ik heb me onder de dienst ongerust over je gemaakt. Voel je je wat beter?' Ze keek hem onderzoekend aan. 'En...'

'Laat mij het zeggen mamma. Je mag een bruidsboeket leveren volgende week, met honderd corsages!'

'Een chique bruiloft in Naeff,' voegde Margje eraan toe. 'Een lid van de kerkenraad heeft ervoor gezorgd dat het jou gegund wordt. Ik denk dat het alles bij elkaar wel tweehonderd gulden oplevert.'

Hans speelde blijdschap. Over geld wilde hij op zondag niet praten. Daar was de zondag niet voor. Ruben zag dat de mooie bestelling op dit moment onwelkom was.

'We fietsten zo vrolijk naar huis,' merkte Margje luchtig op. Ze vroeg wat hij al die tijd gedaan had.

O, hij was de tuin opgelopen, en had op de bank achter het huis gezeten. Hij had niets bijzonders gedaan, verzweeg de bijzondere woorden die hij in het dunne boekje had gelezen. Margje spreidde op de tuintafel achter het huis een kleed uit, zette dat vast met drie knijpers. Hij herinnerde zich de hete witte kwekerij waar hij zich vanmorgen op zijn zelfgetimmerde bankje had geïnstalleerd. De bomen waren witmarmeren standbeelden geweest, de rietmattenloodsen verspreid over het land, met hun schuine afdak, grillige rotsformaties. Margje schonk de koffie in, Ruben snoepte van de chocoladekoekjes. Hij stopte zijn vader naast hem op de bank twee koekjes tegelijk in de mond, bood aan bij de corsages te helpen. Hij zou ze bebroesen met de rafraîchisseur op het moment van aflevering. Ruben fluisterde zijn moeder iets in het oor.

'Dat waren we nog vergeten,' zei Margje (ze wilden dat hij alsnog enthousiast zou zijn over de bestelling!), 'voor de tafels in Naeff mag je ook de planten leveren. Ik help je met friseren van de cachepot. Alles bij elkaar een hele mooie opdracht.' Ze kneep hem even in zijn wang, zoende hem om die ernstige trek van zijn gezicht te halen. Hans Sievez glimlachte naar zijn vrouw en zijn zoon, verslikte zich bijna in een slok koffie, veegde zijn mond af. Margje zei dat hij zichzelf overstuur maakte, maar ze wist zelf niet precies waar deze woorden op sloegen. Zij stond op om aan het eten te beginnen, legde in het voorbijgaan nog even haar hand op zijn arm, keek hem nadrukkelijk en liefdevol aan, hij sloeg zijn ogen neer.

Ruben was toen de kwekerij opgelopen, het blad van de haagbeuk had bewogen en zich weerspiegeld in het glas. Hans ademde de blauwe en rode geuren in, de vogels vlogen in schijnbare wanorde boven hem. Hij las en van de duizenden dagelijkse zorgen was niets overgebleven.

De zomer. Het was niet dezelfde zomer. Terwijl hij zag dat Margje vanuit de keuken naar hem keek, bewogen in zijn herinnering, mét het blad en het geschitter in het glas, de woorden die hij had gelezen, die hem meegenomen hadden naar een onbekende bestemming. 'Het is een wonder in ons' ogen, wij zien het maar doorgronden het niet.' Welk groot en heerlijk wonder was zich in zijn binnenste aan het voltrekken? Hij nam een besluit, zou het met zijn verstand niet kunnen rechtvaardigen maar hij was niet iemand die nauwgezet alles afwoog. Hij zou de weg gaan die hem gewezen werd. De waarheid, op zijn minst brokstukken van de waarheid, had zich in wegschietende vonken aan hem voorgedaan.

30

~

Margje wikkelde gefriseerd sierpapier om de potten, wit om de lila gloxinia's en lila om de witte, en strikte er lint omheen in dezelfde tint. Er waren er nog twintig extra besteld. Alles samen zou dat ruim tweehonderd gulden opleveren. Jammer dat je al dat geld direct kon wegbrengen naar de kolenhandel.

'...maar daar heb ik dit keer geen zin in...'

'Waar heb je het over?'

Hans was bezig met het bruidsboeket van witte lathyrus, dat vooral niet te groot mocht uitvallen gezien de kleine gestalte van de bruid.

'O, ik dacht aan het geld dat we hiervoor krijgen. Jij hebt een nieuw overhemd voor de zondag nodig, Ruben nieuwe schoenen.'

Hans had daar al over nagedacht. Hij was het helemaal met haar eens. De helft ging naar de kolen, Ruben kreeg wat extra's en de rest was voor haar. De jongen, naast zijn moeder aan de inpaktafel, wikkelde zilverfolie om de corsages.

Ze waren vanmorgen om vijf uur opgestaan, werkten bij lamplicht. Nu begon achter de sequoia's een vurig rood te smeulen en werd het glas boven hen roze. De lathyrus was ineens niet zuiver wit meer. Margje vond dat je elke week opdracht voor zo'n bruidsboeket zou moeten krijgen. Het zou het leven iets gemakkelijker maken. Hans berispte haar vriendelijk: zo mocht je niet tegen de dingen aankijken.

Hoe laat moest het hele arrangement in Naeff zijn? Omdat hij geen antwoord gaf – hij hield juist het boeket van zich af om de

lijn te bestuderen – herhaalde Ruben de vraag van zijn moeder.
Ook hij kreeg geen antwoord.

'Pappa is onder de indruk van het geld dat we vandaag gaan verdienen,' stelde hij vast.

'Nee,' zei Margje, met beide handen op haar zwangere buik, 'pappa is geconcentreerd bezig, hij wil het mooiste bruidsboeket afleveren dat hij ooit gemaakt heeft.' Ze corrigeerde zichzelf. Het mooiste boeket had hij voor hun eigen huwelijk gemaakt. Van lelietjes-van-dalen. Hans knikte, vroeg of zij het even wilde vasthouden. Bevallig hield ze het op haar arm, met de blik van verliefde bruid. Hij schikte nog aan de linten. Met voldoening keek hij naar het harmonieuze geheel, vroeg of Ruben de bloemen en het groen voorzichtig wilde besproeien, ochtenddauw suggererend. Ruben had er gevoel voor, bracht een licht waas aan.

Tegen negenen reed hij de bakfiets uit de loods. Het bruidsboeket vleide hij in een smalle, ondiepe doos, de corsages werden er in een kring omheen gedrapeerd, de gloxinia's in hoge kisten geplaatst. Hij laadde alles rustig in. Margje keek toe. Ten slotte zette hij een kistje met gemengde varens in de laadbak.

'Waar zijn die voor?' vroeg zij verbaasd. 'Toch zeker niet voor het bruidspaar?'

'Nee, maar er kwam nog een kleine bestelling voor Weidema,' loog hij. 'Als ik het bruidsboeket heb afgeleverd rijd ik door naar de Steenstraat.'

'O, daar wist ik niets van.'

'Nou, dan ga ik maar.' Ze keek hem na, zwaaide. Nog voor de bocht was ze hem achterna gerend. Ze wist niet precies waarom. Dat deed ze anders nooit. 'Hans,' riep ze, en in haar stem klonk lichte paniek. Hij keek achterom, stopte in de bocht van het pad, tegenover de Précoce Béatrice, herinnerend aan Rubens geboorte. Was hij iets vergeten?

'Ik wilde je nog een kus geven.' Hij boog zich naar haar toe. Maar nu moest hij echt gaan. Zij zag zijn nette overjas, zijn goeie schoenen. 'Je hebt je aangekleed alsof je zelf een bruiloftsgast bent.'

De bruidegom was zo tevreden met het boeket en het arrangement dat hij het bedrag afrondde op tweehonderdvijftig gulden en contant betaalde. Hans bedankte opgelucht, kocht bij een tabakszaak een pakje Gold Flake en reed door naar de stad. Weidema had geen varens besteld. Hij kwam op weg naar zijn afspraak in de stationsrestauratie langs zijn winkel en zou kunnen proberen ze daar te slijten.

Hij passeerde Bronbeek, café Tivoli, reed onder het Velperpoort-viaduct door, er was zon op het asfalt, dat alles had hij waargenomen, maar hij kon het zich niet herinneren. Hoe kon hij aandacht hebben voor zulke onbetekenende dingen? Hij had nauwelijks beseft dat hij onderweg de ene sigaret met de andere had aangestoken, de elegante bloemenzaak voorbij was gefietst.

Dat tientje van Weidema kon hij wel missen en hij liep ook nog de kans opgehouden te worden, een bestelling mee te krijgen voor de Hoogkamp.

Een geruststellende gedachte was dat Margje hem de eerste uren niet thuis verwachtte.

Hij reed het Stationsplein op. Nog geen halfuur had hij erover gedaan. De bus was nauwelijks sneller. Hij veegde het zweet van zijn gezicht, zocht een rustig plekje om te parkeren, streek door zijn haar.

Terwijl hij nog op de bakfiets zat zag hij Huib Steffen al op de rug. De uitwas in zijn hals, zo groot als een duivenei, werd opgestuwd door de strakke witte boord. De nek had dikke gladde plooien, leek daar ongewerveld. Hans voelde zich schuldig om zijn moeilijk te bedwingen lichamelijke afkeer van de man Gods. Maar hij wist dat die afkeer verdween als de oefenaar sprak.

Steffen stak een hand omhoog toen Hans de restauratie binnenkwam.

Hij werd begroet met de woorden: 'Welkom broeder,' en toen ze plaats hadden genomen volgde nog: 'O God tot in alle eeuwigheden,' waarbij Steffen zijn linkerhand met zijn rechter optilde alsof deze verlamd was. Bij zijn eerste ontmoeting met Huib Steffen had Hans gedacht dat hij hem een hand wilde geven. Misschien had hij zich als slagersknecht in zijn arm gestoken. Hans bestrafte zichzelf: hij moest zich door deze details niet laten afleiden.

Steffen deelde hem mee dat de anderen ook elk moment konden komen. Hans durfde niet te zeggen dat hij maar weinig tijd had. Steffen bestelde koffie, tilde opnieuw de ene hand met de andere op. Van de handpalm was het vlees wit en zacht, maar de knokkels van beide handen waren verdikt en verbonden door een gebutste huid van gelig eelt. Dat zou ook met zijn verleden als slagersknecht te maken kunnen hebben. Nu stak Steffen drie vingers op naar een dienstertje want Mieras kwam met zijn koffer binnen. Deze ging eerst Steffen uitgebreid begroeten. Het was Hans inmiddels duidelijk geworden dat Steffen in deze gemeenschap boven Jozef stond en de titel droeg van 'vader in de genade'. Zo had Mieras hem zojuist aangesproken. Jozef was op de geestelijke ladder naar de volmaakte verheerlijking slechts 'een man in genade'. Hans was de minste. Hij was nog helemaal niets, had de onderste sport nog niet bereikt, mocht zich nog niet eens 'een kleine in de genade' noemen.

Mieras legde zijn hoed op een lege stoel naast die van de oefenaar. Hij begroette Hans en hield diens hand lang vast. 'Goed dat je er bent. Je hebt toch kans gezien hier te zijn. Dat verheugt mij.' Jozefs lichaamsgeur was vandaag sterker dan anders. Deze bijzondere predikers in de wijngaard des Heren bezaten kennelijk allen een fysieke tekortkoming. Het was niet goed zich aan deze feilen te storen.

Steffen keek Mieras vragend aan. Was Chris Ibel niet meegekomen? Nee, Ibel was verhinderd. Steffen richtte zich tot Hans: 'Broeder Ibel wil ook kennis met je maken. Als we tijd van leven hebben zal daar zeker nog gelegenheid toe zijn. Een voormalig predikant. Zijn theologische studieboeken heeft hij in zijn tuin begraven. Met die zogenaamde godgeleerdheid wil hij niets te maken hebben. Hij kleedt zich als de armste landarbeider.' Hans knikte, zag uit zijn ooghoeken in de verte de bakfiets met het eenzame kistje gemengde varens. De koffer puilde uit, Jozef bekeek de pijnlijke afdruk in zijn hand.

'Er was een bestelling voor de stad,' loog Hans met zachte stem. 'Anders had ik hier niet kunnen zijn. Ik kan het niet lang maken.'

Steffen knikte begrijpend. Aan een tafel ernaast werd gevloekt. Steffen en Mieras keken verstoord opzij en Hans schudde in afschuw zijn hoofd. Steffen vouwde ostentatief zijn handen en sloot zijn ogen. Hij vroeg Gods wonderlijke genade voor dit samenzijn en vergeving voor vloekers, hoereerders en minachters van de godsdienst. Hij sprak over de ontdekkende en doorbrekende genade en vroeg Hem om te kijken naar het kind aan deze tafel dat de boodschap pas onlangs had vernomen. Hij citeerde het eerste vers van psalm 119: 'Welzalig zijn d'oprechten van gemoed, die ongeveinsd des Heeren wet betrachten...' Regels die maar voor één uitleg vatbaar waren.

Na het gebed beefde hij en wachtte met een slok koffie. Jozef bestelde drie broodjes en keek Hans liefdevol en bemoedigend aan.

'Broedervriend, we hebben elkaar teruggevonden. Mogen wij bruiloftsgangers zijn op het feest des Heeren.'

Huib Steffen beefde nog steeds. De broodjes werden gebracht. De oefenaar nam er na enig aarzelen een in zijn hand. Naarmate het zijn mond naderde verhevigde het beven. Toen hapte hij als een roofdier toe, alsof hij bang was dat het hem zou worden afgenomen. Nu vestigde hij zijn blik op Hans, vroeg hem zichzelf te omschrijven.

'De staat waarin de ziel verkeert,' verduidelijkte hij na oogcontact met Mieras. Hans gaf aan dat hij onrustig was, dat hij zijn aandacht niet goed bij zijn werk kon houden.

'Ik weet niet wat er in mij gaande is.'

Weer een blik van Steffen naar Mieras. De laatste nam over: 'O, grote God die ons bevelen geeft. Psalm 119, een heerlijk lied.'

Op dat moment viel een glas op de grond en klonk uit een berookte keel: 'Christus... Godsamme nog an toe... Jezus Christus...'

'Schepselen die van God noch gebod weten,' sprak Huib Steffen tamelijk luid.

'Op een armlengte van ons vandaan,' vulde Jozef aan en verschoof zijn stoel.

'Verschrikkelijk,' zei Hans. Hij voelde zich belaagd en tegelijk heel veilig met deze sterke geloofsgenoten. Samen vormden ze een stevig bastion tegen de in zonde liggende wereld.

Mieras vervolgde, zijn blik op Hans gericht: 'Psalm 119, ons gegeven door David die er op de harp bij speelde. Alleen de Heere weet wat in je binnenste omgaat. Dat blijft voor een mensenkind verborgen. Heel zeker is dat er grondig werk in je wordt verricht. God, dat weten we uit de Schrift, werkt bij voorkeur in het duister. Van belang is geen verzet te plegen. Laat Hem die het Al regeert Zijn werk aan jou verrichten. Hans, je kent vast wel het spel dat we blindemannetje noemen. Je wordt geblinddoekt, tegen je schouders word je voortgeduwd, door onbekende handen onbekende kamers in. Waar kom je terecht? Het is angstig en opwindend tegelijk. Heb ik het probleem zo duidelijk voor je gemaakt?'

Hans knikte opgelucht. Bij de woorden van Jozef voelde hij zich meer op zijn gemak.

Jozef voegde er nog aan toe, Hans nog steeds met dezelfde liefdevolle blik opnemend: 'Wij blijven in gebed bij je. Lees veel. Onderzoek.'

Hij opende zijn koffer, haalde er na enig zoeken een boek uit. Het waren de negen predikatiën van Bernardus Smijtegelt, in leven predikant in Middelburg. Hij gaf het Hans.

'Een zeer bijzonder werk. Hierin wordt gesproken over een hemelse afgezant die Smijtegelt nabijstond toen hij in groot gevaar verkeerde. Het komt voor, maar heel zelden, dat de Heere der Heerscharen ons een engelenwacht stuurt.'

'Lees er dagelijks in,' vulde Huib aan. 'Houdt dat vol. De onrust zal toenemen. Het fundament voor een ander leven zal schoksgewijs worden gelegd.'

De prijs was vijfentwintig gulden vijftig. Hans gaf het briefje van vijfentwintig dat hij van de bruidegom had ontvangen en zocht naar vijftig cent.

'Laat het maar zo,' zei de oefenaar. 'We maken een nieuwe afspraak en dan moet je gaan.' In zijn stem lag medeleven. Het was de meevoelende toon van wie macht heeft over de ander. Steffen maakte aantekening van tijd en datum achter op een bierviltje. Ze zouden als ze tijd van leven hadden elkaar spoedig weerzien.

De varens waren door elkaar gewaaid. Hij zette ze recht in het kistje en legde het heilige boek op een krant. Het viel hem op dat het er erg gehavend uitzag, maar het dateerde ook van eeuwen. Het was al bijzonder dat een boek zoveel tijd verdroeg. In de gauwigheid zag hij ook dat er pagina's ontbraken. Niettemin hadden mensen uit andere tijden er troost uit geput en hij voelde zich te midden van de mensen op straat verbonden met een onzichtbare wolk van getuigen.

Vanaf het Velperplein reed hij de Steenstraat in. Hij overwoog om de varens daar alsnog kwijt te raken. Zo zou hij een deel van de vijfentwintig gulden, vergeven aan het boek, kunnen terugverdienen. Hij zag van dit plan af, bang dat Weidema hem lang zou vasthouden en hij met een bakfiets vol afval thuis zou moeten komen.

Hij fietste door, wendde zelfs zijn hoofd af toen hij de deftige bloemenzaak passeerde. Een fijne motregen viel. Onder het Velperpoortviaduct stopte hij om het boek onder een laag kranten weg te stoppen. Staande bij het voertuig bladerde hij er nog snel in en ontdekte dat hele hoofdstukken ontbraken. Het korte voorwoord was wel intact en daarin las hij dat Smijtegelt tijdens zijn preken in de Lange Jan in Middelburg omringd was door een goddelijke glans.

Hij keek om, zag op de katholieke kerk dat het intussen bijna drie uur was. Met dit ritje naar de stad was toch bijna een halve dag heengegaan en er was thuis zoveel te doen. De regen maakte de omlijning van de huizen en kantoren langs de weg vager, maar de gedachte aan thuis werd scherper. Hij had spijt van dit uitstapje. Het was heel jammer van die vijfentwintig gulden. Hij verlangde naar huis. De vage onrust die hij nu kende was een andere dan die waarop de beide mannen in de restauratie doelden.

Hij trapte zo snel mogelijk door, vloog bijna door dat onbestemde gebied tussen stad en dorp, in die periferie waar de villa's steeds groter worden en steeds verder van de weg af liggen.

Van Huib Steffen, de oefenaar in de exegese, had hij zich toen Jozef de eerste keer over hem vertelde een heel ander beeld gemaakt, had een aartsvaderlijk figuur voor zich gezien, sterk Israëlitisch, een Mozes, een Abraham, een Jacob. Niettemin was zijn leven in wonderlijk voorspoedige banen geleid.

Dichter bij huis kwamen zijn gedachten bij Margje. Aan het eind van het jaar zou hun kind geboren worden. Hij was ervan overtuigd dat het een meisje zou zijn en had al een naam voor haar bedacht. Ze zou Lisa heten. Daar zou ook Margje hem niet vanaf kunnen brengen.

Opgelucht fietste hij het pad van de kwekerij in, via de Singel. Ongestoord zou hij de verregende dozen in het stortgat van de kelder kunnen gooien, de verwaaide varens opnieuw op het tablet ingraven, zijn werkkleding aantrekken en zich overdadig met water en groene zeep wassen zodat Margje niets zou ruiken.

Hij was thuis en hield in voor de bocht. Hij schrok. De vraag was onderweg al eerder opgekomen. Die vraag mocht niet gesteld worden. Was het nog mogelijk om nee te zeggen? Was het nog mogelijk om van Jozef Mieras en Huib Steffen af te komen? Het zweet brak hem uit. Hij veegde het met de mouw van zijn jas, met de regendruppels van zijn gezicht. Wat haalde hij zich nu in het hoofd? Nee zeggen tegen de Waarheid. Hij was met de Waarheid in aanraking gekomen en als hij die verachtelijk opzij zette, als minderwaardig afdeed, kon hij op zijn vingers natellen dat de straf van boven heel verschrikkelijk moest zijn. Hij boog zijn hoofd over het stuur, nietig, doornat. Er was geen weg terug.

31

Ja, hij zag de broeikassen, het woonhuis daarachter. Had hij dan gedacht dat ze verdwenen zouden zijn, verzwolgen door een tweede zondvloed? Wat haalde hij zich in het hoofd! Van het warme land steeg damp op. Een nat waas lag over de bedden primula veris. De grond was donker, vruchtbaar. Onaangenaam verrast, hij kon niet zeggen waarom, hield hij in op de trappers, stapte af, duwde de bakfiets een paar meter verder. Hij keek om zich heen, zag de meer dan honderd meter hoge sequoia's, de drijfnatte schoorsteen, uittorenend boven de tuinderij.

Ze was ineens zo klein, zo zonder aanzien en onwerkelijk. De kassen, de loods, het vrijgezellenhuisje, andere bouwsels, ze kwamen hem voor als een speelgoedkwekerijtje, pietepeuterig netjes, maar dood.

Kwam het misschien omdat hij Margje bij het waterbassin had verwacht, of bij de ingang van de Singel? Om te zien waar hij bleef. Het was intussen toch vier uur geworden en hij was veel langer weggebleven dan hij had gezegd. 'Hè, eindelijk, daar ben je. Ik maakte me al ongerust.' Haar stem en die woorden wilde hij horen.

Een rustige, vredige dag. De bloemenvelden gevlamd, in steeds andere tint, als schakeringen in velours. Het was opmerkelijk stil. Geen kwetterende vogels in de hulsthaag. De IJslandse papavers wiegden geruisloos, net als de zwaar doorhangende tuidraden die naar de vier uithoeken van de tuin voerden en de schoorsteen bij zwaar weer overeind moesten houden. De nokramen van de kassen stonden op hun hoogste stand. Ruben had laatst gezegd dat die schuin omhoog staande ramen vanuit huis net ruiters te paard waren en de zwarte ijzeren stangen om ze op hoogte te zetten de leidsels. Nu vloog er toch een zwaluw vlak over het waterbassin, over de gieters met hun koperen broeskoppen. Snel leegde hij de bakfiets, zette hem in de loods, borg haastig het boek weg, bijna achteloos, als een niet ter zake doend voorwerp.

Ook bij het huis was het stil.

Een kat kwam uit de bessenstruiken en stak met stijve poten het middenpad over en verdween tussen twee broeikassen. De achterdeur was gesloten. Dan was Margje het dorp in en had ze de sleutel onder de steen bij het afvoerputje gelegd. Ook het huis gaf de indruk verlaten en onbeduidend te zijn. Er lag geen sleutel.

Hans nam zich voor de volgende afspraak met de oefenaar en Jozef af te zeggen.

Hij liep langs het huis op, wierp een blik in de huiskamer, zag in de schemer de tafel, het dressoir.

Een buurvrouw aan de overkant van de straat riep, haastte zich het pad op:

'Margje is in het ziekenhuis. Ik heb zelf de dokter gebeld. Ze heeft een miskraam.'

Op weg naar het ziekenhuis wist hij zeker dat hij die twee zou laten weten een nieuwe ontmoeting voorlopig uit te stellen. Ze mochten zich ook niet meer op de kwekerij vertonen. Daar kwam alleen maar ongeluk van.

32

~

Zij keek toe hoe hij de punt van het verspeenriet met zijn mes aanscherpte. De lamp brandde boven de houten werktafel. Margje leunde met haar armen op de opstaande rand; hij lichtte met het rietje een voorkiem uit de zaadbak, niet meer dan een groen puntje, plantte het over in de handwarme grond van de verspeenkist, drukte het voorzichtig met zijn duim aan.

Margje snoof de geur van de gekookte aarde op, die aan warme as deed denken, staarde naar het donkere keldergat achter hem.

'Ik vind het zo'n eng gat. Je hoeft maar een stap te veel achteruit te zetten. Je hebt me al zo vaak beloofd een nieuw luik te maken.' Ze keek hem, het gezicht schuin, lief aan. Hij werkte met grote aandacht. 'Het lijkt nog maar zo kort geleden dat je daar ondergedoken zat en ik jou daar het eten bracht. Ruben durfde ik niet mee te nemen, bang dat hij tegen vriendjes op straat zou zeggen dat je in de kelder op de tuin sliep.'

Hans ging niet op haar woorden in. Hij zag dat ze blij en hoopvol was. Op de dag van de miskraam had hij de afspraak met Mieras en Steffen afgezegd en een tweede briefje nagezonden waarin hij schreef geen contact meer te willen. Het had hem tot zijn verbazing niet eens zo veel moeite gekost. De fysieke afschuw die hij voor hen voelde had er misschien toe bijgedragen.

Hij werkte nog steeds zo geconcentreerd mogelijk. Buiten vroor het een graad of zes, de verwarmingsbuizen suisden, de ketels onder hen loeiden, een kraan druppelde, de uitgerolde kleden en rietmatten boven hen zouden vannacht de strenge vorst die werd verwacht, buiten houden. Waar de rietmatten elkaar niet precies raakten viel het paarse licht naar binnen dat na zonsondergang, heel kort maar, in de lucht blijft hangen. De hemel was overdag van een hard en doorschijnend blauw geweest. Vannacht zou hij er twee keer voor controle van de ketels uit moeten.

Ze zwegen beiden, luisterden naar het tikken van het uitzettende glas, dachten beiden aan het kind dat niet geboren was. Zij begon: 'Ik was bang dat ik jou ook kwijtraakte. Er waren ogenblikken...' Zij zocht naar woorden. 'Ik weet nog steeds niet goed wat er in die tijd met je aan de hand was. Je deed schichtig, je zei nauwelijks iets, je was er niet bij. Soms sprak je ineens heel snel achter elkaar en dan voelde ik dat de dingen niet klopten... dat je niet helemaal eerlijk was... Meer wil ik er niet over zeggen...'

Het maanlicht scheen over de gieters op het bassin.

'Je hebt mooie ogen,' zei ze. Margje zag de maan erin weerspiegeld.

Hij was opgehouden met zijn werk, zij was dicht bij hem gaan staan en had haar armen om zijn hals geslagen. Ze fluisterde dat ze werkelijk bang was geweest hem kwijt te raken. Twee brieven had hij Mieras en Steffen geschreven en hij had geen bericht terug ontvangen. Ook op andere wijze had hij niets van hen vernomen. Ze waren van de aardbodem verdwenen.

'Je lacht weer,' zei ze ook nog, 'je bent vrolijk maar ook een tikkeltje ernstiger dan voorheen.'

Afgelopen zondag hadden ze 's middags een wandeling naar kasteel Rozendaal gemaakt en in het theehuis iets gedronken. In de kerk waren ze al die tijd niet meer geweest.

Een windvlaag. Ze hoorden de schoorsteen.

'Ben je vanmorgen nog bij Koetsier geweest?'

'Hij ontving me in zijn kantoor. Ik heb nog uitstel gekregen voor de eerste aflossing van vorig jaar. En er wordt cokes bezorgd. Hij zei dat hij me niet in de steek liet. Maar we komen zo wel steeds meer achterop.'

Er was dit jaar al in begin december een strenge vorstperiode geweest. Per week ging er vier mud kolen doorheen.

'We hebben geluk met die man. Andere kolenboeren hebben niet zoveel consideratie.' Ze vlijde zich tegen hem aan.

'De voorraad voor deze winter is bijna op en de echte winter moet nog komen.'

Ze keken naar buiten. De hemel was helder en licht. De contouren waren scherp en duidelijk, helderder dan overdag. De gebouwen, de hulststruiken, stonden er als vreemde standbeelden bij, koud en stijf bevroren. Ze waren samen op het werkbankje gaan zitten. Margje keek hem met een zekere verwachting aan maar hij zei niets. Zij opperde dat het al weer tijd werd om dennentakken te vergulden voor de kerstbakjes.

'Goed dat je daaraan denkt,' zei hij. 'Er moet ook nog IJslands mos besteld worden.'

Hij stond op om naar de ketels te gaan. Op het spekgladde pad wilde hij voor het eten nog as en sintels strooien. Zij zei dat ze met een uurtje het eten klaar had, verliet de werkplaats, trok zorgvuldig de deur achter zich dicht om de warmte zoveel mogelijk binnen te houden. Hij hoorde haar voetstappen over de bevroren sneeuw wegsterven, daalde via de loodrechte trap af naar de stookkelder. Hans was vergeten boven de schakelaar om te draaien, maar door de stortgaten viel voldoende licht naar binnen. Met een lange haak haalde hij uit de vuurgloed meterslange aan elkaar gekoekte sintels, hakte ze in kleine stukken en verzamelde ze in emmers, leegde de asla, gooide met de greep nieuwe kolen op het vuur, keek op de thermometer. Hij hing de haak weer tegen de muur, keek toe hoe kleine blauwe vlammen om de nieuw opgeworpen kolen speelden, vroeg zich af wat Mieras en Steffen hadden gedacht toen ze zijn berichten ontvingen. Vonden ze het niet langer de moeite waard met hem in contact te blijven, hadden ze hem losgelaten? Hij had ze allang verwacht. Hij wist niet wat hij ervan moest denken. Thomas à Kempis, Poort en Calvijn was hij blijven lezen. In de diepte van de ketel starend spookte het door zijn hoofd. Keek hij uit naar de komst van Huib Steffen? Dat was te sterk uitgedrukt. Miste hij Jozef Mieras? Hij gaf het zichzelf toe.

Hans pookte het vuur nog een keer op, deed er een schep extra bij, voelde aan de leidingen of ze heet genoeg waren, hoorde boven zich de buitendeur van de werkplaats opengaan. Was Margje teruggekomen? Margje die nog nooit van Huib Steffen gehoord had.

'Ben jij het?' Hij keek omhoog in het gezicht van een onbekende. Toch een klant. De eerste vandaag. Met een emmer as en sintels kwam hij de trap op, stak zijn hoofd uit het keldergat en kon de man toen beter zien. Hij droeg een zwarte jas waarvan de kraag overeind stond, een zwarte pet van gladde stof zat hoog op zijn achterhoofd en liep naar voren af tot vlak boven zijn ogen. Hij was erg klein, bijna een dwerg. Een rest rood aan de hemel plakte tegen het glas als rood crêpepapier.

'Sievez? Broeder Sievez?' De onbekende rookte een dun sigaartje, tikte de as eraf met een smerige vinger, nam een trek.

'Ibel. Misschien zegt de naam u iets. Ik ben op doorreis. Namens broeder Mieras en broeder Steffen laat ik u weten dat zij u nabij zijn in het gebed.' Hans zei alleen dat hij op het punt stond om af te sluiten, dat hij as en sintels wilde uitstrooien. Op het werkbankje lag een pakketje. In verwarring keek hij ernaar, toen omhoog naar de hemel waar rode sterren dansten. Ibel zette zijn pet af en zonder toestemming te vragen schoof hij het pakje opzij en ging zitten. Sigarenrook zweefde om het kleine vogelkopje van de man. In de schemerige hoek waar hij zat dreef zijn hoofd in een zee van mist. Hans kon nauwelijks iets zien, knipperde tegen tranen, had zich in zijn leven niet eerder zo hulpeloos en onbehaaglijk gevoeld.

'Ik maak het niet lang.' Met enige praalzucht vertoonde hij een te groot kunstgebit. In de mondhoeken vloeide speeksel. De aanblik van de man vervulde Hans met een afschuw die hij niet kon onderdrukken, kippenvel kroop over zijn rug. Ibel vouwde de handen over zijn pet, vroeg of hij kort met hem mocht bidden.

Heel kort dan, had Hans willen zeggen, maar kon de gedachte

dat die woorden in verband met een gebed heiligschennend waren niet verdringen. Hij had de kerel direct de deur moeten wijzen, hem moeten zeggen dat zijn bezoek op dit moment erg slecht uitkwam, dat hij alle aandacht nodig had om de strenge vorst te weer te staan. Niet in staat tot wat dan ook leunde hij met zijn rug tegen de inpaktafel, in een stilte zo diep dat hij nauwelijks durfde ademhalen. Ibels gezicht was een driehoekige, witte vlek. Dor blad woei op tegen de kaswand, lichte sneeuw dwarrelde langs de ramen. Sneeuw was gunstig. Bij kale vorst moest harder gestookt worden. Hans kon er niet toe komen zijn ogen te sluiten. Eén ding telde: deze man weg zien te krijgen.

De prediker was in stil gebed, vlokjes schuim in zijn mondhoeken. Een paar dunne, zwarte haarlokken kleefden op zijn benige voorhoofd. Van de predikers die hij tot nu toe ontmoet had zag deze er het minst appetijtelijk uit.

Hij vroeg Hans dichterbij te komen, nam diens handen in de zijne en riep schril dat hij ook gewacht had. 'Vele jaren. En Hij heeft het gedaan. De Heere handelt. Hij doet het. Het is Zijn weg die ik u meedeel. Je mag Hem niet tot haast dwingen.' Zijn ogen leken Hans niet aan te kijken, eerder te omhullen. Hij sprak gehaast alsof hij uit het hoofd geleerde zinnen opzei.

Hans, hoewel onder de indruk, bleef met één oor naar de geluiden buiten luisteren, keek van de man voor hem naar de oude teil op het komfoor waarin hij vanmiddag grond gekookt had, liet zijn blik weer rusten op het bloedeloze, ongeschoren gezicht van de ongewenste bezoeker, toen op het pakketje.

Wat zou daar in zitten?

Hans had een sigaret nodig, wendde een moment zijn hoofd af, stond op het punt de monoloog te onderbreken – ik kan nu echt niet langer blijven.

'De Heere,' zei Ibel. 'Zeg mij na.' De man schudde in ontzag voor de heilige naam zijn hoofd.

'De Heere,' zei je toen, Hans Sievez, en je imiteerde hem volmaakt.

'O, aanbiddelijk Opperwezen...'

'O, aanbiddelijk Opperwezen...' en je voelde je vreemd gerustgesteld. Hij wekte niet alleen je nieuwsgierigheid, maar ook een duister verlangen naar bescherming. Je keek nog een ogenblik naar het strak op jou gerichte gezicht met de ondoordringbare ogen en boog het hoofd en luisterde.

'...Nu wij hier bij elkaar zijn, in deze bescheiden, maar zo heerlijke ruimte, want slechts door een dunne glasplaat van Uw hemel gescheiden. Voor geen duizend werelden zou ik één ogenblik buiten U durven zijn, want in dat moment zou ik opgeroepen kunnen worden en zou dan voor eeuwig gescheiden zijn van dat Lieve Wezen. Amen.'

'Amen,' imiteerde Hans Sievez.

Ibel kneep het vel rond zijn ogen in rimpels, nam het pakketje op zijn schoot, haalde er een dunne deken uit. 'Het was goed,' zei hij zacht. 'Vanzelfsprekend wil ik je geen overlast bezorgen. In de loop van de avond trek ik verder. Gun mij enkele uren in de stookkelder.' Hij wachtte Hans' antwoord niet af. 'Ga naar huis, naar je vrouw, je zoon. Ik red me wel.'

33

Elke ochtend strooide hij as en sintels over het pad naar de beide uitgangen. De as woei op en verspreidde zich over de bevroren sneeuw. De sintels in de schemer waren donkere vogels die zich van de kou niet bewogen.

Een extreem lange winter met aanhoudende strenge vorst die tot diep in maart duurde. In de kranten werd lacherig gesproken over een kleine 'tweede ijstijd'. De kassen waar ook overdag door de uitgerolde rietmatten schemer heerste waren nauwelijks dooi te houden. De ijzige wind vond altijd kieren langs de voegen. Je voelde de kilte als je binnenkwam. De planten bevroren dan wel niet, de groei was eruit. Boven de tabletten en op de schappen was het angstaanjagend stil alsof er geen leven meer was.

De handel lag nagenoeg stil.

Op een zondagmiddag trof zij hem aan zijn bureau, zo in een boek verzonken dat hij haar niet had horen binnenkomen.

'Wat lees je daar?' Ze zag hem nooit met een boek aan zijn bureau. Daar deed hij zijn eenvoudige administratie, het bijhouden van inkomsten en uitgaven in een schoolschrift of hij keek er het *Vakblad voor de Bloemisterij* in.

Zij had een hand over zijn schouders gelegd. Hij onderging haar aanwezigheid, dit gebaar, als iets verstorends, keek niet naar haar op, deed alsof hij het vloeiblad naast het boek bestudeerde, legde zijn beide handen over het boek. Ze had het helemaal niet mogen zien, hij had het, helaas voortijdig, in de la willen wegstoppen. Twee uur had hij rustig kunnen lezen.

'Laat mij nou,' zei hij onwillig.

'Maar ik vraag: Wat heb je daar voor boek? Je kunt toch gewoon antwoord geven?' Hij had het boek op de kwekerij moeten laten, niet mee naar huis moeten nemen. Hij was alle idee van tijd kwijt geweest. Zij keek over zijn schouder en las: 'Wens slechts met God en Zijn Engelen gemeenzaam te zijn en vermijd kennismaking met mensen.'

'Daar kun je het nooit mee eens zijn!' Haar stem was koel noch warm, vlak. 'Hoe heet het boek dan?'

'Ik heb geen zin om er iets over te zeggen. Jij kunt er alleen maar spottend over praten.'

Zij haalde het naar zich toe om de titel te lezen en stootte de koudgeworden thee om die ze voor haar weggaan bij hem had neergezet.

Ze haalde gauw een doek.

'Dit vind ik erg.' De thee was erover gekomen en snel in de oude broze bladzijden getrokken. 'Is het een duur boek?'

'Ik heb het voor niets gekregen.'

'Voor niets? Van wie?'

Nu vergiste hij zich weer. Hij had kunnen zeggen: ik heb het in de stad op een rommelmarkt gevonden. Ze vroeg hem opnieuw: 'Maar van wie? Van die man die toen met zijn koffer langskwam en die ik nog thee in de keuken gegeven heb? Was hij het?'

Hij gaf het toe. Hij kon niet anders. Maar hij had geen zin om zijn stem te gebruiken, borg het boek in de tweede la. De eerste was voor de administratie. Ze zei tussen neus en lippen door, terwijl ze wel zag dat hij in grote verlegenheid verkeerde: 'Wat moest die man? Dat was toch die oude collega uit Den Haag?' Van opzij keek ze hem aan. Hij had niet de moed haar in de ogen te kijken. Mieras' koffer zag ze nog steeds voor zich, de smalle leren riemen, de verweerde hoeken. 'Die komt jou zomaar een boek geven? Had je met hem afgesproken?'

Ze hoorden Ruben langs het huis lopen. Hij had nog alle tijd om te zeggen: 'Als je op die toon tegen me praat...'

In bed die avond vroeg ze met het licht uit of die man... het boek dat hij cadeau kreeg... ja, wat moest ze daar van denken. Moest ze zich zorgen maken? Was er iets gebeurd? Zorgen hadden ze al genoeg. Kon ze hem helpen met iets waar hij mee zat?

In het donker stak ze haar hand naar hem uit, tastte naar die van hem. Beiden waren opgeslokt in het donker, als zijn hand in die van haar.

'Hans, als ik eerlijk mag zijn' – ze probeerde zo luchtig mogelijk te spreken – 'het boek zag er ondanks het perkament nogal smerig uit. Ik was er een beetje vies van. Hoeveel mensen, in al die eeuwen, hebben daarboven niet geademd, gehoest, of nog andere dingen gedaan?'

Zie je nou wel. Precies het commentaar dat hij van haar verwacht had. Banaal commentaar op het uiterlijk, niet op de inhoud. Het had geen zin om op haar woorden in te gaan, hij wilde ook niet langer dat ze zijn hand vasthield, maakte zich los.

Ze zei dat ze hem niet wilde kwetsen. Hun ogen richtten zich op een vaag punt van het plafond. Ze wisten dat ze elkaar niet aankeken, ze wisten het van elkaar.

'Hans, waar denk je aan?'

'Wat?'

'Waar denk je aan?'

'Aan niets.'

'Wel waar.'

'Nee, aan niets.'

In het duister was het plafond niet glad en vlak, maar had scherpe randen en kammen. Net als hun gedachten.

Zij drong niet meer aan, slaakte een zucht. Dus ze mocht niets vragen? Geen enkele uitleg?

34

～

En zacht voorjaar was in een hete zomer overgegaan. De natuur compenseerde. Nooit eerder stonden de zonnebloemen hoger. Hans had een extra groot veld aangeplant waarachter hij zich gemakkelijk met een boek kon terugtrekken, onzichtbaar voor Margje. Ook voor klanten. Hoe hij ook naar een geregelde verkoop snakte en het geld hard nodig had, hij weerstond zonder veel moeite hun appèl, hun zoeken, hield zich stil, een boek op schoot, de handen losjes in elkaar, en durfde met zijn lectuur weer door te gaan als zij licht verbaasd niemand aan te treffen, weer vertrokken waren.

Een zomerse dag, met een harde wind. Je kon blijven gieten, besproeien. 's Morgens had hij bedden primula veris gewied, daarna tien jaar oude moerplanten verpot en tussen de middag met Margje gegeten. Zij had in het dorp een colbert met weeffout voor hem gekocht, met flinke korting. Hij had het aangepast. Het zat goed, het stond hem goed. Alles stond hem eigenlijk goed, vond zij. Dat ene weeffoutje was niet te zien.

Na het eten had hij afval naar de limoen gekruid. Margje was tegen drieën nog even bij hem in de werkplaats gekomen. De hitte daar was verstikkend geweest en ze waren op de rand van het waterbassin gaan zitten. De harde wind was haar ook opgevallen. 'Alsof ze met nagels tegen het glas krassen.' Het was het woeste zwiepen geweest van een opgeschoten vlier tegen de kasruit. Zij was naar huis teruggegaan, wilde die middag naar het dorp om iets te ruilen wat zij voor zichzelf had gekocht.

Hij was alleen geweest, maar had op dat moment de behoefte om zich nog verder uit de wereld terug te trekken, wilde langer op die plek achter het zonnebloemenveld zitten, uit het zicht, om na te denken, een paar regels te lezen.

Beschut tussen de zonnebloemen en de limoen zette hij het houten bankje neer, ging zitten, sloeg het boek open, bekeek aandachtig de titelpagina, las de titel *Over de navolging van Christus*, dacht aan die verre vijftiende eeuw waarin de schrijver geleefd had, hoorde toen ondanks de blauwe schitterend heldere hemel een sterk aanzwellend ruisen. Hij dacht nog: noodweer op komst, ramen vastzetten, kasdeuren sluiten, rietmatten afrollen, hoorde vanuit de verte, maar had geen idee van welke kant, een donker gerommel naderen, en het diepe zuchten van wind hoog in de sequoia's en de rode beuken van het kerkhof. Stof wervelde op. De broeikassen vervaagden; het dak van zijn huis en dat van de buren kon hij niet meer uit elkaar houden. Hij dacht dat het licht boven de velden met pas gescheurde rotsplanten zweefde als damp. Over de kwekerij verbreidde zich een heel bleek schijnsel. De tegenstelling tussen dag en nacht leek te zijn opgeheven en opgegaan in een altijd durende schemering. Hans draaide zijn hoofd naar de zijde waar de stormwind vandaan kwam, schermde met zijn hand af, besefte dat hij zijn hand niet voelde. Een grote loomheid had hem overvallen, hij kon nauwelijks nog een arm optillen, zijn hoofd recht houden. Alles was dodelijk vermoeiend. Er was duisternis, op klaarlichte dag. Hij stond op het tapijt van het kleine vertrek en zijn moeder lachte hem toe, omdat hij erin slaagde de paarden met wapperende manen uit het veen weg te laten draven. Hij zag tegelijkertijd zijn vader die het varken met oud geel zout inwreef en schrobde en daarna de witte gekrulde savooienkool uit de grond loswrikte, vertrapte omdat het kwaad, de zondigheid van de wereld daarin gekropen was. De hemel woei open en onafgebroken ijlden nieuwe taferelen voorbij – het schoolplein van Lathum, de schippers uit Emden, de straf in de schuur – alles overgoten met het vale licht van de avondschemering in het veen. Hij voelde dat hij contact verloor, keek om beter te kunnen zien tussen zijn duim en wijsvinger door, zag helder de slakkensporen op het woeste onderhout onder de appelboom, het stralende maar verachtelijke Christusbeeld boven de haag uit. Weer de slakkensporen. Een smerige plek was dat. Bunzings vonden er onderdak en zwerfkatten die op het kerkhof achterna werden gezeten. Ruben vermeed bij het verstoppertje spelen deze toch volmaakte schuilplaats. De geluiden van de straat en die uit het dorp klonken hem als verre, onbegrijpelijke signalen in de oren. Nog steeds kon hij de bedden, het platglas, de aangeharkte paden, onderscheiden, maar kon zich niet herinneren ooit zo moe te zijn geweest. Zijn kleren voelde hij als een last, zijn lichaam zelfs. Hans Sievez leunde achterover, alsof het bankje een leuning had, zijn hoofd begon te gloeien, bloed klopte aan zijn slapen. Hij verloor alle gewicht, alle gewicht verloor zijn betekenis, werd onbeduidend. De zonnebloemen werden zonnen, hij zag zonnen, sterren, verschrikkelijk koude sterren als het gezicht van het paapse afgodsbeeld, hoorde de stem van zijn moeder, hoorde het klagen van de doden die hij gekend had, een paard kwam op uit het veen en galoppeerde voorbij, alle geluid stierf weg. Hij werd opgenomen als een door de wind meegevoerd blad en naderde de donkerheid waarin God was. In die donkere stilte de vuurkolom. Die het uitverkoren volk 's nachts bijlichtte in zijn tocht door de woestijn en in de vuurkolom een stem. Die stem.

'Hans Sievez.' Heerlijk en angstig tegelijk. Angst, want wie kan bestaan voor Zijn Aangezicht? En een alles verzengende vreugde. 'Ja Heere. Hier ben ik!' Een vuurkolom of een vuurzuil. Vuur. De stem opnieuw. 'Hans Sievez.' 'Ja Heere, hier ben ik.' Vuur dat Sadrach, Mesag en Abednego niet verteerde in de oven van Nebukadnezar. Zelfs hun hoofdhaar schroeide niet. 'Hans Sievez!' 'Ja Heere, hier ben ik!' Hij kreeg antwoord. 'Wees voortaan mijn knecht.' Vol ontzag keek hij toe. 'Maar ik ben de minste onder de mensen...'

35

~

De jongen liep op goed geluk heen en weer over de tuin, gaf de indruk wat rond te hangen. Soms stond hij een moment stil, beschouwde het land. Er stond een bol wit windje, de zonnebloemen bewogen, er was ook de stilte van de zomerse dag en de lichtflitsen van het marmeren kruis die over de groene, massieve muur van de haag schoten.

Maar hij versnelde zijn pas toen hij een van de hoge smalle gangen van het zonnebloemenveld inliep. Hij had geen zicht meer op de kwekerij, noch op het woonhuis. Hij kwam uit een van de gangen van het labyrint dat het veld met zonnebloemen was en zag zijn vader.

Onuitwisbare, heftige, verwarrende indrukken voor een jongen van elf jaar. Boven hem was de diepte van de hemel met een paar schapenwolkjes rondom de bedden met rotsplanten, de limoen, en de onvergetelijke aanwezigheid van de vader. Ter aarde gestort. Ziek. Gestruikeld en toen gevallen, misschien. De jongen knielde, legde een hand op zijn pols, keek naar het onbeweeglijke gezicht, strak als een masker, naar zijn haar dat in de war zat en vroeg of hij ziek was. Zijn vader hoorde hem niet.

'Pappa, iemand heeft naar jou gevraagd. Ik heb je overal gezocht.'

Hans Sievez voelde hoe zacht aan zijn arm werd geschud, maar de woorden die werden gesproken drongen nog niet helemaal door. Van zijn lippen kwamen onverstaanbare klanken. Hij zou op dit moment zijn hoofd willen verleggen, hij had geen idee of het harde ding dat hem hinderde bij zijn slaap een steen of iets anders was. Daar zou hij straks naar kijken. Eerst uitrusten.

Er werd weer aan zijn arm geschud en hij herkende Rubens stem: 'Pap, ik kan je niet verstaan. Wat is er met je gebeurd?' Hij voelde Rubens hand op zijn voorhoofd.

'Vuur uit de hemel, jongen,' articuleerde hij zo duidelijk mogelijk. 'En daarin was God.' Hij wist niet of zijn woorden verstaan werden. Hans deed zijn ogen open, staarde verwilderd door de donkere takken van de limoen naar de hemel, naar de diep doorhangende tuidraden die het land overspanden. 'Jongen, het was noodweer. Er zal wel veel glas kapot zijn.'

Wat zei Ruben? Dat de hele dag de zon al scheen? Maar er was geruis van storm en onweer geweest en daarin had de stem geklonken. Er was geen zon meer. 'Ruben, duisternis was over de aarde gekomen en in die duisternis daalde de vuurzuil neer.' Hans Sievez dacht na, probeerde het zich te herinneren. Misschien wachtte hij op een vervolg. Ook de jongen dacht na. Zijn vader had een stem uit de hemel gehoord. De toestand waarin zijn vader verkeerde garandeerde echtheid.

Ruben veegde het gezicht van zijn vader schoon. Hans kwam overeind, had moeite om op zijn benen te blijven staan, steunde met één hand op zijn zoon. De jongen hielp hem de klomp aantrekken die van zijn voet was gegleden. Samen zetten ze een paar stappen. Hans voelde zijn benen niet, ervoer ze als staven ijs die elk moment konden breken. Hij drukte de hand van Ruben en voelde zijn trouwring in diens handpalm.

Ze bleven staan. Hij had nauwelijks macht over zijn benen. Ruben hield hem stevig bij de arm, bang dat hij om zou vallen, maar het gezicht van zijn vader straalde blijdschap uit. Hans, die hem aankeek en verdwaasd zijn hoofd schudde, zei dat hem iets heerlijks was overkomen. Er waren geen woorden voor te vinden. Hij sprak op een heel ernstige, een bijna plechtige manier. Ze probeerden weer een paar stapjes. Ze moesten eerst uit deze vochtige, donkere hoek weg. Ruben nam zijn pols en schoof de hemdsmouw iets omhoog. 'Pap, kijk!' Hij tilde zijn vaders arm omhoog. Het glas van zijn horloge was gebroken. Hij had het van Margje en Ruben voor zijn verjaardag gekregen. Hans zag het onverschillig aan. De wijzers stonden onvermurwbaar stil, op vijf minuten over half vier. Ruben legde zijn oor tegen zijn vaders pols om zeker te zijn. Het tikte niet meer. Vijf over half vier.

Hij had zijn hand tegen de grond geslagen toen hij viel. Of tegen een steen. Er zaten hier overal keien in de grond. Zijn duim bloedde, was waarschijnlijk opengehaald aan een loszittende spijker van het bankje dat verderop lag, op zijn kant.

De jongen keek zijn vader vol bewondering aan.

'Een stem uit de hemel...' Dat wilde hij later ook meemaken. Hij hoopte dat zijn vader nog meer details zou geven. Maar Hans Sievez zweeg.

Ze zetten kleine stappen. Je zou zeggen dat hij weer moest leren lopen. Ruben stond hem bij. De vader was even de zoon geworden. Toen Ruben het bankje oppakte, probeerde Hans verder te lopen maar zijn benen waren nog steeds krachteloos. Ruben pakte hem weer bij de arm. Verderop tussen de rotsplanten vonden ze het boek waarin hij had zitten lezen. Ruben raapte ook de dichtgevallen *Navolging* op. Voorzichtig schuifelden ze over de paden tussen de bedden met primula veris en brandende liefde. De paden lagen volop in de zon en liepen op de zuidmuur met het leifruit toe, opgebonden in verticale en horizontale snoeren. Margje zag er immense kandelaars in.

Ze rustten uit tegen de eeuwenoude zuidmuur, overeind gehouden door zware ijzers in Y-vorm. Vanaf hier had je een precieze indruk van de tuinderij die aan je voeten lag als tegen een heuvel. Met kassen, bijgebouwen die over elkaar leken te klimmen, een echt stadje omgeven door hoge muren en dichte ondoordringbare hagen. Een fort, een bolwerk en daarbinnen was God afgedaald. Of een engel Gods. En boven dat miniatuurstadje met zijn elkaar kruisende straten, als in een banderol, het woonhuis waarvan slechts de eerste verdieping en het rode dak zichtbaar waren. Als Margje toevallig op de slaapkamer bezig was en het raam uitkeek zou ze hen zien, als met elkaar overleggend.

God had met hem gesproken, maar de dingen op de tuin hadden hun oude rangschikking bewaard. Hij streek met zijn vingers over het blanke fluweel van een bijna rijpe perzik. De jongen imiteerde hem, keek hem verwachtingsvol aan, hoopte misschien dat zijn vader nog iets meer zou loslaten over wat hij had meegemaakt. Hij kon er niet meer over zeggen. Hij had vlammen gezien. Een soort toorts, een flambouw of eerder een langgerekte wolk, van binnen verlicht. De stem, de roepstem was bijna die van een mens geweest maar tegelijk ook heel anders, voller, heiliger, overheilig. Weer begon zijn hoofd te gloeien. Hans tuurde naar het slaapkamerraam. Margje mocht hier niets van weten. Ze zou er niets van begrijpen, zij moest hier helemaal buiten blijven.

Hij haalde diep adem, was in staat om voorzichtig alleen te lopen. Ruben die hem van opzij aankeek, zei dat hij zijn gewone kleur had teruggekregen. Ze liepen naast elkaar over het brede middenpad van aangestampte vergruizelde steenslag. Hans nam nu grotere stappen, liep Ruben vooruit. Het was beter geweest als zijn zoon hem niet gevonden had. Het wonder had beter verborgen kunnen blijven. Of was het Gods bedoeling geweest dat zijn zoon er kennis van kreeg om later de weg van zijn vader te volgen? Wat was het heet tussen het blikkerende glas.

Hans bereikte als eerste het waterbassin, draaide de kraan open, hield zijn handen als een kom onder de waterstraal, dronk gulzig. Hij bleef drinken. Met het oude joodse volk was hij door de woestijn getrokken en God sloeg water uit de rots. Ten slotte was zijn dorst gelest. Het water droop van zijn wangen, hij veegde zijn gezicht af met een gebogen arm, stond half naar zijn zoon toe, een beetje afwerend, stak trillend een sigaret op. Hij zou willen dat Ruben uit zichzelf wegging maar de jongen was altijd bij hem, hielp hem niet alleen met aarde in de kruiwagen scheppen, was ook eindeloos op de achterkant van een notablok bezig de handtekening van zijn vader te oefenen. Hij kon hem niet wegsturen, maar vroeg hem een pakje Gold Flake onder aan de Bergweg te kopen. Hij gaf hem geld. Als Ruben terugkwam, zou hij hem op het hart drukken over al deze dingen niets tegen zijn moeder te zeggen.

Ruben zou dat begrijpen.

36

~

Zij had direct de halen in zijn broek gezien. Hans zei dat hij er waarschijnlijk mee in een braamstruik was blijven haken. Ze had zijn hand gepakt, de diepe schrammen gezien. Toen het horloge.

'Wat is er met je gebeurd?' Hij redde er zich gemakkelijk uit, was gestruikeld en nogal ongelukkig terechtgekomen. Ruben stond erbij toen hij dat zei. Ze waste zijn hand, depte de wond, vroeg Ruben uit het medicijnkastje boven het flesje jodiumtinctuur te halen. Margje doopte gaas in burowwater, wikkelde om het gaas bruin tafzijde. Hans onderging haar hulp lijdzaam. Hoe kon hij zo raar terechtkomen? Ze wilde dat Ruben het horloge direct naar de juwelier in de Hoofdstraat bracht. Het kon nog voor zes uur. Onder het avondeten zei Margje: 'Je had op je hoofd kunnen vallen, een hersenschudding kunnen oplopen. Dan hadden we mooi gezeten! Tegen ziekte zijn we niet verzekerd.'

Op het aanrecht stonden twee glazen potten. Vandaag had ze morellen geplukt, ontpit en ingelegd. Op een donkere zondagnamiddag, op verjaardagen, of bij een andere feestelijke gelegenheid schonk ze eigengemaakte kersen op brandewijn.

Tegen halftien die avond liep ze naar de vaste kast in de kamer en zette een karaf met het laatste restje van de vorige oogst en twee likeurglaasjes op tafel. Ze wist niet waar het feestelijke gevoel vandaan kwam, dacht erover na, kon niet zo gauw een reden bedenken. Natuurlijk, ze waren alle drie gezond, het was prachtig weer en voor de tijd van het jaar werd er niet eens zo slecht verkocht. Uit de la van het dressoir haalde ze twee onderzetters. Ze schepte de glaasjes vol en legde er kleine zilveren lepeltjes bij. Hij keek een beetje ongerust toe.

'Maar waarom?'

Ze gaf hem een zoen.

'Omdat ik er zin in had. Omdat je de laatste tijd gewoon bent, jezelf, je lacht en praat. Gisteren hoorde ik je ineens echt uitbundig lachen, ik weet niet eens waarom. Hans? Wat is er? Doet het nog pijn? Is het niet verstandig om morgen toch nog even naar de dokter te gaan?' Hij zat aan zijn bureau, bijna helemaal naar haar toegekeerd, ze lepelden de zoete met brandewijn doordrenkte kersen eruit, dronken met kleine slokjes. Een uurtje later deed ze de voor- en achterdeur op het nachtslot, het licht uit. Hij was al naar boven gegaan, had zich snel uitgekleed en lag in bed toen hij haar de trap hoorde opkomen. Sinds hun huwelijk lag hij aan de raamzijde. Hij hield zijn blik gevestigd op de houten rails met het opgerolde verduisteringspapier dat in de oorlog verplicht was gesteld. Het diende nergens meer voor maar hij was er na al die jaren nog niet toe gekomen het weg te halen. Misschien had hij wel gedacht dat er ooit weer een oorlog kon komen.

Met de warmte lag hij onder een dun laken. Hij hoorde hoe ze zich uitkleedde en bleef met de rug naar haar toe liggen.

'Krijg ik geen nachtzoen?' Zij wilde vrijen en hij wilde niet dat ze hem aanraakte. 'Raak mij niet aan,' zei Christus, 'want ik ben nog niet opgevaren ten hemel.' Die woorden van de Heiland mocht hij natuurlijk niet op zichzelf toepassen maar hij begreep ze nu beter. Al had hij haar nu gewild, hij kon niet. Zijn vlees was machteloos.

Hij keerde zich nog naar haar toe en zijn blik, gespeeld moe, dodelijk vermoeid, zag haar borsten die zwaarder leken op het tengere lichaam, solide borsten ondanks de beide zwangerschappen.

Zij deed het licht bij de deur uit, kroop in het donker bij hem, begon hem te strelen. Hij liet Margje begaan, keerde zich niet van haar af, duwde haar hand niet weg, wilde niet kwetsen, wilde haar tegemoetkomen.

'Zeg eens wat tegen me. Iets liefs.' Zijn blik in het duister was niet afwezig, noch koel, maar naar binnen gericht. Het gevoel van schroom dat hem beving had hij niet eerder meegemaakt. Schroom was hun onbekend, ze waren beiden opgevoed bij dieren, bij dekhengsten, fokstieren en tochtige koeien.

Hij hield van dit lichaam, had het al gekoesterd op het schoolplein van Lathum. Zij moest wel denken dat hij vandaag ineens van steen was, zich verbazen dat hij niet op haar hartstocht inging.

Zij, van de weeromstuit ook verlegen, kuste zijn voorhoofd, zijn ogen, probeerde die blik onder haar te peilen maar kon niets onderscheiden, en liet hem los: 'Het is morgen vroeg dag.'

Ze lagen zij aan zij. Onbereikbaar ver van elkaar.

37

~

D e lagere school van Ruben lag aan de Jan Luykenlaan, vlak achter de Bergweg, en nam aan één zijde de hele straat in beslag. Hans Sievez wachtte deze woensdag in zijn lichtgrijze zomerse kostuum op het brede trottoir aan de overkant. Zijn blik ging over het nog lege schoolplein. Hij keek op zijn horloge. Van Mieras had hij een oproep gekregen. Vanmiddag tegen vijf uur werd hij in Lunteren verwacht. De dienst zou enkele uren duren. Dominee Poort, hoewel zwak van gezondheid, zou in deze belangrijke dienst zelf het woord voeren. Het was niet zo dat Hans zich moest oppeppen of in tweestrijd had gestaan – Nee, ik ga niet, er is veel werk te doen – het was ook niet zo dat hij zelfverzekerd had gekozen om daar heen te gaan. Hij ging, hij moest. Onmogelijk zich te onttrekken. Maar hij was bang voor de bijeenkomst waarin hij voor 'het gerecht' zou verschijnen en had tegelijk diep ontzag voor alles wat hem overkwam.

Wat kon hij tegen Margje zeggen? Hoe laat zou hij thuis zijn? Als hij zijn zondagse kleren aantrok, zou ze natuurlijk vragen als hij beneden kwam: 'Hè, ga je weg? Ik wist nergens van. Op een doordeweekse dag? Mag ik niet mee?' Ze zou er helemaal niets van begrijpen of doen alsof. Natuurlijk mocht ze niet mee. Dat wilde ze ook helemaal niet. Ze zou niet eens mee kunnen, ze moest op de tuin passen. Er zouden woorden vallen. Hij zou zich moeten verdedigen, woorden vinden voor zaken die niet onder woorden te brengen waren. Die confrontatie kon hij niet aan en de dag tevoren had hij zijn goeie kleren in een onbewaakt ogenblik al overgebracht naar de kwekerij en opgeborgen in het voormalige vrijgezellenhuis. Via de Schonenbergsingel kon hij de Hoofdstraat bereiken en de bus naar de stad nemen.

De hele dag had hij in spanning gezeten. Op het moment van vertrek – je zou het net zien – kon er een klant komen. Naar aanwijzingen van Huib Steffen had hij zich ook op de dienst voorbereid. Kort voor hij vertrok bedacht hij om Ruben bij school op te wachten en hem mee te nemen. Hij had geluk dat Margje op dat moment niet thuis was en legde op de keukentafel een kort briefje. 'Ik ben naar een bijeenkomst (hij vermeed het woord dienst om haar niet te ergeren). Neem Ruben mee vanuit school.' Zo hoefde zij zich nergens zorgen over te maken. Hierna had hij bijna hardlopend de kwekerij verlaten, was via de Schonenbergsingel de Koningstraat ingelopen en had zo de Bergweg vermeden.

Hij wachtte op het luiden van de bel, op hemelsbreed nog geen honderdvijftig meter van zijn huis, waarvan hij de voorgevel kon zien, de regenjas over zijn arm, bleek onder de hoed met slappe rand, een sigaret bijna achteloos tussen zijn lippen, onbeweeglijk in het nazomerse licht. Hij droeg glanzend gepoetste schoenen, als gelakt, een wit overhemd, een donkere stropdas met witte stippen, hij was onberispelijk gekleed als voor een feest, een uitstapje.

De bel klonk en even later gingen de deuren open en stormden de kinderen schreeuwend het schoolplein op. Hans tuurde, zijn ogen vonden hem. Hij stak een hand op, gebaarde, riep dat hij gauw moest komen, maar de jongen kon hem natuurlijk niet verstaan. Dat had hij zich al tijdens zijn leertijd in Den Haag aangewend: iets roepen met een sigaret in je mond.

Nu was hij hem uit het oog verloren. Nee, daar! Ruben had zich losgemaakt van de anderen, holde over het grote plein. Margje had na de oorlog voorgesteld om hem weer op de christelijke school te doen. Hans had toen, meer uit gemakzucht, gezegd: Och, hij is hier gewend, hij heeft hier zijn vriendjes en het is dichtbij. Hij was nu dankbaar dat Ruben op de openbare zat, de christelijke scholen waren in zijn ogen allemaal te slap, er werd daar een valse leer verkondigd. Thuis zou de zuivere waarheid verkondigd worden en hij voelde dat ook zijn zoon daarvoor ontvankelijk was.

De jongen stond voor hem, verbaasd zijn vader in zijn zondagse kleren te zien. Gingen ze uit? En mamma?

'Kom mee.' Hans sprak met gedempte stem, in nauwelijks beheerst ongeduld. Hij was bang in Arnhem de aansluiting te missen. Hij was al aan de late kant.

Hij zou wel zien.

'Is mamma al vooruitgegaan?' Bij uitstapjes was het gewoon dat hij later met Ruben ging, omdat de zaak niet alleen gelaten kon worden. Als antwoord drukte hij hem tegen zich aan. Van de Jan Luykenlaan waren ze op de Rozendaalselaan gekomen. Ruben liet hem kauwgumplaatjes zien van filmsterren die hij tijdens het schoolkwartier geruild had, Roy Rogers, John Wayne en Cary Grant. Hij keek naar zijn vader op.

'Pap, jij lijkt net Cary Grant.' De sirene van de gasfabriek ging af. Hij was ingesteld na de oorlog en loeide elke zaterdag om twaalf uur.

'Waarom laten ze hem nu gaan?'

'Ik denk dat ze aan het oefenen zijn.' Hij verlegde zijn jas, nam grotere stappen. Ruben kon hem nauwelijks bijhouden. Het was niet ondenkbaar dat ze Margje in het dorp zouden tegenkomen. Pas in de buurt van de halte werd hij weer wat rustiger, besefte dat de jongen naast hem holde, zijn voetstappen aan die van hem probeerde aan te passen. Hij pakte hem bij de hand, hield in. Zijn lippen klemden om de sigaret. Het was toch heel ongewoon terwijl iedereen werkte in zijn zondagse kleren door het dorp te lopen. Hij behoorde ook te werken.

Hans las de aankomst- en vertrektijden, liep de rijweg op om te kijken of de bus er al aan kwam, maar bleef uit het zicht van het winkelraam zodat hij niet door Wieland kon worden aangesproken.

Sissend gingen deuren voor en achter open. Hans zette zijn

voet al op de treeplank nog voor hij naar binnen kon. Ruben rende naar de lege achterbank, terwijl zijn vader kaartjes kocht en de conducteur vroeg hoe laat de bus in de stad was om aansluiting met de trein te hebben. Nu grepen zijn handen naar een zwaaiende lus, omklemden de stang van een zitbank.

'Je zult wel zien waar we heengaan.' De jongen zou begrijpen dat het met het wonder te maken had.

Met zijn lippen schoof hij de sigaret heen en weer. Hij zoog er met kracht aan, rook kringelde langs zijn gezicht omhoog. Had hij er goed aan gedaan hem mee te nemen? Waarom had hij het gedaan? Voelde hij zich minder bang, veiliger, met hem? Hoopte hij dat de jongen hem zou volgen? Het was de taak van ouders hun kinderen op te voeden in de vreze des Heren. De hogepriester Eli had die taak verzaakt. Zijn beide zoons Hofni en Penehas leidden een liederlijk en goddeloos leven waardoor de vader het oordeel over zich afriep. In de tempel was hij van zijn hogepriesterlijke stoel gevallen en had zijn nek gebroken. De afgelopen weken had hij de passage uit het eerste boek van Samuël verscheidene malen gelezen en op zichzelf betrokken. Koud zweet drong uit zijn voorhoofd en hij was blij het warme lichaam van de jongen tegen zich aan te voelen, gaf toe dat hij het zonder Ruben niet had aangedurfd. Ook Margje zou wel denken: o, als hij Ruben meeneemt... die bijeenkomst zal een luchtig sfeertje hebben. Toen begon hij zich zorgen te maken over de jonge chrysantenstekken die hij uit Poeldijk had laten komen. Met het warme weer hadden ze moeite om aan te slaan. Ze zouden aan het eind van de middag extra water nodig hebben. Daar kwam nu niets van. Mieras, Steffen en Ibel konden zich geheel aan hun taak in de wijngaard des Heren wijden, hij had een arbeidsintensief bedrijf.

De bus had de buitenwijken van de stad bereikt, de conducteur riep de namen af van de haltes: Bronbeek, Huygenslaan, Steenstraat. De deuren klapten open, ook als niemand wachtte of uitstapte. Ze waren de enige passagiers, de straatweg was vol heldere schaduwen, ze zagen hun spiegelbeeld schokken als de bus

over oneffenheden reed. Hij had het Margje nooit durven vragen. Was het kind dat niet had mogen volgroeien een meisje geweest? Halte Velperplein. Hij pakte zijn jas van zijn schoot, ging
alvast bij de uitgang staan. De bus draaide het Stationsplein op.

Hij keek naar de klok. 'Kom Ruben.' Op het emplacement dat
uitzag op de restauratie liepen ze snel tussen geparkeerde bussen
door.

38

~

Z e daalden trappen af, liepen trappen op, in de belichting was hun gezicht steeds anders: dan weer donker, dan weer licht. De blik van de vader vloog over het perron, een bord met trein-richtingen klapte rammelend uit: Wolfheze-Oosterbeek-Ede/ Wageningen.

Nog een kleine tien minuten. Hij had dus de aansluiting ge-mist. 'Ja...' mompelde hij, tegen niemand in het bijzonder. Ze lie-pen tot aan de kop van het perron, staarden in de warmte naar de wijd uitwaaierende lichtvlakken van de rode en de groene seinen op het rangeerterrein, keken naar een trein op een zijspoor die de indruk wekte nooit meer in beweging te zullen komen. Een hoog seinhuis deed hem denken aan het oude vrijgezellenhuisje op zijn eigen kwekerij. Dominee Poort zou, bij hoge uitzondering, straks de dienst leiden waarin hij voor de vierschaar moest ver-schijnen. Hans had hem nog nooit in levenden lijve ontmoet, maar bezat een portretfoto van hem die hij op de tuin had weg-geborgen. Het was een strenge, aartsvaderlijke man die voor deze gelegenheid speciaal uit Den Haag overkwam. Jozef Mieras had Hans richtlijnen voor zijn gedragswijze gegeven. Van groot be-lang is het *Punt des tijds* – het precieze moment in tijd dat het wonder zich aan hem voltrokken had.

Hij voelde een spiertje bij zijn slaap bewegen. Onwillekeurig knikte hij, schudde ernstig zijn hoofd alsof hij zich aan iets stoor-de, aan een grove vloek, of aan het overleggen was met zichzelf.

Ze liepen weer terug tot aan het uitklapbord. Even later sloeg hij de jas over zijn schouder, wandelde alleen weg, dacht niet meer aan zijn zoon, zocht de horizon af, hoopte dat Chris Ibel, de griezelige morsige dwerg vanmiddag afwezig zou zijn, kwam halverwege terug en ging dicht bij zijn zoon staan.

'Ik heb wat voor je.'

Hij haalde een reep chocola uit zijn binnenzak, brak hem in de verpakking doormidden, gaf Ruben de grootste helft. De rest stopte hij weg.

'Voor straks.'

'Pap, weet jij waar de naam Velp vandaan komt?'

Hans herinnerde zich vaag dat de meester in Lathum dat vroeger verteld had, maar hij wist het niet meer. Velp kwam van Phelipe, de meester had het vanmorgen uitgelegd en Phelipe betekende doorwaadbare plaats. Waar nu de hervormde kerk stond stroomde vroeger de IJssel. Sinds de Middeleeuwen had de rivier een andere loop genomen. De meester had ook verteld dat de as van de kerk in oostwestelijke richting was gebouwd. Dat heette in de bouwkunst de heilige linie.

Hij liet Ruben los, zocht in de binnenzak van zijn colbert, haalde een envelop te voorschijn waarop in zijn handschrift een adres en telefoonnummer geschreven stonden. Hij bestudeerde de envelop, zoog heftig aan zijn sigaret. Hij herinnerde zich de woorden van oefenaar Steffen. De Hervormde Kerk in dit land bezat de Waarheid niet meer, die van gereformeerde signatuur net zomin. De Waarheid was alleen nog in de zestiende- en zeventiende-eeuwse geschriften terug te vinden. De huidige Kerk in dit land verkondigde een valse leer. Zelfs in Schotland waar de prediking lang zuiver was gebleven zouden nog maar enkele kleine groepen gelovigen te vinden zijn.

Hij borg de envelop op. De trein reed door een opener wereld – heidevelden met aan de horizon heuvels.

'Ruben, we zijn er zo.' Hij gaf hem de rest van de chocola. 'Het kan lang duren vanmiddag. Ik denk dat het niets voor kinderen is. Je moet daar maar buiten gaan spelen. Ik weet niet zo gauw...'

Hij dacht na. 'Nee, ik heb geen idee of er andere kinderen zullen zijn. Het was misschien beter geweest als ik je niet had meegenomen.'

'Ik wil liever bij jou blijven.'

Hans drukte de sigarettenpeuk uit tegen de binnenklep van de asbak.

'We moeten maar afwachten. Ik weet niet hoe het zal gaan.'

De trein snelde door het landschap. Prentbriefkaarten van hei met een schaapskudde gleden langs het raam. Hij legde zijn hand op Rubens knie. Zijn andere hand trok het vel strak over zijn kaken.

'Nee, nu ik erover nadenk, je kunt er straks niet bij zijn...' Dan zonder aarzeling, kortaf, beslist: 'Jij gaat buiten spelen. Ik wil niet dat je erbij bent.' Hij zag wel dat Ruben verbaasd was, hij verbood nooit iets. Zelden klonk zijn stem zo vastbesloten. Hans verslikte zich, hoestte, haalde opnieuw de envelop te voorschijn, keek naar het adres en borg hem weer weg. Hij liet de hoed om zijn hand rollen, doofde de sigaret tussen zijn vingers.

De trein minderde vaart. Ze keken uit op de gebouwen van de Enka-fabriek. Ruben vertelde dat ze morgen met de klas de Enka-fabrieken in Arnhem gingen bezoeken.

'Dat is mooi jongen,' zei Hans, 'ik hoop alleen voor je dat er een morgen is.'

'En ik ga voor jou alle achtentachtig coupletten van psalm 119 uit mijn hoofd leren.' Sinds zijn vader het 'gezicht' had gekregen, zei hij elke zondagmorgen aan het bureau een couplet op. Ruben was zelf met het idee gekomen. Hij wilde ook een stem uit de hemel horen, sterren zien op klaarlichte dag en in extase geraken.

Hans keek hem ongelovig aan. Dreef de jongen de spot met hem? Psalm 119 was de langste die de Heere Zijn Volk geschonken had. Maar de jongen meende wat hij zei, wilde zijn vader in alles navolgen, een voorbeeldige zoon zijn. Zou Ruben werkelijk begeerte naar het Woord kennen?

De trein stopte bij station Ede-Wageningen. Ze liepen snel achter elkaar door het gangpad, sprongen uit de trein. Hans keek om zich heen, speurde door de ruiten van de stationsrestauratie, mompelde: 'Hier hadden we toch afgesproken.'

Geen moment stond hij stil, draalde bij een telefooncel. Er was plaats genoeg voor twee personen, maar hij gebaarde Ruben buiten te wachten. Hij zag tegen dit gesprek op, duwde drie keer de haak weer in, draaide het nummer op de envelop, drukte de hoorn dicht tegen zijn oor – hij hield niet van telefoneren.

De jongen zag hem vaag door het draadglas.

Een onbekende nam op.

'Hier, met Sievez. Ik ben er. Het station in Ede.'

Hij legde neer. Ze zouden hem komen halen. Hij staarde een moment naar de smoezelige vloer van de telefooncel, alsof daar een teken te lezen stond.

39

~

Mieras en Steffen stapten uit een oude, bemodderde auto, bleven een moment met elkaar praten onder de enige boom op het stationsplein en kwamen na dat korte overleg uit de schaduw te voorschijn, liepen over het warme trottoir op Hans en zijn zoon toe.

Ze waren geheel in het zwart, alsof ze naar een begrafenis gingen. Hans begreep dat ze hem vast en zeker te licht, te lichtzinnig gekleed zouden vinden. Zelfs al had hij een stemmig donker kostuum bezeten, hij zou het niet hebben aangetrokken. Hij voelde zich prettig in deze zomerse kleding.

Ze schudden handen. Jozef legde amicaal zijn hand op Hans' schouder.

'Jongen, er wordt met smart op je gewacht. Waar bleef je toch?' Hij klonk goedmoedig.

Huib Steffen nam hem kritisch op.

'In jouw geval zou ik wat anders aangetrokken hebben.' Het had hem bovendien raadzaam geleken als Hans een trein eerder genomen had. 'Wij waren hier een halfuur geleden en dachten al dat je met een ander was meegereden. Er was een duidelijke afspraak.'

Hans excuseerde zich.

'Ik miste de trein. Ik kon niet eerder van huis weg.'

'Je hebt je zoon meegenomen.'

'Is dat bezwaarlijk?'

'Doorgaans zijn er geen kinderen bij als de vierschaar-ervaring wordt ondergaan.'

'Ruben gaat wel ergens spelen,' zei Hans deemoedig. Hij was met Ruben naar de andere kant van de auto gelopen.

Steffen keek Hans lange tijd over de smerige wagen heen recht in de ogen, zwijgend. Toen sprak hij luid, alsof Hans aan de overzijde van een voetbalveld stond: 'Het is niet Gods wil, broeder, dat wij ons in een geslingerde, verlegen, benauwde toestand bevinden, Hij begeert ons bestendig en heilig, Hij verbiedt ons angstig te zijn.' Hij had zijn handen gevouwen op het dak van de auto, citeerde uit het Nieuwe Testament.

'Laat de kinderen tot mij komen, zegt de Here Jezus. Je hebt er goed aan gedaan de jongen mee te nemen. Bekijk straks zelf of je hem erbij wilt hebben.'

Steffen reed, Mieras zat naast hem. Steffen deelde mee dat Poort was opgenomen in het Haagse Bronovo-ziekenhuis. 'Er wordt voor hem gebeden.' Jozef voegde eraan toe: 'Eerste oefenaar Steffen zal de dienst namens Poort leiden.' Toen keek hij achterom: 'We zijn blij dat je er bent. We maakten ons zorgen. God zij geprezen.'

Steffen herhaalde deze woorden, terwijl Ruben gefascineerd naar de uitwas in zijn hals keek.

Ze reden een tijdje over een weg met hoge bomen waarvan de takken in elkaar grepen en alle licht tegenhielden. Toen ze uit de tunnel kwamen, net voor het centrum van Ede, namen ze de afslag Lunteren. Steffen stopte op een zijweg voor een laag landarbeidershuisje dat van ellende in elkaar dreigde te storten. Chris Ibel stond op de stoep te wachten. Ze moesten op de achterbank inschikken. Ibel zei: 'Het is een wonder in ons' ogen, wij zien het, maar doorgronden het niet. Je bent een veranderd mens, broeder Sievez. Maar vergeet niet, je bent ook een beginnende ziel, niet meer dan een bekommerde.'

Onder aan een steile helling hield de auto opnieuw stil. Iedereen stapte uit. Jozef legde uit dat dit de Paasberg was. Hier werden vroeger de heidense paasvuren ontstoken die tot in de verre omtrek zichtbaar waren.

Een pad kronkelde de heuvel op. Ze liepen tussen met braam

begroeide wallen door waarachter kleine akkers trapsgewijs waren aangelegd. Hans liep met de mannen voorop, Ruben volgde, springend over gladde, blootgespoelde stenen. Chris Ibel die vooruit liep bleef onverwacht staan, zodat Mieras tegen hem opbotste. Nu stond iedereen halverwege de heuvel stil, en ontblootte het hoofd in navolging van Ibel die zijn hoofd hief en bad: 'O, mijne dorsing en de tarwe van mijn dorsvloer. Ik ben op de puinhopen geraakt en u hebt mij uitgered. Dank voor uw geestelijke spijziging.' Uit het dal kwamen gedempte geluiden, ijzer werd op ijzer geslagen, een auto startte. Steffen was de eerste die zijn hoed weer opzette, de anderen volgden. Er werd niet meer gesproken. Het koolzaad op de akkers was vol zoemende insecten. Om de bocht verscheen een boerderij waarvan het rieten dak bijna de grond raakte.

'Hier is het,' zei Jozef. Hans was enigszins teleurgesteld, herinnerde zich de straten van het Hemelse Jeruzalem, zoals in Openbaringen beschreven, waar de huizen van goud zijn. Een lage poort voerde naar een erf waarvan de tegels half in de grond waren weggezakt en vermorzeld. In het midden was een oude waterput met een katrol waaraan een roestige emmer hing. Uit een afvoergoot rond een mestvaalt steeg een zurige stank op. Ze gingen door een tweede poort die nog lager was. Jozef wurmde zich er met zijn zware lichaam met moeite doorheen. Via een spoelhok met op rekken omgekeerde emmers en melkbussen kwamen ze bij een klapdeurtje met een rafelige, afgesleten onderkant.

Hans hoorde stemmen. De plotselinge duisternis van de boerendeel verblindde hem. Hans rook de zware, lauwe lucht van gier en oud hooi, volgde Jozef tussen bijna onzichtbare mensen door, over een deelvloer die hier en daar vlekkerig glansde. Door een halvemaanvormig stalraam viel licht. Hij keek opzij, zag Ruben niet meer.

'Broeder Sievez, geprezen zij dat Lieve Wezen, dat aanbiddelijke Opperwezen dat in onuitsprekelijke verzuchtingen tot ons spreekt.' Schaduwen verhieven zich. Hans werd omringd, meegetroond naar een hoek, opgenomen in een massa mensen.

Hij schudde handen. Iedereen wilde hem groeten, hem aanraken. 'Broeder! Broeder Sievez!' Ontzag klonk in de stemmen om hem heen, hij herkende soms iemand. 'Broeder, wat heeft God toch voor met de Nederduits-Hervormde Kerk in de lage landen? Een Kerk die leert dat het aanbod van genade voor allen gelijk is, broeder, in dat geval wordt iedereen zalig en kunnen we de hel wel opdoeken.' Werd hij nu zelf voor een oefenaar gehouden? Was er een vergissing in het spel? Waar was Ruben? Hij keek om zich heen, hoorde achter zich: 'Woorden zoeken het hart van de mens. Gods woorden zijn hongerig.' Hij voelde Rubens hand in de zijne. Gelukkig.

'Ruben, blijf zo dicht mogelijk bij me.' Hij hoorde: 'Sievez is het wonder deelachtig geworden. God heeft zich aan hem doen kennen.'

'Pappa, ze praten over jou!' Een oude man raakte even zijn hand aan. 'Daar past slechts eerbiedig zwijgen bij. Zo vaak laat de Heere zich niet meer kennen in deze verwaterde tijden. Hij heeft de alarmkreet in je hart gehoord. Man! Man! Om zo opgetrokken te worden uit de ellende, dat je bij het leven al even in Zijn Heerlijkheid mocht staan!' De man schudde zacht zijn hoofd. Wie die woorden sprak was nauwelijks te onderscheiden. Toen werd hij op de schouder getikt en draaide zich om en keek in de ogen van een kleine pezige man met diepe groeven op zijn voorhoofd die hees fluisterde: 'Dit is mij genoeg.' Hij verdween in de schemer.

'Pap, ze kijken tegen je op.'

'Ik begrijp het niet.' Hij zou een zeer zware middag tegemoet gaan. Jozef had hem zelfs aangeraden extra rust te nemen.

'Mamma had erbij moeten zijn.'

Zou zij zich op dit moment kunnen voorstellen dat hij het middelpunt van algemene bewondering was? Wat deed zij op dit moment? Hielp zij een klant? 'Broeder, de begrafenis van de oude mens.' De ogen van Hans verrieden zijn verwarring.

Ruben was bij hem, maar waar waren Mieras en de anderen gebleven? Hij keek om zich heen, zag hen niet meer. In het halfdonker vielen hem nu enkele details op: een soort podium, een verhoging van planken rustend op veilingkisten, met een lessenaar, een paar stoelen, een tafel, als voor een toneelstukje en gescheiden door een smalle ruimte waar hij een dorsmachine en een hoop voederbieten onderscheidde, rijen stoelen waarop mensen zaten. Hij dacht ook enkele vrouwen te zien, bijna onzichtbaar, zo donker gekleed dat ze samenvielen met de schemer van de boerendeel. Ze zaten in een groepje bij elkaar, de handen in de schoot, mengden zich niet onder de mannen die met elkaar stonden te praten of druk heen en weer liepen. Het was duidelijk dat nu voorbereidingen voor iets werden getroffen.

Hans wist niet wat hij moest doen, leunde met een hand tegen de wand en deinsde terug. Het voelde aan als dik, ruw vel van een met oud geel zout ingewreven varken. Hij zag nu dat hij bekleed was met een laag stoffige jutezakken.

'Ruben?'

'Ja, pap.'

'O, ik dacht dat je weg was.'

'Ik blijf bij jou.'

Jozef was op het podium bezig stoelen te verschuiven, verschoof ook de lessenaar zodat er meer licht op viel. Chris Ibel kwam Hans halen.

'Ga nu maar buiten spelen,' zei Hans tegen zijn zoon.

'Ik wil hier blijven.'

'Nee, dat kan niet.' Hij voelde de zweetdruppels van zijn gezicht lopen. Hij wilde niet dat zijn zoon bleef. Ibel pakte de jongen bij zijn arm.

'Het is niet goed dat je hier bij bent.' Hans smeekte. Toen hij zag dat Ruben gehoorzaam de kant van het spoelhok opliep en door het deurtje verdween, liet hij zich door Ibel naar een stoel leiden die op de ongelijke deelvloer stond, een halve meter lager dan het podium, recht voor de lessenaar.

'Blijf hier staan tot oefenaar Steffen het teken geeft te gaan zitten.'

Achter hem klonk het schraperige geluid van stoelen die over deelstenen verplaatst werden.

Nu was het helemaal stil.

Een kleine stoet in het zwartste zwart kwam het toneel op. Voorop eerste oefenaar Steffen, gevolgd door Jozef en Chris. Mieras schudde langdurig de hand van Steffen en wenste hem Gods wonderlijke zegen toe. Steffen begaf zich naar de lessenaar en ging op een krukje zitten, Hans kon zijn gezicht niet meer zien. De beide anderen namen plaats op stoelen schuin achter de lessenaar en keken de zaal in. Ze moesten tevoren nauwgezet hebben overlegd hoe ze dit zouden afspelen, de rollen verdeeld, de bijbehorende gebaren van prediker en kerkenraadslid hebben ingestudeerd.

De oefenaar kwam overeind. Buiten was het gekraai van een haan te horen. Ook de tweemanskerkenraad ging staan, met de gelovigen. Huib Steffen hief de handen schuin omhoog. Hans Sievez stond daar, alleen, roerloos, het bruinverbrande gezicht bleek weggetrokken in het enige naar binnen vallende licht. Hij dacht dat iemand zijn schouder aanraakte, maar wist tegelijk dat hij het zich verbeeldde. Hij herinnerde zich de meester uit Lathum die hem op het schoolplein eens op de schouder tikte en hem prees.

Toen begon hij te beven, als onder kleine elektrische schokken.

40

~

De voorganger schraapte zijn keel, verzocht broeder Sievez te knielen. Hans knielde op de ruwe, half verzonken stenen van de deelvloer.

Steffen riep de Heere aan, vroeg om opening van het Woord, stelde zich al direct de vraag of deze ommekeer bewerkstelligd was door God, Satan of eigen geest. Waar het om ging, was de 'onmiddellijkheid', de plotse inslag, de roep van boven. Het was niet zo dat allen zalig konden worden. Er was uitverkiezing en verworpenheid.

Nu richtte hij zich tot Hans, riep in dat duistere hol: 'Bent gij ledig? Zo ja, dan alleen kunt ge door Hem gevuld worden. Hebt gij werkelijk de Christus gezien?'

De stem van Steffen was bijna te hoog voor zijn gedrongen lichaam. Na zijn woorden hield ieder zijn adem in. Buiten schetterde een ekster, kraaide een haan.

Hans zweeg. Steffen wachtte op een antwoord, vervolgde toen: 'Want wij weten dat ook Baäl bestaat en Beëlzebub, en Satan, allen met hun zoete influisteringen. De mens Sievez is van nature ijdel. Elke stem die wordt gehoord, is verdacht. Dus broeder, onderzoekt u zelf nauw, ja zeer nauw.'

De oefenaar was nu in grote opwinding geraakt, keek omhoog naar de lage zoldering met de hanenbalken waarover bossen pluizig touw hingen. 'God gebiedt het ons. De zweep over Satan en zijn handlangers.' Zijn kleine bleke ogen, zijn schedel, glommen als zijn zwarte kostuum. 'Christus ranselde met een fluitende zweep de geldwisselaars en de vogelverkopers uit de tempel.'

Hij heerste.

Hans Sievez, op de harde, kale deelvloer, een nietig figuurtje, keek eerbiedig omhoog. Zijn ogen, gespannen, groot, te groot voor hun kassen, angstig, deden pijn.

'Ja, ik zag de troon,' bracht hij uit, maar herkende de zwakke stem niet, die vreemd, vervlakt klonk. Iemand anders leek in hem te spreken.

De oefenaar kwam van achter de lessenaar, de bundel licht viel op zijn hoofd met de bult. Steffen liep tot aan de rand van het podium, recht boven hem. 'Broeder, wij kunnen niet anders dan huiverend denken aan het vreselijke uitzicht op het oordeel en de gretigheid van het vuur dat de wederspannigen zal teisteren wie hier onzuiver is...'

Hans sloeg zijn ogen neer, dacht aan het 'gezicht' dat hij gekregen had. De stem die hij had gehoord had hem toch opgetild, over de kwekerij gedragen, was over hem gevloeid. Het heerlijke en verschrikkelijke dat hij had gekend kon niet meer verteld worden. Hij voelde zich leeg en nietswaardig. 'Broeder, eens komt het sterven. En dan? Wij zijn hier te gast, wij zijn slechts vreemdelingen, ons verblijf hier is tijdelijk, een fractie in de eeuwigheid, een zucht.' Hans zag de witte manchetten van de oefenaar, de zware hals, met kracht in de boord geperst. Hans voelde zich leeg als een uitgeruimde woning, hol en leeg, in Margjes woorden, als na de miskraam. In die ontlediging en de angst in dat ontzagwekkende raadsbesluit toch niet uitverkoren te zijn, boog Hans zijn hoofd. Hij wist niet of nog ooit een woord uit zijn mond zou komen. Hij boog zijn hoofd bijna tot op de grond, verzamelde zijn krachten en mompelde: 'Ik ben helwaardig, ik ben niets, nog minder dan een zandkorrel. Hoe lang, o Heere, zal ik nog met mijn Formeerder twisten?' Zijn stem was zwak en nauwelijks verstaanbaar, maar het was gezegd. De toehoorders achter hem hielden zich afwezig, vogels verlamd in een net. Maar nu hief hij zijn hoofd en bracht al minder hulpeloos uit: 'Ja, ik heb Zijn Stem gehoord, in een geruis van onweer en stormwind, Hij heeft mij bij mijn nekvel gepakt en mij ter aarde doen storten. Ik was buiten mij zelf. Mijn zoon heeft mij gevonden. Hij zag dat mijn horloge stilstond, het was vijf over halfvier.'

Een lange stilte volgde. Buiten klonk een jongensstem die in de oude waterput riep: 'Pappa!' De echo weerklonk: 'Pappa!'

'Ik vraag u opnieuw: Heeft u de Christus gezien?'

'Het was heel licht. Het was een groot genot dat ik onderging.' Zijn stem was niet bangelijk meer, over zijn gezicht bewogen schaduwen.

'Wee, wie de Heere en Zijn Heilige Gemeente voorliegt. Wij kunnen er niet onderuit: als er twee in één vertrek zijn is er één verkoren en één verloren.' Steffen moest zichzelf onderbreken om speeksel door te slikken, gilde bijna, heel hoog. 'Het heil komt van Hem, het niet-heil ook. Voor de derde keer vraag ik u: Hebt gij de Christus gezien of staat over de volle breedte van uw schedel geschreven: duivel? Antwoord oprechtelijk.' Zijn stem raasde, drong in alle hoeken, wilde uitstijgen boven het dak van de boerenschuur. Ineengekrompen vroeg Hans zich af of hij zich in alles vergist had. Heb ik het mij ingedacht? Is het verbeelding geweest? Hoor ik hier wel thuis? Als Margje hem zou zien, had ze hem bij zijn armen gepakt: Kom, opstaan, wat zijn dat voor gekke kunsten? Je hoort niet bij dit volk, je hoort bij mij, op de kwekerij! Hij had in de grond willen wegzinken.

Heb je toen niet...? Behalve de woorden van de oefenaar – hoorde je dat niet? – was er, in de glimmende duisternis, met de harde, verbeten koppen, het geritsel, het gerucht van een vogel onder de dakpannen, en de voetstappen van Ruben die naar huis wilde, onzeker licht viel door de matglazen ruit, de onpeilbare diepte van die gesloten wereld in. Daarbij vergeleken was het leven buiten – hoe moeilijk vaak – zo eenvoudig, zo gemakkelijk en vanzelfsprekend. Overviel de angst je niet? De ergste van alle angsten: die waar geen grond voor is, geen rechtvaardiging? Heb je nog gedacht aan die heel bepaalde periode in je leven, toen je onmachtig in de varkensschuur achter het huis vernederd en geslagen werd? Had je niet willen opstaan om het uit te gillen: Laat me met rust. Niets wil ik meer met jullie te maken hebben! Hans Sievez, had je niet het gevoel dat tegen je beraamd werd, dat die zo wonderlijke verschijning op de tuin – wie kon daaraan tippen? – tegen je gebruikt werd, dat ze je wilden betrekken bij hun geheime spel waaruit ontsnapping menselijkerwijs gesproken niet meer mogelijk was? Steeg, met het donkere kloppen van het bloed aan je slapen, niet dat heel precieze, kinderlijke gevoel van afkeer en haat op dat je zo goed gekend hebt, en bij je draagt?

'Antwoord oprechtelijk,' herhaalde Steffen en Hans Sievez knikte, beaamde, met een onduidelijk 'ja', waarop de oefenaar constateerde dat broeder Sievez in het vuur was geweest, maar niet verteerd. Het punt des tijds van zijn ommekeer was duidelijk aangetoond. God was met deze mens begonnen. Hij maakte een gebaar met zijn hand, een bijna-handreiking. Hij mocht overeind komen. Hans Sievez ging staan, wankelde, verstijfd in zijn knieën. Hij zat liever een hele dag op een tuinbed violen uit te planten.

Allerwegen was er nu gerucht en de vogel was niet meer te horen. De deuren gingen open, hij werd gefeliciteerd, op de schouders geklopt. Overvloedig viel het heldere licht naar binnen dat scheen te zeggen: het is goed dat er licht zij over de dingen die hier gaande zijn.

41

∿

Margje wachtte staande in de voorkamer die slechts werd verlicht door de lantaarn aan de overzijde van de straat. Hans en Ruben, bij hun terugkeer uit Lunteren, zagen haar snel de achterkamer inlopen. Ruben rende vooruit, was als eerste binnen, vloog zijn moeder om de hals. Hans bleef op de drempel van de keuken naar de kamer staan, zag haar vermoeide gezicht.

'Waar bleven jullie? Ik dacht dat jullie nooit meer thuis zouden komen.'

Hij gaf toe dat het later was geworden dan gedacht.

Ze vroeg waarom hij de jongen had meegenomen. Wat had het kind daar te zoeken? Niets toch? Alles had hij kunnen zeggen, maar hij hield zijn lippen stijf op elkaar, liep door naar de gang om zijn jas op te hangen. Op de klok had hij gezien dat het bijna tien uur was. Het liefst was hij doorgegaan naar boven, had geen zin om verantwoording af te leggen. Zijn woorden zouden op rotsige bodem vallen.

Zij had eerst zonder doel heen en weer gelopen, van de kamer naar de keuken. Hij, zijn gezicht omgeven door sigarettenrook, had in zijn vaktijdschrift gebladerd. Vanuit haar ooghoeken keek ze naar hem, haar ogen droog in het van angst verkruimelde gezicht. Margje ging tegenover hem zitten, wilde zeggen: Ik veronderstel dat ik je niets mag vragen, toch geen uitleg krijg, maar ze zweeg nog. Beiden hielden hun adem in, hij had het blad dichtgevouwen en naast de stoel op de grond gelegd.

Zij begon zo: 'Het karpet is nodig aan vernieuwing toe...' Hij drukte zijn sigaret uit, wilde opstaan, maar zat als verkleefd met zijn stoel, kon zich niet bewegen. Haar lippen bewogen opnieuw in dat kleine smalle gezicht: 'Er is zoveel... ik weet niet... ik weet niet wat ik moet... Je verdwijnt zonder mij iets te vertellen. Je verdwijnt halverwege de middag, ik vind bij toeval een briefje, ik weet niet waar je bent. Er kan van alles gebeuren. Of niet?'

Ze kwam uit haar stoel, bleef voor hem staan, steunde op de beide armleuningen, boog vertrouwelijk, dacht misschien: als ik niet meteen zeg wat ik ervan vind, zal ik het nooit meer kunnen zeggen. Ze dacht dat hij een beweging maakte om op te staan en weg te lopen, boog zich tot vlak voor zijn gezicht, als om hem tegen te houden. Ze had overwogen wat ze allemaal tegen hem zou zeggen en wat niet. Hem niet van zich afstoten door te smalen en te schamperen: Je haalt jezelf omlaag door met dat volk om te gaan. Daar voel je je toch boven verheven? Ze mocht haar zelfbeheersing niet verliezen. Ze moest rustig en kalm blijven. Misschien was ze al te hard van stapel gelopen. Het was zeker dat er nog veel te redden viel, ze was ervan overtuigd dat ze hem nog zou kunnen bewegen die diensten niet meer bij te wonen. Het was een gril, een tijdelijke opwelling, een extra ontvankelijkheid van het moment. Het ging erom te doen alsof het een vervelend, maar klein incident was.

'O ja, er waren nog wat klanten. Ik heb voor een kleine veertig gulden verkocht. Valt mee, hè? Een tientje had ik nodig voor huishoudgeld, de rest heb ik in je la gelegd. Was het een bijzondere dienst?'

Zij mocht belangstelling tonen, over de dienst kon hij haar niets vertellen. Wat daar gebeurd was zou zij niet begrijpen. 'En,' ging zij verder, 'er was nog een kleine bestelling uit de stad, van Weidema. Tien bladbegonia's.'

'Ja, die zien er op dit moment erg mooi uit. Dik in het blad, gedrongen.'

'Maar Hans...'

Ze raakte hem aan, hij keek langs haar heen, hij had tegen deze thuiskomst opgezien. In een opgewonden stemming was hij teruggereisd, Ruben was tegen hem aan in slaap gevallen. De trein had voor zijn gevoel veel sneller gereden dan op de heenweg. In een oogwenk was hij in Velp geweest, op de Bergweg, bij het woonhuis. 'Maar Hans... zoals je nu tegen de dingen aankijkt, hoe is dat gekomen? Is dat al lang aan de gang, had ik het al eerder kunnen merken en is het mij niet opgevallen? Ik wil het begrijpen.' Ze wilde het gewoner zeggen: Is het door de lucht komen aanwaaien, op een goeie dag (op een kwaaie dag) als een windvlaag met krachtige geuren, een ochtend, een middag, heb je het toen ingeademd?

Hoe kon hij op haar woorden ingaan? Zij zou ze niet verstaan. Hij voelde haar blik, de hand die over zijn haar streek. Was er dan iets dat hij miste? Zat hij over iets in? Voelde hij onbehagen? Want, ze kon het niet anders omschrijven, hij had haar in de steek gelaten. Hij had hun zoon meegenomen, zonder haar mening daarover te vragen. Ze zei hem ook dat ze de stallucht had geroken, en de mensen met wie ze verkeerd hadden.

Ze had Rubens gezicht en handen wel drie keer gewassen.

Margje was weer gaan zitten.

Ze moest hem iets vertellen, ze wilde dat hij haar aankeek. Onwillig luisterde hij. Begreep hij het dan niet? Zonder dat ze verder iets zei? Nee, hij wilde niet begrijpen. Vanmiddag was ze bij de dokter geweest. Raadde hij het nu? Natuurlijk begreep hij wat ze wilde vertellen maar op dit moment, na deze middag wilde hij het nieuws, het goede nieuws, niet horen. Niet nu. Morgen pas. Overhaast kwam hij uit zijn stoel alsof hij alweer een stem had gehoord die hem dringend riep, wilde onder haar blik vandaan komen. Niet nu, morgen. Het was onmogelijk haar op dit moment in zijn armen te nemen, haar van blijdschap met zoenen te overladen.

Ze zag zijn verwarring. Hij was als een klein kind. Ze moest hem bij de hand nemen. Ze putte troost uit zijn verwarring. Goed, morgen dat nieuws. Niet vandaag. Ze huiverde even. Wie weet, als ze het vandaag deed, zou het slecht aflopen. Morgen, dat was garantie voor geluk, onkwetsbaarheid, dacht ze en het duizelde haar even.

'Welterusten,' zei hij, op het moment dat hij de kamer verliet. Zij zei rustig dat ze zo kwam. Het was al een tijdje gewoonte dat zij later naar bed ging. Blad van de struiken rond het huis bewoog tegen het raam. Het leven zag eruit alsof het dik in orde was.

Die nacht werd Margje wakker en had het koud. Iets ontbrak. Zijn regelmatige ademhaling. Haar hand zocht hem tastend en vond slechts het onderlaken.

'Hans, waar ben je?' Ze knipte het licht aan, hij was er niet. Op de overloop lag hij geknield voor de dekenkist. Ze zag het wasgoed dat ze nog moest vouwen en in de linnenkast had willen opbergen. Zijn handen waren losjes gevouwen, als twee lichte pakjes in elkaar geschoven en zijn hoofd lag op de handdoeken. Over het koude zeil liep ze naar hem toe. Hij sliep. Biddend was hij in slaap gevallen. Ze keek naar zijn smalle, gebruinde nek, schudde haar hoofd, had met hem te doen en op haar hurken, in haar witte nachtpon drukte ze haar lippen tegen zijn hals. Hij kreunde met een hoog geluid als een klein kind dat in zijn droom achterna wordt gezeten door een wild beest en net te laat is om het tuinhekje achter zich dicht te trekken.

'Kom,' zei ze. 'Je bent ijskoud.' Ze nam hem bij de arm en leidde hem naar bed. Hij ging liggen en sliep door.

42

~

'Jongen, je zou me zo voorbijlopen.' Mieras grijnsde naar Hans, liet zijn grote, goedverzorgde tanden zien. Hij stond verscholen in het smalle pad tussen twee broeikassen, uit zicht van het huis, aan zijn voeten de aan alle kanten uitpuilende koffer. Hij drukte de hand van zijn oude vriend, hield die vast, legde ook zijn linker op die van broeder Sievez, keek hem onderzoekend aan. Hij had zo'n idee dat het nodig was zich weer eens te laten zien.

'Of heb ik het mis? Kom, laten we een geschikte plaats zoeken.'

Hans verdrong de gedachte aan al het werk dat gedaan moest worden, volgde Jozef die tussen de buitenbakken door, de koffer over de grond meezeulend, in de richting van de hulsthaag liep. Hij zocht altijd de schaduw op, zweette van nature overvloedig, en rook. De broeibakken in rijen van vijf naast elkaar, waren gescheiden door een smal pad. Jozef nam plaats op de hoge kant en wees Hans zijn plaats op de lage van de ertegenover liggende bak. Jozef zat meer dan een halve meter hoger, hun voeten raakten elkaar.

Mieras strekte zijn arm, gebaarde naar de bloeiende IJslandse papavers, meende dat fraaiere tinten op Gods aardbodem niet te vinden waren, schudde in diepe verwondering zijn zware hoofd. Het waas dat over het land lag. Een goddelijk waas, maar we moesten oppassen: De Heere is in de natuur niet kenbaar, zelfs niet in een transparant waas, hoe bedwelmend ook. De Heere God is slechts kenbaar in het Zoenoffer, in de heilige bloedstorting op Golgotha.

Hij greep beide handen van Hans, drukte die lichtjes tegen elkaar, alsof er iets breekbaars tussen lag dat beschermd moest worden, hield zijn zachtmoedige, volle gezicht liefdevol op hem gericht. Er was alweer zoveel tijd voorbij sinds de vierschaardienst. Er was veel te doen, de tijd gleed als zand door je vingers. 'Ik had eerder moeten komen.' Hij droeg een onberispelijk wit overhemd en, naar het leek, een nieuw zwart kostuum. Zou die plechtige kleding het belang van deze ontmoeting moeten onderstrepen? 'Hans, ik weet hoe je je voelt. Aangaande die dingen zal niets voor mij verborgen blijven. Ik zie aan je houding dat je teleurgesteld bent. Twijfels bespringen je. Van de Heere merk je niets meer, sinds de vervoering.'

Hij wees in de richting van het veld zonnebloemen. Die roes was niet meer teruggekomen, de stem in de vuurkolom verwaterd, verdwenen. 'Broeder, je voelt je verlaten. Formuleer ik het zo goed?'

Hans kon zijn woorden slechts beamen. Niets van die diepe ademhaling Gods die hij had mogen ondergaan was overgebleven. Ja, zoals Jozef het onder woorden bracht, zo precies voelde hij het. Maar Jozef Mieras, de voormalige tuindersknecht, had met hem te doen. Bewogen, als Christus ooit de schare, onderwees hij hem. God was werkelijk met hem begonnen, maar Hans' kennis van God was nog zo gering en fragmentarisch. Hij zat in het beginstadium, op de onderste trap van de ladder. Hij zou langzaam moeten klimmen, van het ene stadium in het andere komen: de ellendekennis, de roeping, dan de verlossing. Bovenaan, de heiligmaking. Hij kon het slechts op één manier zeggen: de ziel verkeert in geestelijke doodstaat, is op dit moment letterlijk op sterven na dood. 'Nog vele zware jaren, in de tijd, zullen volgen en je zult je de meest verlatene aller mensen voelen.'

De hulst bloeide overdadig dit jaar. Het zou een goed hulstjaar worden. Zodra de bessen, eind november, begonnen te kleuren zou hij samen met Margje en Ruben netten over de struiken uitspreiden. Rode beshulst was altijd schaars. Verslagen keek hij naar de onaanzienlijke witte hulstbloemen. Hij werd duizelig van de kloof die gaapte tussen die wereld en de woorden van Jozef. Hij kon ze niet bij elkaar brengen.

Jozef ontgespte de riemen, knipte het slot open, viste een bijbel met weervlekken uit de koffer. 'Hij is aan jou begonnen. Ik zal het je laten zien. Doe je ogen dicht.' Hij gaf hem het boek in de handen. 'Neem een willekeurige bladzij.' Hans aarzelde, Jozef moedigde aan. 'Het kan een weg zijn die Hij bewandelt!' Ergens in het midden sloeg hij een pagina op. 'Doe nu je ogen open en lees.' Hans las: 'Voor u die Mijn Naam vreest, zal de zon der gerechtigheid opgaan. Gij zult springen als kalveren uit de stal.' Jozef zei dat de Heere zijn hand had vastgehouden. 'Hij heeft je uit Maleachi laten lezen, de laatste profeet uit het Oude Testament. De naam betekent bode van Jahwe. De Heere zendt jou Zijn bode.'

Op dat moment verloor Hans alle twijfel. Jozef zei ware dingen. Bij hem voelde hij zich thuis, hij bezat niet die strenge predikwoede van een Steffen, had behalve aandacht voor het goddelijke, ook aandacht voor een verwilderde steenanjer, opgeschoten in een scheur van de broeibak. Jozefs blik was op dit moment gericht op het rijkbloeiende plantje.

Om hen heen heerste de vredige stilte van de tuin; de beide sequoia's waren donkere gedaanten tegen de hemel, de papavers gloeiden lichtrood en Jozef tuurde nu van de aarde omhoog, met een verheerlijkt gezicht. Zag hij iets? Het tafereel was ernstig, plechtig, religieus. God was er, zonder twijfel. En Jozef was zijn profeet. Zo ongeveer zag Hans het en hij zou het Margje onmogelijk kunnen vertellen.

Wat zei Jozef nu? 'Hans,' had hij gezegd, 'er zijn soms dagen dat ik, zo gezond als ik ben, zou willen sterven om de Heere te aanschouwen. Nu al.' Dat was Hans teveel, te groots. Hij dacht aan zijn mooie vrouw, de lieve zwangerschapsvlekjes op haar wangen terzijde van de neus, het kind dat ging komen. De twijfel sloeg toe. Nu sterven. Jozef had zacht gesproken, maar in de stilte van de tuin klonk zijn stem nog steeds over de bedden met primula veris heen. Jozef nodigde hem uit te knielen. Ze knielden naast elkaar, de handen op de hoge zijde van de broeibak gevouwen. Jozef bad: 'Wij zoeken Uw aangezicht. Wij zijn uitverkoren, wij zijn verlost, maar wij weten hoegenaamd niets.' Daarna leek Jozef meer voor zichzelf te bidden. Wat hij binnensmonds mompelde was niet te verstaan. Nadat hij zweeg, bleven beiden in die knielende houding, om niet abrupt tot het veel aardsere staan terug te keren. Hans wachtte tot Jozef het initiatief nam, hoewel zijn rechterknie op een kiezelsteen drukte.

'Geduld past je. Het is nog lang niet zo ver dat de ziel met God in de bruidsgestalte mag verkeren.' Op dat moment zag Hans dat Ruben vanaf het waterbassin toekeek. Wat moest hij van zijn vader denken? Hans keek van zijn zoon naar Mieras en schaamde zich voor de situatie. Mieras kwam uit zijn knielende houding en Hans volgde direct.

'Daar is je zoon,' zei Mieras. 'Laat hem bij ons komen. Hij hoeft niet toe te kijken.'

Hans wenkte. Ruben kwam naderbij en gaf Mieras een hand. Daarna begon deze boeken uit de koffer te halen en in stapeltjes op de rand van de broeibak neer te leggen. Het leek of hij een inventaris ging opmaken van de hele inhoud. Hans en zijn zoon keken toe. Hans vroeg zich af of hij Ruben met een boodschap moest wegsturen. Mieras bleef boeken stapelen, zocht misschien series bij elkaar, merkte op dat de mens bijna nooit zeker is van zijn intenties, dat in een mensenleven bijna niets weloverwogen gebeurt en dat het een wonder was dat hij nu een fraaie uitgave van de Bohemer Johannes Hus in zijn hand hield. Ook zo'n wonderbaarlijke wegbereider van de Reformatie. Hij prees het werk aan, klopte, tikte ertegenaan, wreef over de pagina's, somde de weldaden op die het lezen zou opleveren, vroeg Ruben of hij net als zijn vader van lezen hield, zag in de koffer een preek van dominee Poort, stenografisch opgetekend door een toehoorder en later uitgewerkt. Hus en Poort, twee groten. Hans had het idee dat hij ze cadeau kreeg, maar Jozef bood ze aan voor de handelsprijs. Samen veertig gulden. Verder kon hij niet gaan. 'Ze geven aan hoe het gesteld is met de huidige Nederlands Hervormde

Kerk. Hus liet, vóór Luther, zien dat de Rooms-Katholieke Kerk in de vijftiende eeuw al een totaal verdorven instituut was.

Hans keek in zijn portemonnee en wist dat er nauwelijks geld in zat. Wat hij vanmorgen had gebeurd was direct als huishoudgeld naar Margje gegaan.

Hij had het niet. Hij keek noch naar Mieras, noch naar Ruben. Beide boeken zou hij graag in zijn bezit hebben. Mieras zag de begeerte, legde een hand op Hans' schouder: 'Wij lijden. Het gaat erom dat wij lijden in vrede.' En zich wendend tot Ruben, met een lichte aarzeling: 'Ik heb je vader ooit *herkend*.' Hij besloot om het bedrag af te ronden op vijfendertig gulden. Hans' geest werkte koortsachtig. Hoe aan geld te komen? Ruben naar huis sturen en tegen zijn moeder laten zeggen dat inderhaast een nota voor glas voldaan moest worden? Zoiets? Margje zag hem aankomen, zou er het fijne van willen weten.

De koffer lag open in het pad tussen de broeibakken, Hans draaide de boeken om en om. Ruben zei dat hij geld op zijn kamer had, gespaard met het wegbrengen van bestellingen voor bloemenzaken in de stad. Zijn vader protesteerde zachtjes. Nee, van dat geld moest hij afblijven.

Ruben was al op weg naar huis.

Hoe kwam Jozef hier nou op? Hij zei tegen Hans, zo nu en dan zijn arm aanrakend: 'Je had me kunnen doodmaken. Je sloeg me tegen de aarde en ik zal je nooit vragen waarom je razend was, zo buiten zinnen, jij altijd zo rustig. Toen wist ik zeker dat het niet de demon was die mij op jouw weg zette. Op het oog was ik slachtoffer... Ik heb toen begrepen dat je leed. Ik wist toen ook dat de Waarheid bestond, maar dat zij gekruisigd was, met ons erbij.'

Ruben kwam aanhollen, telde Mieras de vijfendertig gulden uit. Wat een bedrag. Hoeveel varens? Maar het was niets vergeleken bij het onontkoombare waar Jozef over sprak.

Ruben ging bij de waterbak zitten, verderop, bleef kijken.

Mieras had zijn koffer gesloten, vroeg Hans eens na te denken over een daad. Dat kon verlichting geven. Hij gaf een paar voorbeelden. Een gebed in het openbaar. Het kon ook een daad in het verborgene zijn. Had hij verzekeringen voor de tuin afgesloten? Je kon zonder, als je vertrouwen had.

Hij vertrok.

Hans ging aan het werk, bracht bladaarde naar de werkplaats, begon jonge, gewortelde geraniumstekken op te potten, drukte de aarde rondom met zijn duim aan. Hij werkte mechanisch, zijn ogen gericht op zijn bewegende handen. Hij werkte met grote ernst, een diepe, aangehouden ernst die misschien wel nooit meer door een lach zou worden onderbroken. Zag God hem nu? Had hij er goed aan gedaan zijn zoon dat geld te laten betalen? Het was veel geld. De boeken waren het waard. Daar twijfelde hij niet aan. Hij zou trachten de duistere ingewikkelde taal te door-gronden. Hij had Ruben erbuiten moeten laten. En dat advies van Mieras? 'Als ik je een goede raad mag geven...'

Hij liep door de tussendeur de kas in, trok zijn schoenen aan, een ander colbert, en fietste even later over het middenpad naar de uitgang aan de Schonenbergsingel. Hij ging een daad stellen.

'Hans?' Zij draaide zich naar hem toe.

Ze lagen naast elkaar in bed, in het donker.

'Ja.'

'Had je vandaag bezoek op de kwekerij?'

Hij wachtte met antwoord geven, hij wilde geen antwoord ge-ven.

'Is die man met de koffer er geweest? Je kunt het toch wel toe-geven als het zo is?'

'Ja, hij is even geweest, heeft wat rondgekeken.'

'Ik dacht dat hij nogal lang gebleven is.'

'Waarom vraag je het dan? Als je alles al weet...'

'Volgens mij heb je weer nieuwe boeken gekocht.'

'Een paar.'

Hij draaide zich op zijn zij, van haar af. Misschien hield ze nu op. Margje ging het bed uit, liep op de overloop heen en weer. Daarna hoorde hij haar naar beneden gaan. Zo kon hij niet in slaap komen. De trap kraakte, ze kwam boven en ging in het donker weer naast hem liggen.

'Maar... daarna ben je ook nog weg geweest. Ik had je voor iets nodig. Je fiets was er niet. Waar was je heen?'

Hij kon niet antwoorden, zei alleen dat het geen zin had om op die manier over deze dingen te praten. Hans kon eindelijk gaan slapen.

43

~

Hans wist niet wat hij ervan moest denken. Ruben declameerde de ene regel na de andere.

Ik zal, oprecht van hart, uw' naam...

Hij beëindigde het vierde couplet, ook zonder een fout. De jongen had een sterk mechanisch geheugen. Op deze zondagmorgen was hij eerst met zijn vader naar de kwekerij gegaan om de kassen te luchten en had toen aangekondigd dat hij vandaag de achtentachtig verzen van psalm 119 zou opzeggen.

Ruben was met een goede daad bezig, een goed werk. Hans zat ermee in zijn maag. Goede werken waren paaps en verboden, volgens Steffen. Was het Gode welgevallig een psalm zo snel op te zeggen? Hans wist het antwoord niet. Hij begreep wel dat Ruben hem hiermee een plezier wilde doen en zo ook het eeuwige leven hoopte te bereiken. Margje had Hans er de afgelopen weken al op aangesproken: de jongen zit de hele dag te repeteren. Waar dient al die verzenlererij voor?

Buiten hing de vredige wat onwezenlijke sfeer van een mooie zondagmorgen. Hans keek op de pendule. Ruben begon met couplet zeven. Daar waren de psalmen die David in het veld waren ingegeven niet voor bedoeld. Het was een dwaze onderneming. Hij zou Ruben moeten zeggen op te houden. Dit kon de Heere nooit welgevallig zijn, maar de jongen deed zo zijn best. Hij zou hem moeten bestraffen. Hans wendde zijn hoofd af, wilde niet meer horen wat Ruben zei. Zo dadelijk kwam Margje naar beneden en zou er misschien een twistgesprek volgen. Afgekeerd, de blik via het zijraam op de kassen gericht, schudde hij afkeurend zijn hoofd.

Ruben hield direct op, zag waarschijnlijk ook in dat dit te veel van het goede was.

'Het is goed zo,' zei Hans. Op dat moment hoorden ze Margje beneden komen.

Na het ontbijt was hij gaan lezen in Thomas à Kempis. Hij wist nu al dat hij met dit boek nooit klaar zou komen. Over elke zin kon je uren nadenken. Zoals deze: 'Een ziel die God bemint, versmaadt alles wat beneden God is.' Het zijraam stond op het haakje. Boven de nokken van de kassen hing een verblindende gloed, van de kasramen weerkaatsten vlammen als vurige tongen. Hoe graag had hij niet geleefd in die oude tijden toen in tongen gesproken werd en de apostelen zelfs in staat waren de paradijstaal te spreken, de oorspronkelijke menselijke taal. Hij staarde naar de verweerde bladzijden voor zich en voelde zich verbonden met allen die hem met deze lectuur, tot verkrijging van de eeuwige zaligheid, waren voorgegaan. Die keken er heel anders tegen aan dan Margje. Ze was net even achter hem blijven staan en had opgemerkt dat het boek niet fris rook. Hij was uit zijn concentratie geraakt en had het demonstratief van zich afgeschoven en zich naar haar toe gedraaid. Ze droeg haar zomerjurk, wit met grote, gestileerde, oranje bloemen. Je kon goed haar dikke buik zien. Over twee maanden werd de baby verwacht. Margje was er bijna zeker van dat het een meisje zou worden.

Ruben kwam van buiten.

'Mam, waarom heb je je mooie jurk aan? Gaan we ergens naar toe?'

'O, omdat ik er zin in had vanmorgen, omdat het zondag is en de zon schijnt.' En zich tot Hans richtend: 'Hoe vind je ze staan, de bloedkoralen? Je zegt er niets van!'

Op dat moment was de bel aan de voordeur gegaan.

'Hè, zo vroeg?' had Margje angstig geroepen. 'Wat kan dat zijn?'
Hans was naar de gang gelopen en had de deur van het nachtslot gedaan. Er was een kort gesprek geweest en daarna hoorde ze
hem weer dichtgaan. Margje en Ruben waren er zeker van dat hij
met iemand de kamer zou binnenkomen, maar hij was alleen geweest, had niets gezegd, terwijl ze hem vragend hadden aangekeken en hij was aan zijn bureau gaan zitten. 'Nou, wie was dat? Dat
vind ik toch een rare manier van doen. Je kunt het wel aan de
deur afhandelen, maar je mag ons op zijn minst toch zeggen...'
Hij gaf onwillig toe dat het een klant was geweest. Iemand die
voor een boeket kwam. Om mee te nemen naar het ziekenhuis.
Dat kon je toch ook op zaterdag bedenken.
Margje was het niet met hem eens.
'Iemand kan toch vannacht opgenomen zijn? Als je dan liever
geen geld op zondag wil verdienen, geef je het voor niets.'
'Of ze betalen een andere keer,' zei Ruben.
'Was het een bekende?' vroeg Margje. Hans gaf geen antwoord, maar zij vervolgde: 'We krijgen zo een mooie reputatie.'
Ze gebaarde naar Ruben: 'Ga kijken of je hem nog ziet.' De jongen liep het huis uit, keek de straat af, de klant was in geen velden
of wegen te zien. Toen hij terugkwam, mompelde Margje dat ze
het niet met deze gang van zaken eens was. Je joeg een klant niet
van de deur. Zoveel klanten hadden ze niet.
'Eerder was je niet zo!'

Nu werd de zondag door dit soort onbenulligheden verstoord.
Hoe kon hij op deze manier de ingewikkelde, duistere zinswendingen diep in zich laten doordringen? Hij trachtte zich in de
geest af te zonderen, fluisterde zacht een zin op het moment dat
Margje naar de keuken liep. 'Al waart gij een hel van droefheid en
beproeving, zo hebt gij nochtans reden om Hem te prijzen dat gij
niet in een hel van vuur en zwavel zijt. Al hadt gij een hel op uw
rug en een andere in uw borst, zo hebt gij nochtans reden om te
danken dat gij niet geworpen zijt in de hel onder de duivelen...'
Na deze zin sloot hij het boek omzichtig, schoof het van zich

af, boog zich naar voren alsof hij iets bijzonders zag (zijn zoon speelde in zijn eentje met het tommymes landkapertje achter het huis), duwde zich toen met stijve armen van de bureaurand af, hoorde Margje tegen Ruben zeggen: 'Wat pappa toch met dit mooie weer in die boeken te zoeken heeft...'

Hij talmde nog. Tegen deze zondagochtend had hij als een berg opgezien. Vandaag zou hij duidelijkheid scheppen. Hij schoof zijn stoel naar achteren, trok de onderste la van zijn bureau open en haalde er een bundeling dunne boekjes uit, los in een band gelegd, elk in een zachtbruin, bijna oudroze kaft, elk een twintig bladzijden dik. Nu ging er een heel moeilijk moment komen, maar hij had zich voorgenomen zich door niets te laten weerhouden. Margje had geen idee van wat te gebeuren stond. De verandering die hij ging doorvoeren in het gezin was hem uitdrukkelijk door de oefenaar voorgehouden. Ze zou op grote weerstand stuiten. Daar was hij voor gewaarschuwd, maar Hans moest één ding voor ogen houden: Er was eeuwig heil mee gemoeid. Want wij bestaan alleen in Zijn verlossing. Als hij dat voor ogen hield zou de ingreep gemakkelijk vallen. Hij hield het geschrift in zijn hand geklemd.

Hans hoorde hoe Margje de koffiekopjes op het aanrecht klaarzette, toen de kamer inkwam: 'Misschien is het goed als ik weer eens naar de kerk ga. De laatste keer is al weer maanden geleden. Jij doet ook zo bozig en afwerend. Je bent alleen met jezelf bezig.' Ze onderbrak zichzelf. 'Wat is er? Wat ben je bleek, wat kijk je me raar aan?'

Hij draaide zich helemaal naar haar toe, de schriftuur in zijn hand.

'Ik heb liever dat je vandaag thuis blijft.' Zijn stem had zacht, maar gebiedend geklonken. Er lag vastberadenheid en koppigheid in. Van zijn beslissing was hij niet meer af te brengen.

Ze keek hem beduusd aan, begreep hem niet.

'Dat zeg je zomaar?'

'Ik had je dit al eerder willen zeggen. Ook gisteravond heb ik naar een geschikt moment gezocht, maar je was steeds met andere dingen bezig en ik kon je niet onderbreken. Voortaan zal de zondagochtend anders verlopen. Er wordt een preek gelezen, er wordt gebeden en gezongen. Het hele gezin dient daarbij aanwezig te zijn.'

Zij stond bij de eettafel, wreef over het tafelkleed.

'Als ik nu weg zou willen gaan... Dat is niet langer toegestaan?' Er lag meer schamperheid in haar stem dan ze wilde, want ze zag dat het hem niet gemakkelijk afging. Daarom corrigeerde ze: 'Wat mankeert er dan aan die kerk? Wij zijn er getrouwd. We zijn ermee vertrouwd.' Hij, in het besef dat de grootste barrière genomen was, verkondigde dat die kerk de oude waarheid niet meer bezat, de waarheid zoals die uit de zestiende eeuw tot ons gekomen was.

'En als ik toch ga?' Ze zei het bijna vrolijk, maar ze wist dat ze niet tegen hem in zou gaan, geen conflict wilde.

Hij zei niets, hoopte dat ze zich zou schikken.

Ruben kwam binnen. Hij ging werktuiglijk tussen hen in staan. Zij legde hem uit wat pappa wilde. 'Ik weet niet wat ik ermee aan moet.' Ze sprak snel, struikelde over de woorden, stond nog steeds bij de eettafel waar Hans nu naartoe liep en de preek opengeslagen neerlegde. Het waren twee dichtbedrukte bladzijden van grijs papier met veel houtvezels.

Hans ging op zijn vaste plaats aan tafel zitten. Zij zou intussen toch begrepen moeten hebben dat iets aan hem was geschied, dat hij daar geen nadere uitleg over verschuldigd was.

Margje volgde de bewegingen van haar man, die een ernstige blik wierp over de eerste regels van de preek. De bloedkoralen halsketting op haar witte jurk met oranje bloemen schitterde, haar gezicht was rood aangelopen, met donkerder vlekken bij de jukbeenderen.

Ze liep om de tafel heen en ging in haar stoel bij het raam zitten. Ruben zat in de luie stoel van zijn vader, tegenover zijn moeder, aan de andere kant van de schoorsteenmantel, met de rug naar de suitedeuren. Hij keek op de rug van zijn vader.

De pendule sloeg halftien.

In de consternatie was Hans de psalmboeken vergeten, vroeg Ruben ze uit de la te pakken en uit te delen. Hij bladerde erin, in zichzelf gekeerd, een beetje moedeloos, op zoek naar de psalm die in de preek stond aangegeven. Hij voelde niets van vreugde, niets van zalige verlichting. Margje met het psalmboek ongeopend en achteloos in haar schoot, bracht uit: 'Maar, Hans, we hebben er verder nog niet over gepraat...' Hij, als antwoord, na een lang zwijgen, gaf psalm 119:1 op. Zij begon te bladeren, wilde niet zoeken, kon zich toch niet verweren, was er op dit moment niet eens toe in staat, wilde ook omdat Ruben erbij zat, geen woordenwisseling of iets anders dat uit verder tegenstribbelen zou voortkomen.

Hij keek niet opzij om te zien of ze het lied gevonden hadden, zette zonder nadere aankondiging in, onzeker.

Welzalig zijn d'oprechten van gemoed,

Zijn stem werd vaster, klonk harder, galmde. Margjes lippen bewogen nauwelijks, maar ze bewogen zonder geluid voort te brengen. Rubens situatie was zo mogelijk nog precairder. Hij besloot zo nu en dan een paar noten te zingen.

Die ongeveinsd des Heeren wet betrachten,

Hans smeekte de zegen van de Allerhoogste over de samenkomst af. Margjes handen lagen over elkaar, niet gevouwen in haar schoot, op het boek. Ze toonde onverschilligheid, zou rebelser willen zijn.

Vervolgens gaf Hans een korte toelichting. De voormalige dominee Poort had deze preek uitgesproken naar aanleiding van een tekst uit de Romeinenbrief: 'Weest afkerig van het kwade.' Deze predikant was door het kerkbestuur uit zijn ambt ontzet omdat hij had geweigerd een kind te dopen van vrijzinnige ouders. Hij was in de woestijn geleid waar de Heere hem al die tijd had onderhouden.

Na deze uitleg begon Hans te lezen. De eerste zinnen was hij nog gespannen, maar hij raakte al snel in de ban van de woorden die hij uitsprak. '...de mens, eens het pronkjuweel der schepping, heeft God uit de wereld verbannen. De mens zegt nee. Maar kan hij buiten God? Een oppervlakkige blik op de geschiedenis en ge hebt het antwoord op deze vraag. Neen!'

'Mens, je schreeuwt. Ze kunnen het op straat horen.'

Margje stond op, schoof de suitedeuren stevig tegen elkaar.

Hij, even van zijn apropos, staarde onthutst voor zich uit, wachtte tot zij weer zat, wierp een wrevelige blik achterom. Het duurde even voor hij weer op gang kwam, het goede leesritme te pakken kreeg. Waarom moest zij hem onderbreken? Moest hij rekening houden met mensen die op straat voorbijkwamen? Rond twaalf uur sloot hij de dienst af met het opgeven van het tweede vers van dezelfde psalm.

Margje hees zich verstijfd overeind om koffie te zetten. Toen ze in de kamer terugkwam, zat hij nog steeds op dezelfde plaats, zijn gezicht roerloos boven de preek, vaag herlezend wat niet goed gearticuleerd of verkeerd beklemtoond was. De zinnen waren ook zo lang, besloegen soms een halve pagina.

'Wil je de koffie buiten of binnen?' Haar stem klonk effen, geknepen.

Hij wees naar de tafel.

'Ik ga buiten zitten.' Omdat hij niets zei, draaide ze zich op de drempel om: 'Deze zondag is ineens heel anders geworden.' Ze wachtte even, hoopte dat hij daar in elk geval op in zou gaan, maar hij zweeg. 'Hans, ik ben het niet eens met de gang van zaken. Dat heb je toch gemerkt? Ik kan er niet over uit.' Hij dacht dat ze begon te huilen.

Ruben stond aarzelend bij de tafel. Margje haalde diep adem. 'Ja,' herhaalde ze, 'de zondag is anders geworden, alles is anders geworden.'

Ruben zei dat hij nieuwe vlierdoppen voor zijn pijlen ging snijden. Zijn vader had de afgelopen week van een soepele wilgentak een boog voor hem gemaakt. 'Ik ga op het Christusbeeld schieten.'

'Dat doe je niet,' zei zij.

Ruben holde de kwekerij op. 'Waarom zeg jij daar niets van? Dat soort dingen doet hij onder jouw invloed.'

44

~

De juwelier aan de Hoofdstraat legde Hans en Ruben uit dat amber fossiele hars was van een uitgestorven dennensoort. Ook succiniet genaamd. Hans hield de doorschijnende, goudbruine oorknoppen tegen het licht. Daarna mocht Ruben ze in zijn hand nemen.

Ze zaten aan een klein met vilt ingelegd tafeltje omringd door vitrines met sieraden, horloges. Ruben dacht dat ze mamma goed zouden staan.

Hans vroeg naar de prijs. De juwelier wees er nog eens op hoe fijntjes de oorknoppen waren. Heel elegant. Uit de beschrijving die Hans van zijn vrouw had gegeven zouden ze heel goed bij haar passen. Hij wees er ook nog op dat hij een reukvaasje van ambersteen in de aanbieding had. Slechts voor vijfentwintig gulden. Met de oorknoppen zou hij honderdvijftig kwijt zijn. Het was te geef.

Niet voor Hans Sievez. Hij schrok van de prijs, dacht aan een bedrag van een kleine honderd gulden.

Al een tijdje had hij met het idee rondgelopen. Hij wilde Margje een aardig cadeautje geven. Niet dat er iets speciaals te vieren was, geen trouwdag (die hij trouwens altijd vergat. Zij moest hem er altijd aan herinneren: Weet je wel wat voor dag het vandaag is?) Ook geen verjaardag. Nee, hij vond dat ze iets verdiende. Zij zorgde ervoor dat er met nauwelijks huishoudgeld elke dag eten op tafel kwam. Hij wilde er zelf vijfenzeventig gulden aan spenderen. Als Ruben er dan ook iets bij deed. Een cadeau van hen beiden. Voor tachtig, negentig gulden moest iets moois te kopen zijn.

Hans durfde de oorknoppen al niet meer in zijn hand te nemen. De koop ging niet door. Even liet hij zijn blik nog over de sieraden gaan, draaide toen zijn hoofd abrupt weg.

'We zien ervan af,' zei hij tegen de verkoper.

'Maar het flaconnetje kunt u toch achterwege laten?' probeerde de verkoper.

Hij schudde zijn hoofd. Nee, dan ging het nog niet. Hans schaamde zich. Altijd was er te weinig geld. Doorgaans verdroeg hij die situatie zonder morren. Nu vertrok zijn gezicht. Hij durfde niemand meer aan te kijken, wilde zo snel mogelijk de winkel uit.

'Maar pappa...' Ruben haalde veertig gulden uit zijn zak. 'We hebben geld genoeg.'

'Had je nog zoveel?' Hans was al lang blij dat het cadeau gekocht kon worden. Dat plan had hij zich eenmaal in het hoofd gezet, hij kon er moeilijk afstand van doen.

De juwelier legde de oorknoppen met precieuze gebaren in een doosje van donkergeel fluweel, pakte het zorgvuldig in goudpapier, deed er een lint om van gouddraad.

Buiten beloofde Hans dat hij Ruben het geld zo snel mogelijk zou terugbetalen.

Ze liepen samen langs het huis, zagen door het keukenraam dat Margje juist de telefoon neerlegde en iets op het notitieblok schreef. Ze ontving hen in de keuken met een opgewekt gezicht. Weidema van de Steenstraat had net gebeld: in de schouwburg werd een jubileumuitvoering van iets gegeven. 'Weidema vroeg of er nog calceolaria's waren. Ik zei direct: ze zijn op z'n mooist. Hij wil er honderd hebben. Hij komt ze vanmiddag zelf met de auto ophalen.'

Margje kreeg tranen in haar ogen, verontschuldigde zich, veegde ze weg. Die snelle tranen zouden wel met de zwangerschap te maken hebben, maar die kas vol bloeiende planten die maar niet verkocht werden zat haar behoorlijk dwars. Met dit weer zouden ze binnen een week naar de mestvaalt moeten. O ja, Weidema stond erop dat de potten gewassen waren. Zijzelf had moeite met bukken nu... Weer kwamen de tranen.

'Ruben helpt mij,' zei Hans. 'Ga eens rustig zitten. Je bent helemaal overstuur.'

Ze zaten met z'n drieën aan de keukentafel. Hans knikte naar zijn zoon.

'Mam, voor jou.'

Wat beteuterd zat ze met het pakje in haar handen. Ruben moedigde zijn moeder aan. 'Mam, maak het dan open. Het is van ons alletwee.'

Ze schoof voorzichtig het lint van het doosje, vouwde het papier netjes toe. Nog maakte ze het niet open. Niet dat ze bang was voor teleurstelling, maar ze wilde voluit genieten, hield het in haar hand, wilde zich niet in tranen laten gaan – die beide mannen aan tafel, dichtbij, het goudpapier waar ze met een vingertop overheen streek – ze kon de bruuske ommekeer nog niet helemaal aan: ineens die onverwacht mooie bestelling waarmee ze haar man tegemoet kon komen, en nu dit – dingen om je aan vast te klampen. Ze droomde, dat was duidelijk.

In afwachting keken ze naar haar opvallende jukbeenderen, meer uitstekend dan anders, de boog van de wenkbrauwen, de trillende neusvleugels, de gevlamde gloed over het haar in het licht dat door het keukenraam viel.

Ze maakte het pakje open, een glimlach om de zachte contour van haar lippen. Margje stond op om beiden te kussen. Ze droomde niet. Dat was duidelijk.

Met de oorknopjes liep ze naar de verweerde scheerspiegel op de post van de achterdeur, duwde een haarlok terug, hield ze een voor een tegen haar oor. Ze keek van zo dichtbij dat ze de spiegel bijna raakte, stond onbeweeglijk, zag slechts de vage weerschijn van haar gezicht achter het waas, draaide zich nog steeds niet om.

De telefoon ging.

'Als ze maar niet worden afbesteld...' zei Margje direct. Er was nu te veel geluk tegelijkertijd. Hans nam op. Het was opnieuw Weidema. Ze hoorden de korte afgebeten zinnen van de man. Maar wat deed het ertoe dat hij plat en afgebeten sprak. Hans legde bezweet de hoorn neer, beduusd. Weidema bleek ook de foyer te moeten decoreren en kon nog wel een honderd 'calzen' gebruiken. Ze hoefden niet te worden ingepakt. Ook de potten hoefden niet gewassen te worden, hij klopte ze toch uit. Margje legde een hand op haar buik, wreef zacht. Jammer dat hun meisje er nog niet was, dan had ze dit kunnen meemaken.

Met z'n drieën liepen ze naar de kas. Dit jaar had Hans ze niet in een buitenbak gekweekt, maar in de broeikas. Hier kon hij ze langer koel houden en bij hitte de bloei iets temperen. Ze knepen de ogen dicht toen ze binnenkwamen, zo verblindend geel. Ontelbare kleine pantoffeltjes.

'Nee, hommels,' zei Ruben.

De mannen droegen ze naar de werkplaats, zetten ze in kisten met houtwol. Ruben drukte er papierproppen tussen zodat ze nog steviger zouden staan. Margje keek vanaf het bankje toe. Wat was het heerlijk om veel te verkopen. Niet naar de composthoop te hoeven kruien om ze daar te laten verteren. Hans stak een sigaretje op, zij keek naar zijn mooie lichtblauwe ogen, vol vertrouwen. Weidema reed met zijn Vauxhall bestelwagen de tuin op. Het was heerlijk klanten op je tuin te zien. Te zien dat alle werk, alle cokes die erin zat, uiteindelijk loonde. Weidema had oog voor kwaliteit.

'Godverdomme, wat mooi! Die man van jou die kan een potje kweken.' Hans negeerde de vloek, trok slechts een fractie zijn wenkbrauwen op. Meer liet hij niet merken van zijn verstoordheid over deze vreselijke vloek, op zijn terrein, in zijn broeikas. 'Sievez,' riep hij (hij was alleen de kas ingelopen), 'godverdomme, ik wil ze allemaal. Hoeveel denk je dat er op de tabletten staan?'

Hans kwam erbij, keek om zich heen. Hij had er ook nog wat op schappen in een andere kas, in een andere kleurvariatie, donkerder, marron.

'Nog een honderdvijftig alles bij elkaar.' En hij wreef met zijn vinger langs zijn slaap en besefte dat het een gebaar was dat zijn vader gewoon was te maken als hij nadacht. Hans wendde meteen zijn gezicht van hem af, bang dat weer een vloek zou volgen, maar Weidema zei slechts dat hij alles wilde. Prees nog eens de kwaliteit, dong niet bij zo'n hoeveelheid iets van de prijs af, hielp mee met inpakken.

Hans schreef de nota. Zou hij nu ook nog contant betalen? Het waren er vierhonderdtwintig. Ze kostten in de handel een gulden. Vierhonderdtwintig gulden. Weidema haalde een pak geld uit de zak van zijn stofjas waarmee de hele kolenschuld voldaan zou kunnen worden. Die ruim vierhonderd waren voor hem een schijntje. Hans tikte aan zijn voorhoofd, ten dank. Dit geld gaf enorme verlichting. Hij kon ook Ruben terugbetalen. Ongekend.

Driehonderd gaf hij aan haar. Zij regelde de geldzaken. Margje ging thuis de oorsieraden indoen, nam Ruben mee.

Hans volgde hen met zijn blik tot ze het huis binnengingen, liep terug de broeikas in, sloot de tussendeur achter zich. In de middenvakken stonden hoge moerplanten waarachter hij niet gauw gevonden zou worden. Hij knielde zomaar op de grond, vouwde zijn handen en vroeg Hem om vergeving voor de grove vloeken die hier onder deze ramen waren uitgesproken. Hij zelf voelde zich zeer schuldig, alsof ze uit zijn mond gekomen waren, was ook schuldig omdat hij Weidema niet op die godslasterlijkheden gewezen had. 'Vergeef mij O Heere der heerscharen dat ik niet aanhoudend Uw Aangezicht zoek, en maar bezig ben met alledaagse beslommeringen en de grote dingen der ziel uit het oog verlies. Ik dank U dat U zich om mij bekommert. Ben ik Uw aandacht wel waard? Soms, daarnet nog, mishaag ik mijzelf, heb ik het gevoel in de dood te liggen.' Hij schudde zijn geheven hoofd, in grote ernst en nederigheid voor de Ontzagwekkende, want hij wist Diens blik op hem gericht.

Voor de mooie bestelling liet hij het bidden na. Met zulke zaken bemoeide de hemel zich niet. Onverwacht kneep hij zo hard zijn gevouwen handen samen dat zijn knokkels wit wegtrokken. 'O, God,' had hij stil gemompeld, 'reken mij dat vloeken niet aan, maar zo het U behage, laat het kind volgroeien en zo het Uw wil is een meisje worden.'

Op hetzelfde moment had hij spijt van deze woorden en liep het zweet in straaltjes langs zijn gezicht. Had hij er goed aan gedaan zo'n concrete vraag te stellen over iets waarover al lang een beslissing van boven genomen was? In zichzelf gekeerd bleef hij zitten, een glimlach verscheen. Hij had een mooie naam voor haar bedacht. Dit keer zou zijn dochter Hanna heten. Hanna is liefelijkheid, gunst, gratie, Hanna, één van de twee vrouwen van Elkana en de moeder van Samuël. De Heere heft de geringe op uit het stof, Hij heft de arme omhoog uit het slijk. De lofzang van Hanna: mooier, gevoelvoller passage, één die hem meer uit het hart gegrepen was, althans uit het Oude Testament, kende hij niet. Voor een jongen had hij geen naam bedacht. Het zou een meisje worden.

Hij zag aan de schaduw dat de buitendeur van de kas openging. Het was Margje. Ontspannen ging hij haar tegemoet. Een moment keek ze hem onderzoekend aan, bang dat hij niet alleen was.

'Kijk eens, hoe mooi. Ik had nooit... je hebt me heel erg verrast.' Ze nam zich haar angst kwalijk. Er was niets aan de hand; hij was aan het werk, zoals het betaamde.

'Ik heb een plannetje.' Ze hield zijn hand vast. Margje stelde voor een uitstapje richting de rivier te maken. Ze wist niet of de theetuin bij het veerhuis nog open was, begin oktober.

45

〜

Haar buik was groot en rond. Zij had zijn hand op haar buik
gelegd: 'Voel je het? Ze beweegt, ze schopt. Een levendig
meisje.' Hij had zich de woorden van Hanna uit Samuël herin-
nerd: 'Mijn hart juicht in de Heere, want Hij heeft mij goed gedaan. Er is niemand buiten U.' Hanna's loflied kende hij uit het
hoofd.

Boven de kwekerij stond de hemel wit als zink en de nokken
van de kassen waren glanzende koepels. Het wasgoed had doodstil aan de drooglijn bij de bessenstruiken gehangen. Daarna was
het ongemerkt licht gaan deinen en de hemel had geleidelijk aan
de tint van de Poire William tegen de zuidmuur gekregen en
toen, onverwacht, werd het kwaadaardig donker.

Hij had zich onder het wasgoed door naar de tuin gehaast.
Wind was fluitend door de geopende kasdeuren naar binnen ge-
zogen. Hij sloot de deuren, vergrendelde nokramen, snelde van
de ene kas naar de andere. De wind duwde tegen het glas, een ril-
ling trok door de hulst. Over de eenruiters op de broeibakken
trok hij staaldraad strak.

Storm naderde. De hoge toppen van de sequoia's bewogen alle
kanten op, de wind viel aan om de kashoeken. Margje kwam de
tuin op om mee te helpen. Hij vond dat ze beter naar huis kon
gaan, weg tussen al dat glas. Maar het noodweer was sneller. De
wind werd een orkaan, de tuidraden van de schoorsteen werden
omhoog geslingerd, de hulst schokte, sloeg neer. Plantenstengels,
takken, kluiten aarde, vogelveren dwarrelden boven het land. In

de schemer die heerste werd een verschrikkelijk kraken hoorbaar. De top van een sequoia brak, kwam neer achter de zuidmuur.

Hij greep haar hand en samen vluchtten ze de werkplaats in. Hier waren ze redelijk beschermd omdat hij rietmatten over het glas had uitgerold. Hans vroeg of zij het weerbericht had gehoord en moest schreeuwen om boven het lawaai uit te komen. Zij schudde van nee, riep dat Ruben gelukkig op school zat, het gebouw aan de Jan Luykenlaan was groot en solide.

Zij wees op de lucht. Waar die net nog inktzwart was geweest werd een verlichte afgrond tussen de wolken zichtbaar. Een peillood daarin neergelaten zou de bodem nooit bereiken. Daaruit ontrolde zich een rode loper, helrood afkomstig uit een andere wereld. 'Of iemand zijn tong naar ons uitsteekt,' vond Margje en klemde zich aan haar man vast. 'Ik ben bang.' Hij zag iets heel anders, een rode oneindigheid die zich in de diepte uitstrekte en daarop de Troon met het Lam Gods en bij het Lam de honderdvierenveertigduizend op wier hoofden de naam van de Vader geschreven stond en een stem was hoorbaar: Dit zijn mijn losgekochten. Beiden geloofden dat ze een hemel zagen die nooit meer als vroeger zou worden.

Opnieuw een donker kraken. De top van de andere sequoia stortte naar beneden, kwam achter de zuidmuur terecht. Een zware tak verpletterde de oranjerie. Tegelijk voelden ze de vloer bewegen. Het leek of de hele kwekerij van diep uit de aarde werd opgetild, zich verhief, stapels eenruiters mee omhoogtrok. De donkerte nam toe, het rode licht verdween. Uit de afgrond boven hen viel zware regen die door de storm werd weggeblazen, én weer terugkeerde. Dwars over het middenpad van de tuin stond een bollende muur van regen, een vlucht vogels werd tegen de bassinwand gesmakt. Hij trok haar weg omdat een raamskelet zich door de nok van de kas boorde op enkele meters van de werkplaats. God was in toorn ontstoken. De Almachtige gooide Zijn Schepping ondersteboven omdat Hij te weinig rechtvaardigen vond. Het was gedaan met de wereld, het gericht was begonnen. O God, wie zou dan bestaan? Hans had zijn handen gevouwen, bad om uitredding. De zware ramen van de dubbele bak vlogen licht als een veertje door de lucht. Glas knapte. Hij hielp Margje de steile trap af en ze trokken zich terug in het diepst van de stookkelder, zes meter onder de grond.

Margje zei dat het erger was dan in de oorlog. Ze hadden zich hier schuilgehouden tijdens zware beschietingen. Het dorp lag in de vuurlinie bij de Slag om Arnhem. Werd de toegang via de werkplaats door puin afgesloten dan zouden ze altijd door een van beide stortgaten naar buiten kunnen. Door de twee kokers, zwart en rafelig van aangekoekt kolengruis, viel een witte nevel van fijne regen, zo fijn dat het witachtig poeder leek.

Margje was op het bankje bij de ronde ketel gaan zitten. Er viel niets te doen. Hans dacht aan de slagregens over de Ark die veertig dagen en nachten duurden. De kolken van de grote waterdiepten en de sluizen van de hemel waren opengezet.

De storm, hoe was het mogelijk, werd nog heviger. En ging plotseling liggen. Nog een paar korte gillen, een zacht suizen. Zij kuste zijn voorhoofd. Het was of het schroeide.

Hij ging haar voor de trap op, door een wolk nevel, zag in één oogopslag de schade. Van de broeikassen was geen ruit heel gebleven. De ramen lagen over de omgewoelde aarde verspreid, tot in de bomen, tot in de limoen, tot in de haag bij het kerkhof, stonden rechtop in het land geplant. Jong goed verpletterd, stelen geknakt.

Samen liepen ze over een laag glasscherven, hoorden de bomen nakreunen. De wind dwarrelde nog tussen de rode beuken en de geknakte sequoia's, maar de hemel was weer licht.

'Ze hebben het op ons gemunt,' zei ze zacht.

'Zo mag je niet praten,' bestrafte hij. 'Ook de storm wordt door Hem gezonden.'

'We moeten weer opnieuw beginnen.' Ze wilde hem troosten, maar hij maakte zich los, dacht aan de stap die hij in opdracht van Mieras gezet had.

Zij werd praktisch. De verzekering moest direct gewaarschuwd worden. Zij ging dat doen, wist waar de papieren lagen.

Hij bezwoer haar hier te blijven en leek in paniek te raken.

'Jij blijft hier. Ik ga dat doen. Dat zijn mijn zaken. Nee, jij niet.'

'Het zijn ook mijn zaken, maar goed...'

'Ik ken de tussenpersoon. Dat kan schelen in de afhandeling.'

Hij zou er persoonlijk met alle documenten heen gaan. Hij sprak op ongewoon snelle en heftige wijze, en bleef besluiteloos staan. Verstijfd stond hij voor haar, en doodsbleek. Zij dacht dat de aanblik van de schade, de in de grond gespietste eenruiters, hem aan de grond vastnagelde, moedigde hem aan nou maar te gaan. Hoe eerder hier iemand kwam kijken, hoe beter. Zij kon intussen wat glas ruimen al wist ze ook niet waar ze beginnen moest.

Hevig transpirerend hoorde hij haar aan. Zij zei: 'Ik geloof dat je ziek wordt.'

Zij kwam hem achterna, wilde toch mee. Met z'n tweeën zouden ze meer invloed hebben. Hij schudde zijn hoofd, haastte zich voor haar uit het huis in.

Binnen trok hij de bovenste la van zijn bureau open, deed of hij zocht – zij stond in deuropening – wist dat ze daar niet lagen. De sinds kort waardeloze contracten had hij opgeborgen tussen oude boeken in de onderste la.

Paniekerig duwde hij de la weer dicht, staarde door het zijraam naar de verwoestingen, speelde opnieuw dat hij zocht, trok een andere la open, liet hem openstaan, kwam overeind, zei gelaten dat het geen zin had om naar de verzekeringsagent te gaan. Ze keek hem niet-begrijpend aan. Hij herhaalde dat het geen zin had om stappen te ondernemen.

'Ik heb de glasverzekering geannuleerd.'

Een donkere woede had bezit van haar kunnen nemen. Ze had die Mieras, die Steffen, toen ze hen voor het eerst aantrof, van alles willen aandoen. Opstandigheid? Boosheid noch rebellie. Misschien was hier geen kruid tegen gewassen. Kijk, een laag inkomen, hoge lasten, dat is één ding. Dit is heel wat anders. Ze verweet hem ook niets, schreeuwde niet dat hij niet goed wijs was, om die verzekering botweg op te zeggen zonder haar erin te ken-

nen. Vroeg zich zelfs niet af hoe de broeders die hem zover gebracht hadden zoiets voor zichzelf konden verantwoorden. Ze
zouden hun praatjes wel weer bij de hand hebben en de slaande
hand Gods aanhalen: tegenspoed was geen tegenspoed. God had
geen lust de mens te kneuzen, maar het was zo goed voor de ziel,
en meer van dat soort onzin.

Zwijgend stonden ze daar. Hij steunde met beide handen op
zijn bureau, alsof hij diep nadacht over de te nemen maatregelen,
zij, heel dicht bij hem, heet van angst, vroeg zich af wat ze toch
verkeerd gedaan had.

Waarmeede zal de jongeling zijn pad,
Door ijdelheên omringd, rein bewaren?
Gewis, als hij 't houdt naar 't heilig blad!
U zoekt mijn hart, mijn oog blijft op U staren;
Laat mij van 't spoor, in uw geboôn vervat,
Niet dwalen, Heer! laat mij niet hulpeloos varen.

Ps 119: 5

Vijf

46

‹Hans, alsjeblieft!›

Hij haperde, stopte met lezen, keek verstoord opzij, van Margje naar de jongste naast haar. Ruben, zijn vader welgevallig, was de enige die aandacht toonde. Waarom onderbrak Margje opnieuw het lezen? Aan haar waren de woorden van de Poortiaanse preek niet besteed.

'Wat is er?' vroeg hij, zijn ogen al weer op de tekst gericht. Natuurlijk wist hij wel wat er was. Hij sprak te luid.

'Toe, je schreeuwt bijna. De hele buurt kan het horen!'

Maar die ontzagwekkende woorden konden toch niet gefluisterd worden, dienden van de daken verkondigd. Het was Gods Woord. De mensen op straat. De buren. Margje vond het jammer dat het goede contact met de buren – ik dacht dat jij daar ook prijs op stelde – verloren was gegaan. Eerder maakten ze dagelijks een praatje, liepen even bij elkaar naar binnen. Op Margjes schoot lag een kinderboek. Onder de preek las ze Tom zacht daaruit voor. Zij dacht dat Hans dat niet in de gaten had. Ook daarom moest hij harder dan normaal praten, om boven het gefluister uit te komen.

De pendule sloeg twaalfuur.

'Je bent nu al twee uur bezig. Denk dan aan de kinderen.'

'Als dat al te veel is in een hele week. Een dienst van twee uur.' Hij staarde naar de woorden, overlegde met zichzelf. Nee, dit was geen doen. Er telkens uitgehaald worden. Zo had het geen zin.

'Dan stop ik.' Hij bleef aan de eettafel zitten, probeerde de tekst voor zichzelf uit te lezen.

'Is pappa boos?' vroeg Tom in de stilte die was gevallen.

'Nee hoor,' zei Margje, 'pappa is natuurlijk niet boos. Maar we hebben nu al zo lang gelezen. We zijn allemaal moe.' En met haar hand op de blonde krullen van het kind: 'Zal ik koffie maken? Ik heb intussen wel zin en de kinderen willen ook iets drinken.' Haar toon was niet plagerig, maar ze had er schoon genoeg van.

Hij zweeg nog, aarzelde, verschoof het geschrift, was toen vastbesloten: 'Ik maak het af. Een leesdienst is een leesdienst. Die kan niet middenin worden beëindigd.'

'Je ziet asgrauw. Doe jezelf en ons geen geweld aan. Stop er voor vandaag mee.'

Hardop (maar zachter dan daarvoor) las hij verder waar hij gebleven was, besefte de duisternis van de zinnen die hij uitsprak. Zijn tong werd dik, zijn mond droog, zweetdruppeltjes vielen van zijn neusvleugels op de bladzijde. Hij verzonk in angst. Het was de bedoeling dat Gods Woord in dit gezin weerklonk, maar hij proefde afkeer, onverschilligheid, vijandigheid. Strak keek hij naar de tekst. Het einde van de predikatie moest gehaald worden. Hij schraapte zijn keel, zette nogmaals aan (het mocht op straat gehoord worden, hij schaamde zich niet) om niet ijl en hulpeloos te klinken: 'Wanneer is het gebeurd dat de Borg gewillig was om uw Borg te zijn? Hoe ging dat verbondmaken bij u toe?'

'Pappa leest weer. Hij is niet meer boos.'

'Sstt, lieve schat.' Hij wachtte niet, overstemde zijn zoon: 'Wat ging toen in uw ziel om? Wanneer bent gij een bondgenoot geworden van de Heilige God? Wanneer openbaarde zich de Verbondsgod, de Verbondsbemiddelaar? Wanneer raakte gij aan het schreien, roepen, zuchten, kermen, weeklagen om bondgenoot te worden? Denk daarover na, lieve toehoorder. Amen. Ja, amen.'

Het einde van de preek was gehaald, nog bleef hij zitten, doodop, een bittere smaak op zijn tong. Hij wilde iets liefs tegen de kleine zeggen toen zij hem overrompelde:

'Een gewoon mens kan er geen touw aan vastknopen.'

Hij reageerde niet. De slotzang liet hij vandaag achterwege, schoof zijn stoel naar achteren, raakte zijn oudste zoon even aan – 'jij hebt goed geluisterd' – en stond op om preek en psalmboek op zijn bureau te leggen. Zijn benen deden pijn alsof ze gekneusd waren. Hij ademde zwaar. Waarom moest het lezen in dit gezin zo moeilijk gaan? Van Huib Steffen wist hij dat er in Hardinxveld-Giessendam, in Lunteren, in Genemuiden, gezinnen waren waar ook de vrouw meeging in de Waarheid.

Zij was naar de keuken gegaan, Tom kroop bij Ruben in de grote leunstoel, hij trok de onderste la van zijn bureau open, haalde een kartonnen etui te voorschijn, zijn laatste aanwinst: twee zwaar aangetaste, in perkament gevatte gebedenboeken uit de zestiende eeuw, in een Nederlands van die dagen geschreven, zuiverder tekst bestond niet. Ze waren door God zelf gedicteerd. Hij was blij met deze boeken, hij was dankbaar ze in zijn bezit te hebben.

Zij zette zijn kopje bij hem neer, zag de gebedenboeken, op de groene onderlegger met namaakleren hoeken. Hij wist dat op haar gezicht afschuw te lezen stond. Ze zou wel een opmerking maken in de trant van: Heb je er nu nog niet genoeg? Wat heb je ervoor moeten betalen? Ze vallen zowat uit elkaar, die vieze oude dingen. Ze zei niets.

Ruben las zijn broertje voor, Hans roerde in de koffie, keek naar zijn tuin. Alleen de geknotte sequoia's herinnerden nog aan de ramp. Van het bedrijf dat hem altijd leverde had hij voor niets licht beschadigd, afgeschreven glas gekregen. De gemeente had uit een noodfonds tweeduizend gulden bijgedragen om jong plantgoed aan te schaffen. Met Gods hulp was hij er weer bovenop gekomen. Hij draaide zich om, keek naar het fijne blonde kopje van Tom. Bijna een meisje. 'Thomas,' zei hij zacht tegen zichzelf. Margje had deze naam bedacht. Hij had van harte toegestemd. Nee, het was geen dochter, geen Hanna geworden. Of een Hanne, een naam die hem nog lieflijker in de oren klonk. Een Hanne die op zijn moeder zou lijken. Mieras had hij na lang aarzelen telefonisch van de schade door de windhoos verteld, stotterend, het zweet in zijn handen. Mieras had geen troost geboden: menselijkerwijs gun ik je zoiets niet. Maar we kunnen God niet ter verantwoording roepen. Vanuit ons kleine mensenverstand kunnen we slechts opperen dat Hij jou de storm gezonden heeft. Hij maakt stuk en heelt met Zijn handen.

Hans draaide zich van zijn gezin af, begon in een van de gebedenboeken te bladeren, bekeek de versiering van een hoofdletter.

47

~

Het papier was in de loop van de eeuwen broos geworden, gedeelten van de bladzijden waren tot stof vergaan. Hij trachtte te lezen wat overgebleven was. '...zal het morrend klagen stuiten...' Hij proefde de woorden op zijn lippen, dacht diep na. Hoe vielen deze woorden met de voorgaande, onnoemelijk duisterder, te rijmen? Hij begon opnieuw, vergat vrouw en kinderen, de wereld. '...matig uw genegenheden tot de geoorloofde verkwikkingen van dit leven en laat uw hart er niet te veel mee ingenomen zijn...' Hij las nog te weinig om het Woord in zijn volle omvang te kunnen begrijpen in het licht van de eeuwigheid.

Als hij nu alleen in de kamer was – maakten de anderen nog geen aanstalten om naar buiten te gaan? – kon hij een woord, een zin, halfluid uitspreken en zo beter tot zich laten doordringen. Helemaal begrijpen was onmogelijk. Dat had Steffen hem te verstaan gegeven. God was onbenaderbaar. Mozes beklom de berg Sinaï en naderde de donkerheid waarin God was. De woorden moesten deels duister blijven. Dat lieten deze zestiende-eeuwse zinnen goed zien. Licht zouden ze afgeven als Hij bijscheen. Hans zat aan zijn bureau, gebogen, de handen plat op tafel, onbereikbaar ver. En alleen.

Nu liep Margje achter hem langs. Om iets voor de kinderen te halen. Het was zo moeilijk zich te concentreren. Losse woorden staken uit de warboel van gedachten, verdwenen weer voor hij ze kon vatten.

Door het zijraam zag hij haar schaduw. Ze kwam de kamer

weer in. Hij kon haar volgen zonder zich te verroeren.

Ze vroeg of hij wilde ophouden met het lezen. De kinderen wilden niet alleen zijn rug zien. En op zijn ogen moest hij wat zuiniger zijn.

Altijd storen. Altijd met kleinigheden, met zogenaamd grappig bedoelde opmerkingen. Nu gebruikte ze haar plagerige stem om hem tot de orde te roepen. Zij legde een hand op zijn schouder, een hand die brandde, maar op hetzelfde moment bukte hij zich naar de slecht dichtgeschoven la. Zo-even was hem een zinsnede bijna duidelijk geworden, de woorden lagen in hun duisternis met hun betekenis op hem te wachten. Hij moest volhouden, maar hoe kon hij zo zijn aandacht erbij houden?

Margje was op deze kostelijke zondagmorgen zo druk met van alles geweest, met Thomas, met bedden opmaken, met ander geredder. Hij had zijn eigen tekst, en voor de anderen hun psalmboek, al open gelegd, had steeds naar de klok gekeken. Het was halftien geworden, tien uur, tien over tien. Ruben had als enige klaar gezeten.

Eindelijk was ze met de jongste van boven gekomen, haar lippen nogal agressief rood gemaakt met lipstick die hij haar zelf eens cadeau had gedaan, de barnstenen oorknoppen in. Margje gaf de moed niet op. Zag hij wel dat zij ze droeg, hoe rood haar lippen waren? Zou dat niet een reden zijn om alles aan de kant te gooien, de huisdienst de huisdienst te laten, samen weg te gaan, een eind te gaan wandelen of langs de rivier te fietsen? Ze zag er prachtig uit, verleidelijk met de rode lippen, de goudbruine oorknoppen, bijna bloeiende katjes, in het bleke, vermoeide gezicht. Het liefst had hij haar in zijn armen gesloten, maar er waren nu andere, belangrijker dingen aan de orde. Hij was onmachtig een lieve opmerking te maken, een tedere blik naar haar te werpen.

Nee, hij wachtte, met ongeduld en dat lag duidelijk op zijn gezicht te lezen, tot iedereen op zijn geëigende plaats zat, in een tegelijk bewuste poging niet gemelijk of verstoord te kijken. Nooit begon de dienst op tijd. Was dat dan te veel gevraagd?

Hij zag wel dat zij het sprookjesboek op schoot nam op het

moment dat hij de preek bij de bladwijzer opsloeg. Eindelijk was het dan zover. Het gezin verzameld rond het Woord. Het behoorde de normaalste zaak van de wereld te zijn, in elk Nederlands gezin.

Na de dienst waren de jongens naar buiten gelopen. Tom wilde zijn grote broer zijn fuchsia laten zien die hij opkweekte. Hij zat op de Nutskleuterschool. Alle kinderen hadden een stekje meegekregen. Ze moesten er een volwassen, bloeiende plant van zien te maken. Het was nadrukkelijk verboden de stek uit de pot te halen en in de volle grond te zetten. De actie ging uit van de plaatselijke Floralia, een vereniging die zich ten doel stelde de jeugd dichter bij de natuur te brengen. In de loop van het jaar zou tijdens een feestelijke plechtigheid de keuring plaatsvinden.

Ruben zat op de ulo. Hij voerde niets uit, ging elk jaar met hangen en wurgen over. Geen uitblinker, zoals door het hoofd was voorspeld. Een heel middelmatige leerling die niet de geringste ambitie vertoonde.

De ouders keken hen na tot ze achter de kassen verdwenen.

Nu was hij alleen met haar. Hij borg de boeken op in zijn bureau, opende andere laden, om zogenaamd iets te zoeken, om zich een houding te geven, want zij verliet de kamer niet, bleef nog met de rug naar hem toe staan. Het was zeker dat ze hem zou aanspreken, hij voelde dat ze langs hem heen naar buiten keek, naar het punt waar ze beiden de kinderen uit het oog hadden verloren.

Ze vroeg of hij haar aan wilde kijken. Hij deed het, schoorvoetend. Margje zei dat ze er weinig zin in had om er opnieuw over te beginnen. Hij zag niet zonder schuldgevoelens de ogen in haar gezicht groter worden, alleen maar ogen.

'Zeg eens eerlijk, zijn er deze week weer van die colporteurs geweest? Ik heb er een paar teruggestuurd, maar wie weet komen ze wel via de begraafplaats de tuin op.'

Hij gaf toe, met tegenzin. Waarom moest daar nu over gepraat worden? Zij vervolgde dat het haar niet eens om die boeken ging, om de aanhoudende stroom van die boeken, al had ze er niets mee, als hij dacht dat hij er verder mee kwam, er niet zonder kon, het ging haar om wat anders.

Hij voelde zich ongemakkelijk, werd bang. Waar wilde ze naar toe? Hij zag dat haar gezicht rood aanliep, dat ze een gebaar naar hem toe inhield.

Zij was ook bang, zag op tegen wat ze hem ging zeggen. Maar ze wist dat ze de juiste woorden zou vinden.

'Hans, dit mogen de kinderen nooit te weten komen, ik durf er zelf nauwelijks over te beginnen.'

Hij zag haar radeloosheid, hoopte dat ze alsnog zou stoppen, niet verder zou gaan, hij wilde ingrijpen. Ze haalde diep adem, zei dat hij meer om Ruben dan om de jongste gaf.

'Ik zie het. Ik merk het aan alles. Ruben heeft het ook in de gaten, begon er uit zichzelf tegen mij over. Het is net of je van Tom minder notitie neemt. Je bent, door dit nieuwe geloven, een geloof waar ik niets van begrijp – je hebt je eigen vader erom verafschuwd, maar dat zal wel voor altijd in het duister blijven, dit allemaal terzijde, je bent door die andere kijk, laat ik het zo maar uitdrukken, in jezelf gekeerd geraakt. Verloren in jezelf, bedoel ik. Je ziet ons soms niet meer.' Ze moest op adem komen, ademde vlug, hernam: 'En Tom al helemaal niet.'

Hij had zijn blik afgewend.

'Kijk me aan. Ik wil je nog iets zeggen. Ik heb je er nooit over aangesproken. Tom werd 's middags in het ziekenhuis geboren. Je was er niet bij. Dat neem ik je niet kwalijk. De weeën kwamen onverwacht en je had een bestelling voor de stad. Je kwam terug op de tuin, de buurvrouw vertelde het je. Een buurvrouw die op ons gesteld is en zich sinds de diensten afzijdig houdt, ze weet er geen raad mee. Zij feliciteerde je met een gezonde zoon. Jij keek haar niet-begrijpend aan, leek ontzet, onthutst. Met een gezonde zoon. Hoe is dat mogelijk?' Margje sprak, met een snik in haar stem en ze keek hem aan, lange tijd. 'Je was zo teleurgesteld dat je haar vergat en de kist met houtwol die je in de hand had tegen de grond smeet. Pas 's avonds ben je ons in het ziekenhuis komen opzoeken. Eerder was het je onmogelijk.' Ze wachtte even. 'Je zegt niets. Ja, wat moet je daar ook op zeggen. Jij denkt zo vaak dat niets zeggen de beste oplossing is.'

Ja, hij had die slag moeten verwerken, had zijn best gedaan om dat tegenover de buurvrouw te verbergen.

'Kijk niet zo langs me heen,' wees ze hem terecht. 'Je kijkt of je me niet wilt zien. Bij het opstaan kan er nauwelijks een groet af. Je doet stug als ik je aanspreek. Is dat zwijgen een straf voor mij? Neem je mij iets kwalijk? Hans, ik sta soms verbaasd over mijzelf. Die leesdiensten, die vreemde lui op de kwekerij, het zwijgen als ik wat vraag, dat niet kunnen verkroppen dat het geen meisje is.' Ze had bijna gezegd dat het godsonmogelijk was om dit een normaal huishouden te laten zijn.

'Zeg wat.'

En toch.

Kon ze maar het verlangen opgeven dat hij op een dag weer de oude zou zijn, het leven doodgewoon. En dan zouden er nog genoeg zorgen overblijven.

De kinderen kwamen aanhollen.

'Ik hou evenveel van Tom,' zei hij haastig. 'Dat weet je net zo goed als ik.'

'Het is bijna een meisje,' zei ze. 'Hij is zo fijn gebouwd.'

'Mamma, een slak!' In de palm van zijn hand hield hij met gekromde vingertjes een huisjesslak.

'Tom heeft hem gevonden tegen de limoen. De stam zit er vol mee.'

Hierover kon nu niet verder worden gesproken, maar Margje was blij dat ze zich geuit had.

48

~

En hemelsblauwe slee met zes zitplaatsen en Amerikaans nummerbord reed de tuin op. Wim Maters, in een lange openhangende camel jas, hield stil ter hoogte van het waterbassin, riep 'Hé, buurman' naar Hans en zwaaide door het open raam. En altijd dacht Hans dan aan de Heer op de bandijk die met zijn rentmeester de pacht kwam ophalen, of een ritje over zijn landerijen maakte. Maters stak een hand door het raam om buurman te begroeten, kwam uit de auto, gaf hem nog een keer een hand, sloeg hem joviaal op de schouder. Wim Maters was een volksjongen, geboren in de Arnhemse wijk Klarendal, die het ver geschopt had. Hij was schatrijk; begonnen als eenvoudig huisschilder had hij na de oorlog een aannemersbedrijf opgezet en goed verdiend in de naoorlogse wederopbouw van de verwoeste stad. Sinds twee jaar bezat hij een grote villa aan de Hoofdstraat; zijn parkachtige achtertuin grensde aan de kwekerij van Hans Sievez. Het verwaarloosde huis had hij laten inrichten naar de eisen des tijds, de tuin was opnieuw aangelegd en hij had zijn achterbuurman de beplanting gegund. Meer dan tweehonderd geraniums waren erin gegaan, naast veel klein spul. Het was de beste particuliere klant die Hans ooit had gehad.

Maters was een gewone jongen gebleven, sloeg Sievez nog eens op de schouder; samen liepen ze over de tuin, hij wees hier en daar een partijtje planten aan dat hij graag wilde. Hij rook naar een duur geurtje.

'Mooi bedrijfje heb je toch!'

Ze kwamen bij de scherpe bocht van het middenpad, waar de kwekerij grensde aan de achtertuin van Wim Maters. Door het hoge geboomte eromheen kwam hier weinig zon.

'Ik zit wel eens wat te mijmeren,' zei Maters, 'als ik zo uitkijk over mijn eigen tuin, wat zou ik niet graag dat stukje van jou daar achterin erbij trekken. *Ech whèèr.*' Hij sprak nog steeds het platte dialect van zijn jeugd. 'Vroeger heeft jouw landje aan mijn tuin vastgezeten, wist je dat? Door verkaveling zit het nu bij jou. Mocht je het ooit willen afstaan – er groeit niet zoveel – laat het me weten. Ik heb er belangstelling voor.'

'Dan moet het water me wel tot aan de lippen komen. De zon komt er weinig, maar ik kan het moeilijk missen als opkuilruimte.'

Maters sloeg hem op de schouder.

'Zo zou ik ook redeneren in jouw plaats. Maar houd het in gedachten. Ik zal je heel goed betalen, ga ver boven de normale waarde uit.'

Ze liepen naar zijn auto toe. Hij had hem vorige week in Duitsland gekocht bij het Amerikaanse bezettingsleger. Voor een habbekrats. Maar wel duur in de benzine, één op drie.

Na het vertrek van Maters was een klein meisje op de tuin gekomen. 'Meneer, meneer,' had ze geroepen. Hans kwam te voorschijn uit een van de broeikassen. Het kind was vier of vijf jaar oud. In haar hand had ze een kwartje. Ze wilde bloemen kopen voor haar moeder die jarig was. 'Kom maar mee.' Ze gaf hem spontaan een hand en samen liepen ze naar het veld met scabiosa en brandende liefde. Zij mocht de bloemen aanwijzen. Hij sneed ze, maakte er een vrolijk boeketje van, vroeg ondertussen waar ze woonde en ze wees naar een van de grote villa's aan de Schonenbergsingel. Hij deed er nog een tak asparagus tussen, pakte het in. Zo'n boeket zou zeker een gulden moeten opbrengen. Het kind wilde hem het kwartje geven. 'Nee, je krijgt de bloemen van mij.' Hij keek haar na en had even geen zin om aan zijn werk te beginnen, droomde wat op de rand van het waterbassin. Zo'n meisje had zijn dochter kunnen zijn. Starend naar de bocht waar zij uit zijn ogen verdwenen was, moest hij weer denken aan het voorstel dat zijn buurman hem gedaan had en herinnerde zich uit het Boek der Koningen het verhaal van koning Achab. Het land bij zijn paleis grensde aan de wijngaard van zijn buurman Naboth en de koning sprak begerig zijn buurman aan. Verkoop mij toch uw wijngaard, want hij grenst zo mooi aan mijn eigen land. Het is precies het stukje dat ik nog mis. Ik zal er goed geld voor geven. Maar Naboth zei: geen sprake van. De koning lag gemelijk op bed, wilde niet meer eten. Zijn vrouw Izebel vroeg wat er aan de hand was. Ik wil zo graag de wijngaard van Naboth. Zij zei: U bent toch koning. Alles is toch van U! Laat het aan mij over. Koningin Izebel verspreidde via huurlingen valse getuigenissen over hem en liet hem stenigen tot de dood erop volgde. Achab nam de wijngaard in bezit.

Die middag verscheen Maters weer op de kwekerij om zijn bestelling aan te vullen. Hans vertelde hem van de koning en zijn buurman.

Maters lachte, vond het een prachtig verhaal, zag die Achab al trots op dat landje van Naboth heen en weer stappen.

'Sievez, jij bent een gelovig man. Bij ons thuis waren ze katholiek, maar we deden er al niets meer aan. Je hoeft niet bang te zijn. Ik zal je nooit dwingen.' Daarna nam hij opnieuw afscheid en Hans, met een glimlach op zijn gezicht, bijna vrolijk gestemd, liep het land op om een nieuw bed violen uit te zetten.

49

~

De zon stond laag boven het witgekalkte glas, raakte het land
bij de limoen waar Hans, touw afhaspelend lijnen uitzette
voor een nieuw bed, toen hij gekraak onder de haag hoorde en
even later een stem, hoog als van een kind: 'Goeiemiddag Sievez.'
Chris Ibel, in zijn lange zwarte jas, kroop door het gat in de haag,
een koffer achter zich aan slepend. In de schuinvallende banen
zonlicht kwam hij op Hans toe, het vuil van zijn jas kloppend.
Het viel Hans weer op hoe gering van lengte hij was. Bijna een
dwerg. Hij droeg zijn platte, zwarte pet. Spuug kleefde in zijn
mondhoeken. Ibel keek goedkeurend over het land en mompelde: 'Zo geve God u de vettigheid van de aarde.' Hij was nog steeds
druk zijn jas van grove stof aan het afvegen. 'Hier heeft de Heere
God zich dus aan jou doen kennen?'

Hans knikte bescheiden. 'De Heere zij geprezen.' Toen verscheen in de opening van de haag, plat over de grond kruipend,
Huib Steffen, gevolgd door Jozef Mieras. Ze hadden deze doorgang zelf ontdekt, onttrokken zich zo aan de vrouw van Hans
Sievez.

Hans haalde het bankje uit de werkplaats en een paar oude
stoelen uit de loods. Hier konden ze ongestoord praten. Hij zette
ze in een kring. Het bed violen zou hij afmaken als ze weer vertrokken waren. Het kwam niet in hem op (het mocht niet in hem
opkomen) dat ze niet welkom waren, dat hij nog zoveel op de
tuin te doen had. De lange zwarte jas van Jozef was van gelijke
grove stof, die van oefenaar Steffen van glad zwart laken.

245

Steffen keek om zich heen, terwijl hij plaatsnam. 'Ja zielen-vriend, een werkelijk paradijselijk plekje. We zijn bij je gekomen omdat er zeker vragen bij je zijn. We komen met je praten. De indruk die wij hebben is dat in jouw bekeringsweg stilstand lijkt gekomen. Bijna als iemand die na een snel, maar ondoordacht begin niet weet hoe verder te gaan. Maar laten we eerst bidden.'

Allen verhieven hun kin ten hemel.

Hij sprak luid. Voor Margje hoefde Hans niet bang te zijn. Zij was met de jongens naar de stad. Peek en Cloppenburg had geadverteerd met een speciale aanbieding goedkope maar degelijke kleding: 'Peek-kleedt-de-jeugd'. Daarna zou ze hen trakteren in Rutex. Steffens stem droeg ver. Het was hem onmogelijk zacht te spreken. Het gebed was gewijd aan het kwaad in de wereld. Steffen ging nu tekeer tegen het instituut Kerk. De Kerk was het kwaad. De Kerk was verstandswerk. De akker was vervloekt. Ze moest gesloopt worden. De klokken dienden uit de torens verwijderd. Hans zag zijn vader de koolstronken uit de vette klei loswrikken waarin zich het kwaad had vastgezet. 'Torens,' riep Steffen, 'zijn leeg, zinloos, zijn puntige staketsels die tegen God ingaan. Christus heeft geen zichtbare Kerk verordonneerd. Salus extra ecclesiam. De ware Kerk heeft geen tastbare gedaante. Het gaat om levende lidmaten.'

Een klein hondje kwam door de opening van de haag, huppelde over een paadje naar de mannen toe. Steffen had juist zijn gebed beëindigd, maar riep na zijn Amen luid: 'Dan zullen wij huppelen van zielenvreugd.' Op alle gezichten verscheen een glimlach van vertedering. Het hondje legde zijn kop op het been van Hans. Hij aaide het dier. Steffen was blijven staan. Zijn blik was vurig. In de vuurgloed van de broeikassen achter hem leek hij in brand te staan. Hij negeerde de hond en merkte als vervolg van zijn gebed op dat de mensen zondigen. Vooral kerkmensen. Er stonden vreselijke dingen te gebeuren. Zelfs in Schotland en in Oost-Friesland zou nu geen rechtvaardige meer te vinden zijn. In de kerk was het stervenskoud of drukkend heet. Steffen ging erbij zitten, vroeg naar de stand van de leesdiensten.

'Verlopen ze zoals het hoort?'

'Niet helemaal,' gaf Hans toe.

Hij stelde voor de komende zondag de dienst te komen leiden. 'Ik zal er tegen halftien zijn,' vroeg hoe Hans zich het moment van het 'gezicht' herinnerde.

Hans had niet op de vraag gerekend. Hij vond het steeds moeilijker dat moment terug te roepen, vertelde aarzelend dat hij toen de wereld van buiten af zag. Van buiten de sterfelijkheid, vanuit een ander, een volgend leven.

Steffen gebaarde dat allen moesten gaan staan. Er woei hoge wind door de sequoia's en rode beuken. Daar buiten was volkomen stilte. Ze stonden als standbeelden, midden tussen de bedden met blauwe violen, violieren. Hun lippen verbeten tot de grootst mogelijke ernst, op hun gezichten een afgekeerd zijn van alle lichtvaardigheid die de wereld rijk was, hun hoofden in het laatste zonlicht, het uitspansel boven hen een spiegel van metaal, weerkaatst in de kasruiten.

Ze namen afscheid van Hans Sievez, zouden elkaar gauw weer zien als ze tijd van leven hadden.

Toen de predikers in colonne weer onder de haag waren verdwenen, knielde Hans op het bed violen, vouwde zijn handen. Als Hans Sievez het nog niet had geweten, nu was het heel zeker: hij maakte deel uit van de broeders, maakte werkelijk deel uit van het wonder.

50

~

In gedachten verzonken stond hij voor zijn huis en keek de straat af die er in de dichter wordende mist steeds onwerkelijker uitzag. De huizen aan de overkant verloren geleidelijk aan hun contouren, de straat tussen de tuinen met ligusterhagen was een grijs hol. De straatlantaarns op deze zondagmorgen brandden en gaven vreemd blauwig licht. Even onwerkelijk was de aangekondigde komst van de begenadigde oefenaar Huib Steffen, die voormalige slagersknecht, die de gave van het woord gekregen had en vandaag in zijn huis wilde voorgaan. Hij was vereerd met zijn komst. Zou de mist hem niet beletten te komen? Dan was hij van een grote zorg verlost. Was hij op de tuin niet te snel ingegaan op het voorstel van Steffen de leesdienst over te nemen? Was het niet beter geweest het lezen in huis nog een tijdje aan te zien? Had hij dat niet alleen met Margje moeten oplossen? Daarom had hij de afgelopen week contact met Steffen gezocht en met de anderen. Ze waren onbereikbaar geweest. Noodgedwongen had hij het toen maar zo gelaten. Huib Steffen zou vandaag de dienst leiden, maar Hans had Margje hiervan nog niet op de hoogte gebracht. Elk moment kon de oefenaar uit de mist opdoemen.

Gisteravond had hij het haar willen vertellen, maar Tom had plotseling hoge koorts gekregen; zij durfde zo de nacht niet met hem in te gaan (hij zag er toch al zo broos uit met zijn fijne botten). De dokter was in de loop van de avond gekomen. Het was niets om zich ongerust over te maken. Kinderen op die leeftijd, tegen de lagereschoolleeftijd, konden ineens hoge koorts krijgen zonder dat daarvoor een directe oorzaak aan te wijzen was. De dokter had neusdruppels voorgeschreven en Hans was naar de apotheek gegaan. Daarna had hij er niet meer over durven beginnen. De volgende ochtend zou er nog alle tijd voor zijn. Maar de moed ontbrak hem. Hij zag haar verbaasde gezicht al voor zich, de verwijtende woorden: Hè, wat zeg je? Een vreemde in ons huis, op zondagmorgen? Wat zijn dat voor fratsen?

Hij liet het erop aankomen.

Ze ontbeten samen. De kleine Tom was nog hangerig, had geen zin in eten. Met Ruben ruimde hij de tafel af en liep daarna naar de tuin om de hoogstnoodzakelijke werkzaamheden te verrichten: rietmatten afrollen, zaadpannen met lauw water bebroesen. Weer in huis legde hij de preek, de gezangboeken klaar. De pendule tikte op de schoorsteenmantel. Het was al over halftien. Door het raam van de voorkamer keek hij met gekweld gezicht de straat af. Ruben had zijn zenuwachtige opwinding in de gaten.

'Papa, wat is er?'

'Niets jongen.'

Vannacht, voor het eerst, had hij van zijn vader gedroomd. Een man was in het donker op hem afgekomen en was pas geleidelijk aan zichtbaar geworden. Hij had zijn vader herkend. Hij was net uit de put geklommen en droeg zijn kleilaarzen. Zijn vader had hem bemoedigend toegeknikt. Hans was op de goede weg. Een gloeierige hitte trok door zijn armen en benen. Een schaduw op de weg. Een donkere gedaante. Daar was hij. Steffen in zijn lange, zwarte jas die bijna op zijn schoenen hing, een zwarte hoed op. 'Nu flink zijn,' beval hij zichzelf en liep met kloppend hart de voorkamer uit, de serredeuren achter zich dichttrekkend. De bel klonk hard. Margje riep van boven: 'Doe maar niet open. Het zullen wel weer Jehovagetuigen zijn.' Hans reageerde niet, opende de voordeur. Steffen bleef op de stoep staan, bekeek de plakplaatjes op de deurstijl: Vrij Ambon en het Protestants Interkerkelijk Thuisfront. 'Er zijn geen betere doelen om aan te geven.' Hans zei dat zijn vrouw voor deze zaken zorgde.

'Kom binnen.' Hij hielp de oefenaar uit zijn jas.

'Wie is dat?' riep Margje van boven.

'Kom maar beneden. Het is Steffen. Hij gaat vanmorgen de preek lezen.'

Het bleef lange tijd stil.

'Steffen?' Een naam die haar niets zei. 'Ik kom eraan.' Met Tom aan de hand kwam ze de trap af. Hans stelde de oefenaar aan haar voor. Margje gaf vormelijk een hand, deed beleefd. Steffen klopte nog wat mistdruppels van zijn zwarte broek. Hans ging hem voor de huiskamer in waar hij de lamp boven de eettafel had aangedaan. Margje ging in haar stoel bij het raam zitten, Tom naast haar in zijn eigen kleine stoel, Ruben in de gemakkelijke van zijn vader. De oefenaar nam Hans' plaats in alsof dit al jaren het geval was. Hans tegenover hem. De schikking was onverbiddelijk. Geen mens stuurde hierin. Het was al ergens, buiten deze kamer, lang tevoren vastgelegd. Steffen gleed met een harige wijsvinger over het ruwe papier van de tekst. Tom wees op de eivormige uitwas tussen de gladde plooien in zijn nek, maar Margje trok zijn hand weg. Ze gedroeg zich alsof Steffens aanwezigheid de gewoonste zaak van de wereld was. Dacht ze: Zo is het nu eenmaal, ik moet er maar het beste van maken?

Hans vermeed haar aan te kijken, durfde zelfs niet stiekem een zijdelingse blik op haar te werpen. Hij was aangenaam verrast. Steffen, de grote prediker, zat tegenover hem. Steffen was een weldaad. De weldoener vouwde, zonder aankondiging, de handen boven de tafel, hief zijn gezicht naar het plafond, de onheilspellende uitwas boven de boord bewoog, de oefenaar kruiste de handen voor zijn borst (Hans zou zo'n gebaar in aanwezigheid van Margje niet durven maken!), bracht ze weer boven tafel. Toen, de grote ruwe handen van slagersknecht om de preek geklemd, riep hij uit: 'Mocht het bestaan in uw genade, o Aanbiddelijk Opperwezen, dat wij op deze ochtend nog bij elkaar mogen zijn, in het besef dat de kleinste in de genade meer weet heeft van de dingen dan de grootste geleerde, voor zover onbegenadigd.'

Hij schoof de preek opzij, sprak improviserend over heiligen-de genade, schuldverootmoedigende genade, ontdekkende le-vendmakende genade. Zijn hoofd verhief zich, boog, verhief zich, schudde heen en weer. Nooit was het onder een dienst zo stil geweest. Steffen, zijn gezicht verwrongen van onstuimige geloofshartstocht, sprak in lange, hoge uithalen, soms in een donker, vol, grimmig grommen dat afnam, aanzwol. Zonder overgang zong hij een paar psalmregels op hele noten, een strijd-psalm gedicht door de ex-priester Petrus Datheen, een van de eersten die in de zestiende eeuw de Reformatie omarmde. Het lied klonk als het dreunen van een kar. Tom was tegen zijn moe-der aan in slaap gevallen, Margje had moeite om de ogen open te houden, schrok soms wakker, doezelde weer weg. Als ze haar ogen open had, staarde ze dromerig voor zich uit, streelde Tom, zag de beide mannen onder het lamplicht aan tafel, de een luid schreeuwend, als voor een immens gehoor, de ander in aanbid-ding. Het was ook de volkomen stilte buiten en de mist die slape-rig maakten. Van de buitenwereld waren zelfs de struiken langs het huis niet te zien. Ze zou gelukkig zijn als die stem zweeg. Daar was voorlopig geen sprake van. 'Is geloof, is deze grote genade-gift, lieve toehoorders, eigenlijk niet te groot voor de worm die de mens is?' Hij krijste, het gezicht naar het plafond. De kleine jongen trok onwillekeurig zijn hoofd terug, het voorleesboek gleed van Margjes schoot. Het oprapend mompelde ze in de richting van de tafel: 'Mens, niet zo hard.' De prediker hoorde haar niet.

Hans, onderworpen, vergaapte zich aan de godsgezant. Een slagersknecht die nooit had bijgeleerd, die vroeger had gestot-terd, zoals Mozes, en als een Aäron de singuliere gave van het woord gekregen had en een oefenaar was geworden in de exege-se. Hans zag dat licht hem omhulde. Zijn silhouet tekende zich af tegen de dichtgetrokken suitedeuren. Hans geloofde dat niet de mens Steffen, maar de oefenaar Steffen een rots was en dat de Heere dat had bewerkstelligd. Die man zat tegenover hem aan ta-fel, verwaardigde zich tegenover hem aan tafel te zitten. Hij was door Hem die het Al beheerst hierheen gestuurd. Wat was hij kleinmoedig geweest de afgelopen dagen, waarom had hij Margje niet openlijk en fier verteld dat een gezegende hun huis zou binnentreden? Op nog geen halve meter zat hij van Gods substituut op aarde. Deze weg had hij te gaan.

Geen andere. Alle twijfel was definitief opgelost. Zijn lichtblauwe ogen hechtten zich aan het heffen van Steffens hand, aan zijn lippen die maar woorden bleven vormen, zonder voorbereide tekst, uit de volheid van het hart, aan een oogopslag.

Zijn ogen lieten hem een moment los, gingen de kamer rond. Margje en de jongste waren in diepe slaap, bijna bewusteloos, hadden geen besef van waar ze waren. Nu hoorde hij haar zelfs kort snurken. Nu verscheen een glimlach op haar gezicht. Herinnerde zij zich andere tijden, lieflijker woorden?

Ruben leek wel te luisteren al had ook hij een boek open, op de stoelleuning. Ook voor hem duurde de preek te lang. Toch was die zoon hem het meest na in deze heilige dingen, al was hij niet bekeerd. Ook Ruben zou op de jongste dag niet gered worden, noch Margje en Tom. Of konden zij nog uitverkoren worden? Daar hoefde hij gelukkig zelf geen antwoord op te geven. God, in zijn ondoorgrondelijke wijsheid, zou daar zelf wel besluiten over genomen hebben. Viel Margje al definitief buiten elke redding? Want na je veertigste was een bekering praktisch onmogelijk. Van Steffen wist hij dat de Heere daar ongeveer de grens had gelegd. Was zij voor eeuwig verloren? Hier liep hij vast. Dit moest worden overgelaten. Hieraan zag je hoe nietig een mens was. Bij de eerste de beste vraag raakte hij al verstrikt. 'O Heere,' sprak hij stil, 'ik die zwak en bekommerd ben, wil het werktuig van uw hand zijn.'

De oefenaar gromde zacht, gromde luid. Zijn stem had talloze gezichten en alle waren krachtig en vervuld. Wat stelde hij zelf voor naast deze man? In vervoering keek hij toe, ervan overtuigd dat God, te midden van alle verwarrende gedachtekluwens over het onheil dat Margje en de kinderen wachtte, op deze ochtend hier aanwezig was. Het lamplicht glinsterde op de sterke pezen van de prediker. Steffen had varkens en runderen op zijn schouder gedragen, en ze ontbeend.

De oefenaar legde het hoofd in zijn nek, tuurde met gesloten ogen, als door het plafond, naar de hemelse God. Steffen was uitgeput, deed zijn colbertje uit, stroopte zijn mouwen op. Zijn schedel was kaal op een smalle franje van grijze krullen na, maar zijn armen waren royaal met zwart dons bedekt.

Margje trachtte in de keuken geheel op te gaan in het koffiemalen. Steffen en Hans hadden een sigaartje opgestoken.

Toen ze voor de tweede keer had ingeschonken kwam hij haar achterna, vroeg of de oefenaar straks kon mee-eten.

'En dat hoor ik nu pas?' Ze sprak zonder hem aan te kijken. 'Maar het is goed.'

Hans had gisteravond de aardappels geschild, de bonen afgehaald. Het was van belang op zondag zoveel mogelijk werk te vermijden. Planten op zondag water geven was toegestaan. God zelf had de natuur gevormd. Die moest onderhouden worden.

Hij bleef nog bij haar staan.

'Ik ben blij dat je meewerkt.'

'Het beetje vlees moeten we maar delen. Ik wil niet dat de kinderen tekortkomen.'

51

~

Hans dompelde een bol sfagnummos in een emmer water. Margje en de beide jongens keken toe. Tom vroeg waarom pappa dat deed. Margje legde uit dat het mos het water opzoog. De bloemen die er straks in werden gestoken zouden langer goed blijven.

Ze stonden in de werkplaats. De geur van optrekkende mist kwam binnen, Hans zei dat het een prachtige dag ging worden. Margje vond het land, geel en blauw van de bedden violen, zó, langzaam kleurend, op z'n allermooist. Ze zag er niet ongelukkig uit. Hans snoerde met draad de van het vocht druipende bol op de bagagedrager van Toms fiets, stak oranje afrikanen in het mos. Op het voorspatbord maakte hij een zelfde toef. Gedempt drongen flarden muziek in de werkplaats door. Het was Koninginnedag.

Via een particuliere klant had Hans het fietsje voor enkele guldens op de kop kunnen tikken. Een oud, roestig ding, maar hij had de roest eraf geborsteld, hem lichtblauw gespoten. Toms naam stond in parelgrijze letters in de stang gegraveerd. Het oranje van de afrikanen stak fel af tegen het blauw, gaf het blauw zelfs extra glans. Niemand die niet dacht dat Toms fiets in het kindercorso van versierde fietsen een prijs zou halen. Een fraaier versierde fiets was volgens Margje niet mogelijk.

Na de optocht zou op een landgoed vlak achter de Schonenbergsingel de keuring van de opgekweekte fuchsia's plaatsvinden. De plaatselijke afdeling van Floralia was een actieve vereniging.

Vanmorgen had Hans samen met Tom de plant afgeleverd. De jury had hem het nummer 152 gegeven. In de pot was een etiket met nummer en naam van de eigenaar gestoken: Tom Sievez. Bij thuiskomst had Hans direct gezegd dat die van Tom verreweg de mooiste was. Een korte gedrongen plant, volop in bloei, met een oneindig aantal knoppen. Wie weet zaten er twee prijzen in het vat.

Margje boog zich naar haar man, pakte zijn hand, drukte die een moment tegen zich aan. Hans was opgewekt, minder zwijgzaam. Hand in hand had ze die twee vanmorgen het pad zien uitlopen om de plant weg te brengen. Zou die kwade wind dan toch nog overwaaien? Hans verschikte een paar bloemen, besprenkelde ze met de fijne broes.

Margje sloot het huis af. De vlag wapperde bij de voordeur. Het viel op dat boven aan de straat waar de kleine arbeiderswoningen stonden niet gevlagd werd. Daar stemden ze bij verkiezingen rood. Ze daalden de straat af naar het centrum. Tom fietste tussen hen in. In de Hoofdstraat werd de stoet geformeerd door mannen van de Oranjevereniging. Ze droegen oranje rozetten in hun knoopsgat. Elke deelnemer kreeg een nummer op zijn rug gespeld dat correspondeerde met het nummer dat aan de fiets werd bevestigd. Het harmoniekorps speelde, de stoet zette zich in beweging. Hans en Margje bleven op het trottoir meelopen.

'Ik ben benieuwd,' zei Hans, toen ze via de Rozendaalselaan en de Wilhelminastraat weer bij het startpunt waren teruggekomen.

'Zijn fiets is verreweg de mooiste. Maar de jury denkt natuurlijk: Een kind van Sievez. Geen wonder.' De prijzen werden via een luidspreker bekendgemaakt. Toms naam was er niet bij. Margje zei dat ze er al een voorgevoel van had gehad. 'Andere ouders hebben hem bij een bloemenwinkel laten versieren!'

'Het is jammer,' zei Hans. 'Ik had het Tom gegund.'

Ze aten ijs in een ijssalon aan de Rosendaalselaan. Er was nog een kans.

'En als dat ook misgaat?' vroeg Margje zich hardop af.

'Dan heeft hij die mooie fiets.'

De villa op het landgoed was in het laatste oorlogsjaar getroffen door een v -1. Rond de ruïne en op het glooiende gazon dat afliep naar de vijver waarop de jongens in de winter schaatsten, stonden in sierlijke slingers de honderden planten opgesteld. Met een vrolijk gemoed, opgenomen in de algehele feestelijke stemming, volgde het gezin Sievez de aangegeven route. Nog even en ze zouden bij nummer 152 zijn. Op een natuurlijk plateau in het midden van het gazon, aan een lange witgedekte tafel met een barok opgemaakt bloemstuk, zetelde de jury, dezelfde als bij de optocht door het dorp. Ze bestond uit collega's en leden van de Oranjevereniging. Hans en Margje begroetten hen en kregen te horen dat de bloementoonstelling nu al een groot succes was en de doelstelling van Floralia bereikt. Margje zei tegen Hans: 'Ik had verwacht dat ze een aardige opmerking over Toms plant zouden maken.'

'Dat kunnen ze niet doen. Zo'n jury moet neutraal blijven.'

'Ik heb er een vervelend gevoel over. Ik kan me vergissen, maar ze deden een beetje schichtig.'

Hans had daar niets van gemerkt. Ze wandelden langs de inzendingen. Hij wees op de planten. De kwaliteit viel hem niet mee. Het waren allemaal schriel uitgegroeide fuchsia's. Zijn zoon had de uitgebloeide bloemen er steeds uitgehaald en de uitschieters getopt, zodat die van hem gedrongen was gebleven, vol.

Voor elke plant stond een wit bord met een nummer. Ze liepen nu wat gehaaster want ze naderden nummer 152.

Dat moest een vergissing zijn. De takken hingen slap over de rand van de pot. De plant was uit de pot geklopt om het wortelgestel te bekijken. Daaraan kon worden vastgesteld of hij niet in de volle grond was gekweekt. Toms inzending was niet gediskwalificeerd, waarmee de jury erkende dat er geen bedrog was gepleegd. Maar de fuchsia stond er nu als een vod bij, toonde niet.

'Een misselijke streek,' vond Margje. Hij vergoelijkte zijn collega's, ze moesten voor een kwekerszoon extra streng zijn. Hij draaide zich om en keek over het glooiende gazon in de richting van de jurytafel waarop de te verdelen prijzen stonden. Met geen van de mannen had hij een conflict, met geen had hij vriendschappelijk contact.

'Ik heb geen behoefte aan hun prijzen.' Hij was heel kalm, stak een sigaret op en nam een paar lange trekken.

Zijn beide jongens waren naar het water gelopen. Tom leek de plant al vergeten, keek gehurkt naar een school grondelingen in het heldere water.

Hans kauwde op zijn sigaret, inhaleerde opnieuw, in grote opgewondenheid, bleef naar de verlepte, moedwillig verwoeste plant staren, voelde zijn borst uitzetten. Daarbinnen kwam iets op gang waarover hij al geen zeggenschap meer had, maar dat een vreemd, ongekend genot gaf. Hij staarde naar de plant, naar die zielige, vaalrode trossen, bukte zich, rolde hem in zijn beide handen om en om, de fletse trossen bewogen driftig. Hij was zo rustig. Hij richtte zich op. Je zou denken dat Hans ermee naar de vijver ging om hem daar onder te dompelen. Maar hij wist wel beter. Margje riep wat hij ging doen.

De jongens zagen hun vader naar de lange witgedekte tafel lopen.

Ja, wat ging hij doen? Hij stond daar met zijn plant en keek de zes mannen in hun zondagse kostuum met rozet rustig, bijna dromerig aan. Jullie hebben dus... dacht hij en vroeg zich af waar Margje en de jongens waren, zag dat ze op hem toekwamen. Wat was zijn keel droog! Hij klemde zijn handen om de pot. Wat zag die plant er verschrikkelijk uit. Toch was er een halfjaar met liefde voor gezorgd.

'Sievez, zeg wat je op je hart hebt,' hoorde hij een van de mannen zeggen. Sievez, dat was hijzelf. Op dit moment de gave van het woord bezitten. Als Aäron. Als Steffen.

'Mijn zoon...' begon hij, maar verder kwam hij niet. Wat was er veel ruimte in zijn borst en wat waren die mannen nu ver weg. 'Mijn zoon... dachten jullie nu werkelijk...'

Hij zag dat een van de mannen overeind kwam, van achter de tafel op hem toeliep. Hans smeet met alle kracht die in hem was, mikte op niemand in het bijzonder. Niemand had tijd om terug te deinzen, zeker de man niet die nu zo dichtbij was. De bloempot schampte langs zijn voorhoofd. Was de man Goliath geweest, bepantserd en behelmd, hij zou hem evengoed hebben getroffen.

Tumult, er werd om een dokter geroepen. Hans keek met een glimlach toe. Een hovenier riep dat dit ernstige gevolgen zou kunnen hebben. Waarschijnlijk zou men hem uit de beroepsvereniging stoten. Onverschillig haalde hij zijn schouders op. Die vergaderingen? Daar had hij zich nooit thuis gevoeld, had er zich zelden vertoond.

Margje en de jongens waren naast hem gaan staan. Hij voelde de handen van de jongens, en háár lippen tegen zijn hals.

52

~

Om drie uur hadden ze samen thee gedronken, als elke dag. Om vier uur, iets later misschien, had hij weer in de keuken gestaan en was na een korte aarzeling doorgelopen naar boven. Margje hoorde hem op de overloop, hoorde de linnenkast piepend opengaan. Zij liep de kamer door, bleef in de gang onder aan de trap staan, riep.

Ze kreeg geen antwoord, liep tot halverwege, één hand op de leuning. Margje geloofde toen nog dat ze hem met een redelijk woord kon tegenhouden, dat zoiets en dus alles nog mogelijk was, liep de overloop op.

'Hans?'

Op de drempel van de slaapkamer bleef ze staan. Hij stond in zijn onderbroek voor de wastafel, zijn smalle, naakte rug naar haar toe die bleek als een doek afstak tegen de gebruinde nek en onderarmen. Hij schuierde zijn nagels, kon niet tegen rouwranden.

'Ik denk dat ik vanmiddag wegga,' zei hij. Hij hield zijn hoofd gebogen naar zijn handen, wilde haar gezicht niet in de spiegel zien. Ze wreef met haar vingers langs haar voorhoofd, een gebaar van wanhoop. Zijn zondagse lichtgrijze kostuum, dat hem zo anders maakte dan de andere broeders (maar hij paste toch ook niet bij die colporteurs en predikers) met een wit overhemd, manchetknopen en een stropdas, lag op bed.

Hij droogde zijn handen, begon zich te kleden, strikte voor de spiegel zijn das. Ze volgde nauwlettend zijn gebaren.

'Ik dacht... ik had gehoopt...' begon ze, 'na Koninginnedag...'

Toen had zij werkelijk gedacht dat het oude leven weer kon worden opgepakt, alsof er weinig of niets aan de hand was geweest, dat het allemaal een intermezzo was, een vergissing.

'Ik heb afgesproken dat ik er eind van de middag zou zijn.' Uit zijn stem viel op te maken dat het niet anders kon. Op zijn gezicht verscheen dat eigenzinnige, verbeten trekje. Er was die roepstem – in dit geval in de zeer wereldse vorm van een briefje dat hij op de inpaktafel had gevonden, ondertekend door Jozef. Een avondmaalsdienst. De eerste die hij bij de broeders zou meemaken. Hij kon niet wegblijven. Het heilig avondmaal was slechts voor weinigen weggelegd. Een allerheiligst gebeuren dat ver boven de gewone prediking uitging. Hoe kon hij weerstand bieden aan dat appèl?

'Waar moet je zijn?'

'In Lunteren.'

'Waar je toen met Ruben bent geweest?'

Hij knikte. Ze zag dat zijn das niet goed gestrikt was, liep op hem toe. 'Wacht, ik zal je helpen.' Zij trok de das los, knoopte hem opnieuw, raakte met de rug van haar hand zijn kin, zijn kaken aan, trok de knoop vaster. 'Zo zit hij beter,' zei ze tegen zichzelf. Het was of ze drie kinderen had. Ze moest zijn kleding corrigeren voor hij naar een schoolfeestje ging. Hans keek in de spiegel. De das zat zoals hij wilde. 'Je gaat dus naar Lunteren? Dan ga ik mee. Ik zet de andijvie wel af. Ik wil graag een dienst meemaken. Ik wil weten waar mijn man uithangt.'

Dat moest voorkomen worden. Hij kreeg het benauwd. Dat moest voor alles verhinderd worden. Hij drentelde in de slaapkamer heen en weer.

'Dat is niets voor jou. Daar hoor je niet thuis.'

'En jij wel? Blijf dan ook hier. Er is van alles te doen. Je kunt mij helpen. Ga niet.' Ze smeekte. Hij trok zijn colbert aan. 'Ruben en Tom komen zo uit school en vragen waar je bent. Wat moet ik dan zeggen? Jullie vader heeft zijn werk in de steek gelaten en waarom? Wat levert het op? Nee, jullie vader zal vanavond niet thuis eten.'

'Je gunt het me niet.' Het was het enige argument waarover hij beschikte om haar het zwijgen op te leggen. Een doeltreffend argument, vond hij zelf en hij wist ook dat het niet de waarheid was. Achterwaarts begon zij de slaapkamer uit te lopen, keek hem niet-begrijpend aan, ging ook achterwaarts de trap af, stap voor stap, de leuningen met beide handen vasthoudend, tot ze beneden in de kleine hal stond. Door het geribbelde ruitje van de voordeur viel gelig licht op de tegels.

Hij stond op de overloop, gebogen over de balustrade. Ze kon de punten van zijn schoenen zien. Hij hoorde haar zeggen: 'Dit is geen manier van doen. Wat heb je te zoeken bij die lui? Ik kan er niet tegen. Je hebt alleen oog voor hen, lijkt het wel.'

Ze wist zelf niet wat precies over haar lippen kwam. 'Een leven in je eentje leid je. Dat is toch zo? Waarom ben je veranderd? Ben ik tekortgeschoten? Waarin dan? Zoals we vroeger de dagen doorbrachten. Dat wil ik. Daar denk ik voortdurend aan. Waarom zou dat niet meer kunnen? Ik heb er niets op tegen als je anders tegen bepaalde dingen aankijkt. Dat wil ik je ook niet afnemen, maar zoals het nu gaat... Ik heb er zelfs geen moeite mee als je eens naar een samenkomst gaat. Het is eigenlijk zo verschrikkelijk eenvoudig wat ik vraag.'

Ze bleef staan, hoopte op effect van haar woorden, hoopte nog iets te kunnen bewerkstelligen. 'De kinderen willen dat je blijft. Zeg dan iets! Zei je maar: Ik kan het niet helpen, ik word erheen getrokken. Je zwijgt. Wat moet er eigenlijk gebeuren, om je hier te houden?'

Margje liep de kamer in, stak een sigaret op. Sinds kort rookte ze. De sigaret platdrukkend tussen haar kleine smalle vingers, hoorde ze hem de trap afkomen. Het duurde voor haar gevoel heel lang. Was dat een goed teken? Overlegde hij met zichzelf? Zouden haar woorden doel hebben getroffen en zag hij van de reis naar Lunteren af?

'Nou, ik ga maar.' Hij zei het zo neutraal mogelijk, hoopte op een aardig woord van haar kant. 'Ik moet nu weg.' Hij sprak zonder een spier van zijn gezicht te vertrekken, de hand nu op de klink van de deur.

Ze schudde licht haar hoofd.

'Nee,' mompelde ze, 'je gaat niet.' Ze sprak meer in zichzelf dan tegen hem. 'Daar ben je te goed voor. Je moet niet toegeven, je moet niet in gezelschap van zo'n Ibel verkeren.' Ze wilde eraan toevoegen: Ik weet het, tegen misoogsten kun je je ook niet verweren. Maar ze wilde niet kwetsen. Ze durfde hem niet aan te kijken toen ze zei: 'Het gekke is, als je straks weg bent... en ik bedenk waar je bent en met wie, dat is zo vreemd, zo volstrekt onvoorstelbaar voor mij, dat ik er niet aan denken kan en er toch steeds aan denk. Alles was goed. Natuurlijk, er waren geldzorgen. Dan, op een dag, je kijkt verbaasd: Hè, wat is hier aan de hand? Een man met een koffer aan de deur. Dan, op een zondagochtend, een vreemde in de huiskamer. Die jouw plaats inneemt. Jou wegdrukt. In alle opzichten. Zomaar. Een normaal mens weet niet wat hem overkomt. Een onbekende, niet om aan te zien, die het bestaat in ons huis, aan onze tafel, te zitten schreeuwen. Alsof het de gewoonste zaak van de wereld is. Een vaste gast aan onze tafel. Och Margje, probeer het eten zoveel mogelijk op zaterdag te bereiden! Dat heb je niet van jezelf. Dat heeft die Steffen je ingefluisterd... Als je maar beseft dat ik met grote tegenzin hierover begin...'

Ruben en Tom kwamen hand in hand langs het huis aanlopen. De oudste had zijn broertje bij de Nutskleuterschool in de Parkstraat opgehaald. Margje had hem op de christelijke kleuterschool willen doen, maar die lag aan de overzijde van de steeds drukker wordende Hoofdstraat. Hans wilde hem daar in geen geval, omdat hij de christelijke opvoeding aan niemand anders toevertrouwde. Zij had zich verzet, maar uiteindelijk om de lieve vrede toegegeven. Als zij had doorgezet en Tom zou iets overkomen onderweg, kon zij het zich aanrekenen.

'Gaat pappa weg?' vroeg de jongste. 'Mogen wij mee?'

Niemand gaf antwoord.

'Ik ga nu maar,' zei Hans. Margje leek hem niet te hebben gehoord, want ze bleef hartstochtelijk aan haar sigaret zuigen, terwijl ze een tekening van Tom bekeek. 'Ik denk dat ik nu maar ga,' zei hij opnieuw, en verlegde de regenjas op zijn arm. Hij keek haar kant op. Er was niemand die hem een goede reis toewenste, een fijne middag. Tom had zijn arm om Margjes nek geslagen, kuste haar.

'Pas op, liefje!' Ze drukte haar sigaret uit in de asbak. Weer liep hij de gang in. Nu zou hij de voordeur opentrekken, het huis verlaten, maar hij kwam terug – dat was tenminste iets: hij had moeite met weggaan – ging de kamer door, naar de keuken, trok de buitendeur achter zich dicht, nam ook niet het smalle pad langs het huis, maar het brede middenpad van de kwekerij. Door het raam van de huiskamer zag hij dat Margje zich de gang in haastte naar de voordeur.

Ze bleef achter het hekje van de voortuin staan. Hans keek strak voor zich uit; zij ook, toen hij passeerde. De jongens stonden achter haar. Zelfs niet een kort moment hebben ze elkaar aangekeken.

Hans drukte zijn jas stijf tegen zijn zij, zij klemde haar handen om de stang van het hek, bewoog haar lippen, alsof ze zijn aanwezigheid nog proefde. Ruben riep zijn vader die zijn pas even inhield. Ruben wilde het tuinhek uitlopen, hem achterna. Margje zei: 'Laat hem maar gaan.'

Daar liep hij. Ze keken hem na. Hij was met grote zorg gekleed. Voor het heilig Avondmaal. Toch niet in het zwart. Een lichtgrijs pak, een donkerblauwe stropdas met witte stipjes, glimmend gepoetste schoenen, een knappe man. Om trots op te zijn. Een man ook die in grote vertwijfeling verkeerde en nog steeds het gevoel had 'in de dood te liggen'. Vroeg deze man zich niet af waarom hij niet alsnog rechtsomkeert maakte? Hij was nu ter hoogte van het halfronde pleintje voor de begraafplaats met de grijze huisjes waar de doden werden opgebaard, daar waar de straat sneller daalde. Ze verloren hem uit het oog toen hij met grote passen rechtsaf de Wilhelminastraat insloeg.

53

Na het 'gericht' was hij op deze boerendeel niet meer geweest.
Hij had intussen met vele andere boerenbedoeningen ken-
nisgemaakt. Van Hardinxveld-Giessendam tot Genemuiden, ze
waren alle even donker, roken even zwaar en muf, als naar oude
sintels. Hij voelde dat zijn neusgaten zich spanden. De lucht
proefde anders dan de eerste keer, het duister leek nog donkerder, maar dat kon hij zich verbeelden. In de paar nietige lichtstra-
len leek het op het eerste gezicht of over de deelvloer witte lakens
waren uitgespreid of met kalk was gespoten. De vloer bleek wit
bestoft van uitgestrooid zaagsel. Waarschijnlijk om het ge-
schraap van de stoelen te dempen.

De mannen die al op het allegaartje aan stoelen, banken, kruk-
ken – er waren zelfs oude melkbussen bijgezet – hadden plaats-
genomen spuwden opzij of tussen hun benen door in het zaagsel. Hans Sievez was niet omstuwd als de eerste keer. Jozef en
Steffen hadden hem kort begroet en zich toen teruggetrokken in
het bijhok dat als consistoriekamer dienst deed. Hans had geen
zin om tussen de spugende mannen te gaan zitten en bleef op een
afstand staan. Ibel tikte hem op de rug.

'Sievez, loop even met me mee.' Op het podium stond de
avondmaalstafel opgesteld met brood en wijn. Hier was wat
meer licht. Chris probeerde een natgesabbelde sigarettenpeuk
van zijn lippen te peuteren. 'Sievez, wij hebben het er vaker over
gehad, het Avondmaal is slechts voor de krachtdadig bekeerden.
Daar behoor jij toe. Dat houdt niet in dat de avondmaalsgang

een vanzelfsprekende is. Wee de zondaar die onzuiver ter tafel gaat. Gods toorn zal hem treffen. Overweeg deze dingen als je straks voor de keuze komt te staan: Zal ik aanzitten of niet aanzitten. Bedenk in het bijzonder: Christus' aanwezigheid is in laatste instantie niet aan het menselijk geloof gebonden. Ook de ongelovigen hebben in deze wereld met het lichaam en bloed van Christus te maken. Maar, tot hun oordeel, zoals de apostel Paulus terecht opmerkt. Buig diep. Ga gebukt. Wees bang voor het Avondmaal, voor de allerkostelijkste Maaltijd die op aarde bereid kan worden. Bedenk dat het nog steeds mogelijk is dat jij slechts een naam-christen bent. Ga er niet heen. Mijd het om zijn heiligheid. Hier past van onze zijde slechts afmanende prediking. Doe het niet. Je bent bekeerd, zeker. Maar aanschouw je consciëntie. Vraag je af: Sta ik niet buiten Hem. In dat geval is het zeer vermetel aan tafel te gaan. En toch vraagt de ontzagwekkende God het.' Ibels bovenlip ging omhoog. Net of hij even glimlachte. Een minieme beweging, niet meer dan een schaduw die over dat gezicht trok. Een smerige zakdoek stak uit Ibels zak en zijn vettige das was slordig gestrikt. Ibel liet hem alleen. Hans liep een zestal rijen voorbij en vond een keukenstoel wat terzijde. Hij nam plaats, vroeg zich af of Chris Ibel wel kon glimlachen.

Vier mannen kwamen uit de consistoriekamer, in het donkerste zwart gekleed, en gingen bij de vier hoeken van de tafel staan. In een kleine stoet kwamen vervolgens Steffen, Mieras en Ibel op. Mieras schudde Steffen de hand. Er was dit keer geen lessenaar. Steffen posteerde zich naast de tafel.

Hans hoorde achter zich de klink van de lage poort, bedwong de neiging achterom te kijken. Laatkomers, het waren er twee of drie. Waarschijnlijk het groepje uit Goes. Bijna geruisloos glipten ze naar binnen, vonden een zitplaats bij de trog. Hans bad voor zichzelf, ter voorbereiding. 'Ik ben een arme zondaar. De zonde kleeft me aan van achteren en van voren. Ik heb de dood voor me. Daar moet ik eens doorheen. Ik stik. Ik zit tot stikkens toe in nood. Ik ben zwak in het geloof, koud in de liefde.'

Hij luisterde naar Steffen die met overslaande stem schreeuwde. 'Overschrijd geen kerkdrempel. Dan nog liever de bioscoop. De Nederlands Hervormde Kerk is een planting Gods. Door hem zelf gezet op Nederlandse bodem. Zoals het volk Israëls eens aan Egypte ontsnapte, ontkwamen wij aan het goddeloze Spanje.' De uitwas in zijn nek zwiepte op en neer, deed denken aan een verknoping van een zieke boomtak. Je trof ze vooral bij pruimenbomen, bij de reine-claude aan. Achter het stalraam stond een flauwe gloed. Spinnenwebben voor de ruit woeien op als tule.

De tafelwachters stonden als pilaren. Op de kale schedel van Steffen glinsterde zweet. Zo nu en dan haalde hij een boerenzakdoek te voorschijn en veegde zijn hoofd af. De ogen van de vier tafelwachters priemden, toen Huib Steffen de Dienst van de Tafel aankondigde en het aangaan aan tafel direct tegenmaakte door Gods toorn in herinnering te roepen voor wie niet onwaardig genoeg ter tafel ging. God zou in dat geval ogenblikkelijk en gewisselijk toeslaan. De oefenaar, goed op dreef, schilderde de hel als een woeste, hete kuil waar duisternis heerste en naar een druppel water gesnakt werd.

Hans boog het hoofd.

'O, Heere in der eeuwigheid,' mompelde hij en voelde zich verworpen. Toch waren wijn en brood zichtbare tekenen van Gods bemoeienis met de mens. Hoe kon hij zich voor de Tafel geschikt maken? Het ging erom met lege handen te komen. Maar hoe? Hij had een bedrijf waar nu al het werk bleef liggen, varenkiemen verdorden waar hij inkomsten van verwachtte. Er waren grote geldzorgen. Margje en de kinderen spookten door zijn hoofd. Leeg voor de Heere worden. Voldoende hebben aan de voeding van het Woord. Niet denken aan brood voor de dag van morgen. Hoe gloeiden de ogen van de vier duistere, eendere, want even lange en broodmagere tafelwachters. Hoe werd je tafelwachter? Nee, ik ga niet. Ik lig midden in de dood. Wat riep hij over zich af?

Steffen hief de handen als was hij Christus die de menigte zegende. Hij maakte een nodigend gebaar en sprak over 'toeleidende wegen' en 'toevluchtnemend geloof'. Even verschoof een stoel, de hitte gonsde aan het raampje. De blik van de wachters was zo hard als hun benige gezicht, hun knokige schedel. Ze straalden marmerharde onverbiddelijkheid uit. Het waren Gods persoonlijke afgezanten.

Op de schaal het witbrood, de kan met wijn gevuld. Het was nu volkomen stil. Iemand tikte met zijn schoen tegen de trog. Niemand maakte aanstalten om naar voren te komen. Hans onderscheidde de pomp met de koperen zwengel, tuigriemen, touw. Zelfs de lippen van de wachters bewogen niet. De vrouw als Lot.

Hoe werd je tafelwachter? Je moest natuurlijk een gelouterde zijn en hoog op de geestelijke ladder staan. De ladder van de reformatorische mystiek, die al met Ruusbroec, Hus en Thomas à Kempis begonnen was. Hans' vader had zich afgevraagd hoe hij op de steenfabriek vormer kon worden. Formeerder van klei. Waarom dacht hij nu aan zijn vader? Het zweet brak hem uit. Zat zijn vader aan Gods rechterstoel? Kon zijn vader hem zien? Wat was het duister in deze wereld, als in deze oude boerenschuur. Wie had gezegd: Het duister is mij licht genoeg?

Over de hanenbalken hingen jutezakken, een bos touw. Steffens blik was niet vragend, niet uitnodigend, maar observeerde strak. Was er iemand die de moed had? Wie durfde onrechtmatig dit heilig sacrament te vieren, wie durfde avondmaalsganger te zijn en meende voldoende ongegronde vrijmoedigheid te bezitten? Wie kon de avondmaalsvrees overwinnen en de opklimming tot 'bevestigd' gelovige maken?

Niemand, zo te zien.

Sommigen maakten wel kleine gebaren met hoofd en handen, stonden op het punt, kwamen toch niet overeind. Nee, niemand had de moed. De Tafel was voor niets gedekt en toebereid. Ze was te afschrikwekkend.

Hans was nog in strijd. Om te gaan. Niet te gaan. In beneveling toen het Amen van Steffens gebed al geklonken had en de tafelwachters van het toneel waren verdwenen. Mieras dankte Steffen met een stevige handdruk voor de dienst.

Hans bleef nog zitten, met een onbevredigd gevoel. Het avondmaal was toch niet voor niets ingesteld, nota bene door de Heere zelf, vlak voor Zijn kruisweg. Hij keek om zich heen in de donkere warmte, hoorde een zacht kuchen dat hem bekend voorkwam, keek beter, zag opzij van hem zijn jongens, eerst Ruben, daarna Tom. Achter hen stond Margje. Hij staarde naar hen alsof ze vreemden waren, zijn gezicht smartelijk vertrokken; met een ruk draaide hij zich van hen af, alsof hij iets verschrikkelijks in een droom had gezien, een beest in ontbinding, iets beschamends. Hij zou in de deelvloer willen wegzinken. Zij hadden hier niets te zoeken, hoorden hier niet. Dit was zijn terrein.

Hij zat daar maar op de gammele keukenstoel, was niet in staat hen te begroeten, ze moesten toch begrijpen hoe hij zich nu voelde. Waarom deden ze hem dat aan? Margje en zijn zoons waren om hem heen gaan staan. Margje zei dat ze niet thuis hadden kunnen blijven. Ruben wist nog feilloos de weg.

'We zaten wel wat ongemakkelijk op die trog.'

54

~

Bij het station gaf hij Ruben en Tom geld om iets te kopen. Ze zaten op een bank in de zon en keken uit op de Enkafabriek. Hij durfde haar niet aan te kijken, voelde zich opgelaten. Zij schoof naar hem toe, legde een hand op zijn knie.

'We zaten vlak achter je.'

'Ik weet niet wat ik ervan denken moet.'

'Van dat Avondmaal bij jullie begrijp ik niets. Je gaat dat vieren, daarom moest je vanmiddag zo nodig weg, en tegelijk maken ze je zo bang dat niemand meer durft.'

Zij bekeek hem een beetje spottend. Hij keek haar nog steeds niet aan, zou haar blik toch niet kunnen weerstaan.

'Ik ga er niet op in.'

'Die predikers of hoe ze ook mogen heten, zijn verstrikt geraakt. En jij met hen.'

'Ik kan er met jou niet over praten.'

Margje had haar mooiste zomerjurk aangetrokken, droeg de bruine oorknopjes. Hij wist er geen raad mee. Hij wist geen raad met deze vrouw die de grote God niet kende.

'We kwamen binnen. Het was zo'n duister hol.' Ze liet haar hand liggen, maar hij kon die niet aanraken. 'Je neemt het me kwalijk, hè?' Zelfs dat kon hij niet zeggen. Hij zag alleen hoe aantrekkelijk ze was, wist alleen dat hij hevig naar haar verlangde. 'Weet je wat wij zagen? Een stel mensen een toneelstukje opvoeren, maar de goede woorden waren ze vergeten.'

'De spot drijven is zo gemakkelijk. Je had niet moeten komen.'

'Jij had niet moeten weggaan.' Hij keek naar haar borsten die bijna te zwaar waren voor het frêle lichaam, naar de grote, donkere ogen. 'Je bent me achterna gereisd. Je hebt me in verlegenheid gebracht.'

'Dat doe jij zo vaak. Zo'n oefenaar die zomaar op een zondag op de stoep staat. Ik wilde nu wel eens weten waar je naartoe ging. Nu weet ik het. Nee, ik heb er geen spijt van. En daar zitten we dan, lekker in de zon, op een doordeweekse dag. Anders had ik andijvie staan snijden.'

Zo probeerde ze hem weer terug te krijgen, door redelijk te zijn, op zijn gemoed te werken. Wat had ze anders kunnen doen?

De jongens hadden hun ijsje op. Ze maakte een opmerking over de ontelbare ramen in de fabriek tegenover hen. Het was goed, voor de kinderen, dat ze gewoon wat zaten te praten. Van de dienst was ze niet vrolijk geworden, maar ze waren weer bij elkaar.

De trein arriveerde.

Tom kroop tegen haar aan. Ruben ging naast zijn vader zitten, tegenover hen. Een gezin dat een dagje uit is geweest.

De stemmen van die twee. Die van haar krachtig. Van hem bedeesd, haar soms mompelend onderbrekend.

'Ga er niet meer heen. Desnoods om de kinderen. Dat weet je nog niet eens, Ruben is deze week twee keer onder schooltijd buiten adem thuisgekomen. "Waar is pappa? Is hij er wel?" En dan kijkt hij me onderzoekend aan. Zo goed gaat het niet op school. Het is nog maar de vraag of hij door het examen komt. Hij is met andere dingen bezig. Ik denk ook dat de school te weinig eisen aan hem stelt. Dus laat hij het er maar helemaal bij zitten.'

Margje lag op haar rug, haar gezicht naar hem toe. Zij streelde zijn borst, trok hem naar zich toe. 'Die schimmige boerendeel... toen we binnenkwamen, net een volgepropte winkel waar het licht was uitgevallen. Wij op die varkenstrog. Ruben was de eerste die je zag in het pikkedonker. We zaten vlak achter je, keken op je rug. Ik vond je zo mager. Had met je te doen. En ik was bang, ik wist niet hoe je zou reageren. Kom bij me.'

Hij vlijde zich tegen haar aan, schoof haar nachtpon op. Hij was ruw, ruwer dan anders in zijn onzekerheid. Zij, van nature zelfverzekerd, was geen onderdanige bedgenote, nam graag het initiatief, voelde zich een beetje superieur. Nog was haar huid strak, haar bekken soepel, haar ogen helder en donkerbruin. Mannen draaiden hun hoofd om op straat. Nu liet ze hem begaan, gaf zich onvoorwaardelijk. Hij moest de indruk hebben superieur te zijn.

'Ssst, je weet nooit of de kinderen...' De kinderen sliepen natuurlijk. Het oude bed piepte en steunde.

Hij viel daarna direct in slaap. Zij ging toch even kijken. Bij Tom was het stil. Toen Ruben.

'Mamma, ik kan niet slapen.'

55

De vier mannen stonden in de achtertuin over de preek na te praten. Oefenaar was in grootse vorm geweest. Ruben hielp zijn moeder de tafel uit te trekken. Zo groot was het gezelschap nog niet eerder geweest. Om halftien hadden behalve Steffen ook Mieras en Ibel op de stoep gestaan. Margje dekte de tafel, legde bestek neer en servetten opgerold in een houten ring met hun namen, een servet in zilveren ring voor Huib, in driehoek gevouwen voor de anderen. Margje vroeg Ruben hen binnen te roepen. 'Ze zullen toch wel eens uitgepraat raken.'

De mannen, die zichzelf zagen als regelrechte afstammelingen van de zestiende-eeuwse militante reformatoren, gingen aan tafel zitten, spreidden hun servetten uit. Margje schepte in de keuken soep op, Ruben bracht de borden binnen. Steffen zegende deze spijzen. Margje waarschuwde dat de soep heet was. Gloeiend heet. Chris Ibel hield de lepel tegen zijn vlezige lippen, slurpte de soep naar binnen. Mieras wendde zich tot Hans: 'De Heiland heeft het gezegd in Lucas.' Hans knikte. Mieras lepelde soep, wilde zeggen dat hij er zo op terugkwam. Steffen sprak over de staf van Aäron die had gebloeid. 'Lees Hebreeën er maar op na!'

Met verlammende onverschilligheid hoorde Margje het aan. Ze nam een heel klein hapje, duwde het bord van zich af. Ze had geen trek. Ibel bleef slurpende geluiden maken. Toch trok ze even later het bord weer naar zich toe, nam nog een klein schepje, en stond op van tafel. Hans fronste zijn wenkbrauwen, wendde zijn blik af. Ze keek om zich heen, naar beneden, naar het versleten vloerkleed onder haar voeten. De situatie ging haar bevattingsvermogen te boven. Hoe kon zij nog ontsnappen? Ze keek haar oudste zoon aan en wilde zeggen: Ik at, maar ik had niet het idee dat ik iets proefde. Het was vreemd eten. Ik herkende het niet.

'Mamma, ga maar zitten, ik ruim de soepborden af.'

Jozef veegde met het servet zijn mond af. De oefenaar zei dat het hem goed gesmaakt had. Margje vroeg haar man het vlees aan te snijden. Ruben bracht de schaal met aardappelen binnen. Steffen herhaalde dat de soep voortreffelijk was geweest. Als hij niet predikte of bad of zong was zijn stem tamelijk toonloos.

Hans deelde rond. 'We moeten het ermee doen,' zei Margje.

Steffen drukte de aardappelen fijn met de achterkant van de lepel. Hij maakte er in te veel jus een dunne brij van. Hij at, dat wil zeggen, hij propte een stuk vlees in zijn mond, kauwde, slikte door. Na drie of vier happen, na drie of vier keer slikken, herhaalde hij eerbiedig: 'Dank U, Heere.'

Chris Ibel at alleen met zijn vork, zijn vrije hand, zijn linker, legde hij als een ding naast zijn bord. Hij wist hoe het anders moest, want ooit had hij theologie gestudeerd aan de hogeschool in Kampen en was predikant geworden bij een gereformeerde gemeente. Steffen bracht de vork met steeds dezelfde schielijke beweging naar zijn mond, bang dat het eten er vroegtijdig af zou vallen. Preken maakte hongerig. Een tijdlang zei niemand een woord. Hoofden en lippen bewogen, soms ging een hand mee omhoog. Het was absoluut nodig dat er gewone dingen gezegd werden. Zij richtte zich tot de jongste: 'Smaakt het je?' En tegen Ruben: 'Moet je straks nog iets voor school doen?' Legde uit: 'Ruben doet dit jaar zijn ulo-examen.'

'En daarna?' vroeg Mieras.

'Ik weet het nog niet, meneer.'

Ibel peuterde met een gestrekte pink tussen zijn tanden. 'De God van Abraham, Izaäk en Jacob,' begon de oefenaar. Margje zat er bleek en klein bij. Tom had zijn hoofd op haar schoot gelegd, Ruben keek haar bezorgd aan. Allen aan tafel moesten toch zien dat ze zo bleek, zo klein was en ogen had die nu veel te groot waren. Ze zat tot stikkens toe vervuld van ergernis, afkeer, woede, had de dekschaal en borden willen omkieperen, een ruk aan het tafellaken willen geven, gillen, luidkeels gillen: Is dit wel mijn huis? Is dit onze zondag? Die kerels aan mijn tafel! En altijd zwart, zwart, zwart, bij zoveel zon. O Hans, ik voel me ziek.

Hij ziet wel dat ze uitgeput is, komt uit zijn stoel. Ik zal je helpen. Dit gaat verkeerd. Die lui komen er niet meer in. Hij pakt haar bij haar arm, zodat ze niet weg kan lopen, trekt haar bijna van de stoel, omarmt haar, kust haar hals, haar mooi gevormde mond, drukt haar zo stevig tegen zich aan dat ze geen lucht kan krijgen. Ze weet niet hoe ze het heeft – haar vertrokken mond half afgewend – ze kan het nog niet geloven.

Hij is wel opgestaan, maar raakte haar niet aan, is langs haar heen gelopen de keuken in. Daar heeft hij even op het aanrecht gesteund, de kraan opengezet en weer dichtgedraaid.

Hij is de huiskamer weer binnengegaan, een moment bij haar stoel gebleven. Hij ging weer zitten, boog zich diep over zijn bord alsof het al donker was.

56

~

Hotel-restaurant Naeff had vijftig gloxinia's besteld. De planten moesten met cachepot geleverd worden. Margje knipte wit crêpepapier van een rol, krulde met een handige, snelle beweging de rand, wikkelde het crêpe om de pot. Ze was toegewijd bezig, strikte er in dezelfde tint een lint omheen.

Hans pakte heel omzichtig de mauve bloemen in wit vloei, rolde ze in transparant papier, speldde ze van boven dicht.

Onder schooltijd kwam Ruben de tuin ophollen, zag tot zijn geruststelling zijn beide ouders. Hij had een tussenuur en kwam vertellen dat hij zijn examennummer gekregen had. Volgende week begon het mondeling. De laatste tijd was hij wat enthousiaster voor school geworden. Hij wilde het diploma halen. In de gang had tegen het prikbord een affiche gehangen van de rijkskweekschool in de stad. De opleiding tot volledig bevoegd onderwijzer duurde na de ulo vijf jaar.

Margje gaf hem een zoen. Een maandelijks vast inkomen was heel belangrijk. Je had bij de overheid minder zorgen dan bij een eigen bedrijf.

'Morgen heb ik een afspraak met de leraar Frans, ik moet mijn examengedicht opzeggen.'

'Als er een morgen is,' reageerde Hans, 'we kunnen nergens op rekenen.'

'Zeg niet van die idiote dingen, natuurlijk is er een morgen.'

Hans zei niets, hij was er lang niet zeker van en keek werktuiglijk door het glas omhoog naar de hemel. Als de jongste dag was aangebroken zou God op de wolken verschijnen en het kaf van het koren scheiden, de muren van de huizen zouden omvallen als ooit in Jericho.

Ruben vertrok weer naar school.

Zij ging verder met de cachepots en stelde vast dat het witte crêpe het lila van de bloemen ophaalde, onderbrak zichzelf.

'Ruben kwam kijken of het goed met ons ging. Of jij er wel was.' Zij drong aan: 'Had je dat wel in de gaten?'

'Er wordt net gedaan of ik altijd weg ben.'

'Niet altijd. Wel te vaak. En als je er bent en je zit met de rug naar ons toe ben je er ook niet. Wat zijn de gloxinia's mooi dit jaar!' Ze bekeek een bloem van dichtbij, keek erin. De bloemkelk had daar een donkerglanzende schakering. Met haar wijsvinger gleed ze omzichtig over die fluwelen zachtbehaarde binnenzijde. Ze leek met olie bestreken. Haar vinger plakte een beetje.

Hij volgde Margjes wijsvinger die de bodem van de kelk had bereikt.

'Zo'n kelk,' zei ze dromerig. 'Een glijbaan.'

Hij betwistte dat. De binnenzijde was bestreken met een soort lijm. Anders zouden de insecten geen houvast hebben en juist naar beneden glijden.

Ze haalde haar plakkerige vinger uit de kelk, wreef hem speels af over de rug van zijn hand.

'Heb je dat in Boskoop op school geleerd? We zouden altijd nog eens gaan kijken waar je les hebt gehad.'

Hij zette de planten die klaar waren in een kist. Boven de tuin vlogen wilde eenden. Een koppel daalde, landde met veel lawaai op het water van het bassin. Ze keken er beiden naar. Margje stak een arm door de zijne.

'Om terug te komen op Ruben...' begon ze. 'Hij is te jong om zich verantwoordelijk voor ons te moeten voelen. Is dat niet de omgekeerde wereld? Hans, gisteravond heb ik er niets van willen zeggen. Jij zat te lezen. Ik moest even boven zijn en ging naar de jongens kijken. Tom sliep. Ruben was ook in diepe slaap, maar niet in zijn bed. Op zijn knieën voor zijn bed. In slaap gevallen onder het bidden. Dat vind ik niet gezond. Het is ook niet de eerste keer. En ik heb Ruben er ook al eens over aangesproken. Hij gaf toe dat zijn avondgebed hem elke dag uren kost, maar eist van zichzelf dat hij het in volkomen zuiverheid opzegt, zijn gedachten moeten geheel op de inhoud gericht zijn. Zo zei hij het. Ondertussen mag hij niet aan zijn huiswerk denken, niet bezig zijn met de kwekerij. Dat lukt hem niet. Hij begint het gebed opnieuw. Dat gaat tot veertig, vijftig keer zo door. Nu ik het vertel word ik er zelf tureluurs van. 's Morgens hetzelfde liedje. Hij staat er eerder voor op, komt doodmoe beneden en moet dan naar school. Ruben vertelde me ook dat hij het probleem heeft proberen te omzeilen door het ochtend- en avondgebed samen in een keer overdag te doen. Dan was hij ervan af. Maar hij was bang dat hij voor dit oneerbiedige gedrag door God gestraft zou worden. De hele dag spookt het door zijn hoofd. Een jongen van zijn leeftijd hoort zich over andere dingen druk te maken. Niet soms?'

De Amerikaanse slee van Wim Maters stopte voor de werkplaats. Vanuit de auto riep hij naar Hans: 'Breng mij ook wat van dat spul. Een stuk of tien.' Hij wees op de kisten. 'En heb je nog nagedacht over mijn voorstel?'

'Dat hebben we besproken, Maters. Dat zal nooit gebeuren. Ik pieker er niet over.'

'Ik wel. Ik zet er een manege of een speeltuin voor mijn kinderen. In mijn dromen dan, hoor! Maar jullie zijn druk. Ik ook.'

Zacht zoefde de auto over het middenpad. In de bocht stopte hij, riep vanuit de verte dat Hans er ook een groot boeket scabiosa bij moest doen. Voor zijn vrouw. Hans knikte. Het kwam voor elkaar.

'Wat was dat voor plan?' vroeg Margje.

'Dat heb ik je nooit verteld, omdat het nergens op slaat.' Hij legde uit waar Maters op had gedoeld.

'Hè? Hoe komt hij erbij? Dat stuk grond hoort bij de kwekerij, bij ons.'

Was het de lauwe, vochtige warmte in de werkplaats, het zachte vloei waarmee hij elke bloem omwikkelde, Margjes kleine, smalle vinger met de gewelfde nagel, de twee mooie bestellingen achter elkaar na een lange stille tijd, of de angst dat hij eens gedwongen zou worden een stuk van zijn land te moeten verkopen, het verhaal dat zij zojuist over Ruben vertelde, of het lot dat hem, door een kracht die zijn verstand te boven ging, onontkoombaar aan de broeders verbonden had, in krachteloosheid en onderworpenheid... de drang haar te bezitten, het verlangen haar te nemen was zo vurig, zo hevig dat hij bloosde, een paar tranen uit zijn ooghoeken moest wegvegen. Hij voelde zijn bloed ruisen, de drift verbreidde zich met een verschrikkelijke kracht, verhardde zich, hij transpireerde, huiverde. Het prachtige exemplaar dat hij in zijn hand hield, liet hij bijna vallen. Hij zag haar vinger diep in de donkere kelk. Het was of die vinger zijn scrotum had gestreeld, hij zette de plant neer, draaide zich met een vuurrood gezicht naar haar toe, greep haar beet en begon haar te kussen, in het besef van de onontkoombare handelingen die zouden volgen. Zijn onderlijf schokte.

'Nee, niet nu Hans, de planten moeten klaar.' Een harde plons in het bassin van zijn intense verlangen. Die planten konden wachten. Daar had zij een handje van: iets onherroepelijks zo gewoon maken dat het belachelijk werd. Hij liet zich niet van de wijs brengen, trok haar mee de kas in – zij liet zich gewillig meevoeren – trok de tussendeur achter hen dicht. Hoge, drijfnatte varens wiegden in de tocht van de op een kier staande nokramen. Boven de tabletten waar de gloxinia's stonden hing een waas van zware, zoete lucht. Zijn ogen zagen alleen mist waarop rode en purperen bloemen dreven. Hij drukte haar tegen de opstaande rand van het tablet, durfde haar niet aan te kijken, omdat hij nog niet zeker van haar was. Margje zei zacht:

'Tegen de binnenwand, net bloedvlekken.' Toen wist hij genoeg. Ze knoopte zelf haar schort los. Nu kon hij haar aankijken, zag haar donker geaderde oogleden sidderen toen hij haar borsten ontblootte en zich boog om ze te omvatten. De begeerte die hem verpletterde dacht hij nooit te kunnen bevredigen. Hij boog dieper, duwde haar benen uit elkaar, streelde haar enkels en kroop omhoog tot waar het vlees week wordt, begroef daar zijn hoofd. Toen hij opkeek dreef Margjes kleine hoofd op een paarse zee. Hij duwde zijn gloeiende gezicht in haar hals, gleed weer omlaag naar haar gezwollen geslacht, liet zijn volle hand verzinken in de haartjes rond haar schede, voelde tranen die hij met moeite terugdrong. Zij rondde haar bekken, hielp hem, maar hij durfde zich nauwelijks te bewegen, bang dat hij zijn zaad vroegtijdig verloor, de verrukking weg zou ebben.

Ze zei dat hij te gulzig was.

'Wacht, zo gaat het niet.'

Margje klemde haar handen om een verwarmingsbuis, hees zich op de rand van het tablet met turfmolm. Nu moest hij op zijn tenen gaan staan, zij was nu meer open dan ooit. Maar de wereld was tegen hen. Zij maakte een onverhoedse beweging, net voor hij bij haar binnenkwam en hij morste zijn zaad, stortte het op de donkere, sponzige grond, als Onan, de zoon van Juda en een Kanaänitische vrouw.

'Wat staat daar?' Tussen de hoge druipende varens door, in het middenvak, wees ze naar een lange rij boeken aan de overzijde.

'Waar heb je het over?' Hij wist waar ze het over had. Hij was zo stom geweest een deurtje te laten openstaan. Onder het tablet aan die kant had hij lange schappen getimmerd om er zijn steeds aanwassende collectie onder te brengen.

'O God. Al die boeken!' Zij had zich van het tablet laten glijden en haar kleding in orde gemaakt.

Hij stond er beschaamd bij, met zwetende rug. Hij kon zich wel voor zijn hoofd slaan. In de loop van de dag had hij op zijn gemak een boek willen zoeken... Zij zei zonder hem aan te kijken, gehurkt bij de schappen, dat ze zich wel eens had afgevraagd wat hij toch aan het timmeren was. Ze had het hem ook een keer rechtstreeks gevraagd, maar nooit een fatsoenlijk antwoord gekregen. Margje opende een deurtje verderop. Ze liet haar blik over de boeken gaan en telde er in de gauwigheid zo'n vijf- of zeshonderd. Daar ging dus hun inkomen naar toe. Het was haar wel eens gebeurd dat ze het dorp inging met geld in de portemonnee dat hij haar een uur eerder had gegeven. Nu geloofde ze dat hij het er in een onbewaakt ogenblik even hard weer uithaalde.

Margje schimpte niet, stelde rustig vast: 'Met jou hoef ik geen plan te maken om ergens geld voor opzij te leggen. Het gaat toch allemaal op aan die boeken.'

Ze pakte een willekeurige foliant uit de rij. Het heette *Bruidegom van de ziel*, en was geschreven door een of andere Everardus van der Hoogt in 1580. Hij voelde zich slap en zwaar. Zij had deze geheime bergplaats nooit mogen ontdekken. Alleen Ruben was op de hoogte.

'Hans, dit geeft me weer een heel raar gevoel. Waar kan ik nog zeker van zijn bij jou? Thuis ga ik ervan uit dat je in de kas aan het werk bent, maar je koopt links en rechts boeken, ontvangt colporteurs. Je laat je alles aansmeren. Het speelt allemaal buiten mij om. Ik ben overbodig. Ja, voor de kinderen ben ik nog goed genoeg en om de boel bij elkaar te houden...'

Ze herlas de titel, sloeg het boek open, staarde naar een halfvergane, aangevreten bladzij. 'Hoe had ik kunnen denken de vrouw te worden van een "bruidegom van de ziel". Wat moet ik me daar bij voorstellen? Daar kun jij je toch ook niets bij voorstellen! Wat is er met mijn man gebeurd? O ja. Hij is bekeerd. Vreemd toeval. Nee, een stom ongeluk.'

Ze zette het boek terug op zijn plaats. 'Een stom toeval,' benadrukte ze voor zichzelf. 'Geen van ons tweeën heeft er verweer tegen.'

In de koelere werkplaats maakten ze zwijgend hun werk af, tilden samen de kisten op de bakfiets.

Alle lichtheid was verdwenen.

57

Het was vroeg en koud en hij sloeg de armen om zijn lichaam. Het waren de dagen in november waarin de zonsopgangen het vurigst waren. De sequoia's werden rood. Hans haalde de kruiwagen uit de loods, sloeg weer zijn armen om zich heen, keek op de buitenthermometer. Het vroor zes graden. De dahlia's moesten er nodig uit. Vandaag zou hij dat werk afmaken. In de donkere, koude ochtendlucht dwarrelde wat blad. De donkere vlekken op het land waren de zwartbevroren dahliastengels die hij nog onder moest spitten. De gedachte op de stille tuin helemaal alleen te zijn was aangenaam. Het was zijn favoriete moment. Alleen, met de Heere God. Hij vouwde een moment zijn handen. Met de kruiwagen liep hij vervolgens over het middenpad, hield verbaasd in. Uit de schoorsteen van zijn voormalige vrijgezellenhuis steeg witte rook omhoog. Hij wilde erheen rennen, bedacht zich bijtijds. In plaats van er recht op af te gaan, nam hij een omweg achter de kassen langs. Ongezien kon hij dichterbij komen, in de donkerte van de hulst.

Tegen de achterzijde van het hoge geblindeerde bouwsel stond een oude fiets met zwartwitgestreepte snelbinders. De fiets van Chris Ibel. Dit kwam dus ook op zijn weg. Verbouwereerd liep hij om het tuinhuis heen, vond houtblokken die uit de loods waren gehaald. Hans had ze gisteravond gekloofd voor de ketels. Hij spitste zijn oren, luisterde aan de deur, maar hoorde niets. Chris Ibel sliep de slaap der rechtvaardigen.

In de verte zag hij de kruiwagen met greep. Hij moest nodig

aan het werk. Maar hij kon niet toestaan dat iemand ongevraagd de nacht op de kwekerij doorbracht. Dit was zijn terrein, hij was hier de baas. Die vent moest eruit. Ibel mocht hij toch al niet. Hij ging de deur openrukken en hij ging hem eruit gooien. Wegwezen! Hij zou hem een trap nageven. Opschieten een beetje. Waar wacht je op? Nou, waar wacht je op? Van mijn terrein af! Hij kon ook de deur openrukken, niets zeggen en een volle gieter water naar binnen gooien.

De dahlia's moesten er voor de avond uit. Hans liep terug, aarzelde, keek naar het huisje, zag Ibel met zijn vlakke, paarse wangen en hoge jukbeenderen in de deuropening, of zag hij spoken? Hij tilde de kruiwagen op, reed het veld in, sneed de bevroren stengels af, schudde de aarde van de knollen, gooide ze op de kruiwagen, wierp een blik op het zwartgeteerde huisje dat hij met Margje had gebouwd en ingericht, greep een paar knollen uit de kruiwagen; gezond waren ze, hard en sappig, en na een winter onder het tablet, zouden de dorre knollen als door een wonder opnieuw oranje en lila bloemen voortbrengen, en hij zou ze tot boeketten samenvoegen. Hij smeet ze tegen de grond, sneed ze met het scherpe blad van de schop doormidden. Gezond waren ze en rot. Rot waren ze, door en door rot, en aangevreten door ongedierte. Hij hakte ze met de spa in kleine stukken, verbrijzelde de resten onder zijn klompen. Waardeloze knollen.

Hij schaamde zich, keek om zich heen of iemand zijn woede gezien had. De kwekerij strekte zich aan zijn voeten uit, in de najaarsnevel; hij stak een sigaret op, dwong zich tot rust, had al weer spijt van de vernielde knollen, stak zijn schop diep in de aarde, legde een hand op het heft, wilde zich op zijn werk concentreren, wilde Margje roepen. Maar dit hoefde hij toch niet te pikken! Iemand was binnengedrongen in het huis waar hij de plannen voor de kwekerij had bedacht, lag misschien op de divan waar hij met Margje had geslapen. Stomverbaasd was hij. Dit kon je toch niet bedenken. Vroeger, in het veen, had hij heimelijk naar de vrijheid verlangd, en het idee van een eigen territorium gekoesterd. Zijn leven lang had hij voor zijn eigen land gevochten. Nu werd eraan geknaagd. Vastberaden snelde hij naar de deur.

De grond waarop hij liep was hard en knerpte. Het zou een zonnige morgen worden, met veel vogels en geuren van omgezette aarde. Wat had Margje pas nog tegen hem gezegd? Het lijkt wel of die lui aan je kleven!

Een moment bang voor wat hij binnen zou aantreffen, klopte hij zacht op de deur, rukte hem onmiddellijk daarna open, deed het licht aan, zag een oneindig aantal details tegelijk: een man op zijn divan, een brandende kachel, een kookstelletje, rietmatten rechtop gezet, de koffer, hoge, zwarte rijglaarzen, kledingstukken, een opengeslagen boek op de grond, Chris Ibel, met zijn pet op, de zijkleppen uitgeslagen.

Met zijn kleine troebele ogen keek hij Hans aan. Een vaal gezicht, een scheve neus. Alles was miezerig en scheef aan hem. Het ouwelijke gezichtje van een kind en onder het dek zijn dwergachtige lichaam. Een dwerg in een sprookjeshuis. Ibel trok één schouder op tot aan zijn oor. Uit zijn dunne rode mond, rood in de kachelgloed, kwamen deze woorden: 'Broeder, zoals wij uit de Openbaringen weten zal het teken dat de Uitverkorenen scheidt, op hun voorhoofd zichtbaar zijn. Wees gerust, je zult geen last van me hebben. Ik had vannacht geen onderdak. Die dingen komen voor. Maakt een musje zich zorgen voor de dag van morgen... Ik kon nergens heen en kon je niet wakker maken. Ik zal zo spoedig mogelijk verdwijnen.'

Hans kwam tot bezinning. Op zich was het niet zo heel erg dat hij hier de nacht had doorgebracht. Jezus zelf heeft gezegd: 'Ik had geen huis en gij hebt mij geherbergd.'

'Maar je hebt toch een huis!'

'De Heere heeft mijn woning laten afbranden. Ik heb gezondigd.' Hij sprak heel zacht, het dek over zich heen getrokken tot aan zijn kin. Hij voelde zich hier wel thuis, hij was hier thuis, kreeg Hans de indruk. 'Ik ben bang voor God verloren te zijn. Ik vrees straf op straf.' Van zijn gezicht waren nu alleen de ogen en de ingevallen wangen goed te zien. Hans had met hem te doen. Hij was een mens, waarschijnlijk alleen op de wereld. 'Broeder, het gaat om nog één of twee nachtjes.'

Wat moest Hans Sievez? Hij had gedacht dat Ibel vandaag weer zou vertrekken. Eén of twee nachten. Dat was behoorlijk vervelend. Margje en de kinderen mochten het niet te weten komen. Hij kon het ook niet over zijn hart verkrijgen hem eruit te gooien. Zoals hij daar lag – een afzichtelijk wezen, tegelijk een weerloze die hulp nodig had.

'Ik begrijp de situatie. Je kunt blijven. Ik wil dat je de deur dichthoudt en je niet op de kwekerij vertoont. Het is maar goed dat alle glas uit de roeden is en de ramen zijn dichtgetimmerd.'

'Zalig voor eeuwig die geherbergd hebben.'

'Ik wil er geen spijt van krijgen.'

'Heb je een sigaret voor me?'

Hans reikte hem er eentje aan. 'Pas alsjeblieft op met vuur. Alles is hier kurkdroog.' De magere, zwartbehaarde arm die boven het dek uitkwam deed hem aan die van een aap denken. Na de eerste trek verscheen op Chris' gezicht een voldane uitdrukking. Hans keek in de kachel, zag dat die bijna uit was. De behaaglijke temperatuur zou snel door de kieren verdwijnen. Hij bracht hem een kit dure antraciet.

'Dat ligt lang.'

'Ik wist dat je me niet op straat zou zetten. Daarvoor hebben we samen al te veel meegemaakt.' Hij bracht de andere hand onder het dek uit, maakte een zegenende beweging waarbij hij de sigaret in zijn mond hield. Hans zette een bloemschotel naast hem neer. Hij tikte er met een haast elegant gebaar de as in, nam weer een lange trek, blies de rook bedachtzaam uit terwijl Hans de kachel opporde. Ibel lag er prinsheerlijk bij. Hans voelde zich belachelijk. Hij moest er niet aan denken dat Margje hem nu bezig zag. Ze zou het niet geloofd hebben en vervolgens kwaad zijn geworden: 'Wat een gênante vertoning. Gooi die smeerlap eruit!'

Hans stond met de rug naar het bed, had het gevoel dat hij op andermans grond stond. Zonder verder iets te zeggen, sloot hij de deur achter zich en ging terug naar zijn werk.

De sequoia's waren onmetelijk hoog en koud. Het ochtendrood was bijna uit de lucht verdwenen. Vanaf het land kon hij hun slaapkamer zien waar licht achter het gordijn brandde.

Hij was met de rij pompondahlia's begonnen. Om de haverklap keek hij om naar het tuinhuis dat hem nu angstaanjagend vreemd voorkwam. Daarbinnen was Chris Ibel. Toch voelde hij een vage bewondering. Huib Steffen, Jozef Mieras en deze Chris Ibel deden wat hun beliefde, trokken als kermisklanten door het land, kenden geen schaamte, baden opzichtig in openbare ruimtes, drongen het huis van een ander binnen. Door wie lieten ze zich onderhouden? Hoe kwamen ze aan geld? Het kwam voor dat ze zich over grote afstand door een taxi lieten brengen, Steffen en Mieras droegen smetteloos witte overhemden. Ze leidden een geheimzinnig bestaan, leken op de apostelen die over de toenmalige, beschaafde wereld trokken: Voor-Azië, Corinthië, Rome.

Daar sta je, Hans Sievez! Waarom ben je met die tweederangs apostelen van de Heiland in zee gegaan? Waar nu colporteur-discipel Chris Ibel ligt te snurken, en er brand dreigt in de kurkdroge rietmatten met dat gerook in bed, keken jij en Margje over de pas opgezette kwekerij. Zij was het die aan minieme veranderingen merkte dat het licht afnam. Geleidelijk, heel geleidelijk. Eerst vormde al dat licht over het land oneindig, onvergankelijk, een solide bouwwerk, en dan verschenen aan het eind van de middag kleine barsten in de zuidmuur, blauw bijna lila, daarna in de ruiten van de kassen. De barsten werden spleten, diepe scheuren. Het kantelende bouwwerk begon uiteen te vallen, smolt van binnenuit. De stammen van de bomen veranderden van kleur en het blad van de scabiosa, van nature al fijn, werd nog smaller, nog zachter groen. Margje wees jou daar op, zij had daar oog voor, zij had gevoel voor de nuances van het donker worden.

Je lijkt bijna geërgerd door deze herinnering aan het verleden.

Hans, gooi die vent eruit! Keer terug!

58

~

Hij vermeed naar het sprookjeshuis te kijken toen hij de werkplaats verliet. Ver voor de gewone tijd dronk hij met Margje koffie. Zij had net het kruideniersboekje voor die week ingevuld, zei tegen hem dat er geen cent meer in huis was. De boodschappen van vorige week moesten nog betaald worden. Bij Wieland stonden nog zoveel nota's open. Waarom probeerde hij daar niet wat los te peuteren?

'Het is ons geld!'

Hij beloofde een dezer dagen bij de bloemenwinkelier langs te gaan.

'Waarom niet vandaag?'

'Misschien wel vandaag. Je begrijpt toch dat ik ertegen opzie?'

'Je kunt mij er niet op afsturen. Of Ruben.'

Zij ging naar boven om de slaapkamers te doen. Hij schonk zijn kopje nog een keer vol, maakte een boterham met kaas en liep met dat ontbijt de tuin op. Hij trof Chris Ibel gekleed, koffie drinkend. Zijn overhemd had hij tot bovenaan dichtgeknoopt, maar hij droeg geen boord, net als vroeger Hans' vader. Het stond hard en kaal aan de hals, accentueerde zijn donkere vogelnek.

Op Hans' verbaasde gezicht wees hij naar de grond waar een pakje metatabletten lag en een pot oploskoffie. Die had hij altijd bij zich. Maar de verse koffie was ook welkom en zijn smerige steekvingers grepen naar de boterham met kaas. Hij zette er direct zijn tanden in, verkleurd door het roken.

Hans begreep nog steeds niet goed waarom deze colporteurs en predikers zichzelf zo slecht verzorgden. Vooral Ibel boezemde hem een diepe lichamelijke afkeer in.

Hij bood hem een sigaret aan en hij gaf hem vuur, gebogen over het vlammetje, in de holte van zijn beide handen, vanwege de tocht, zijn hoofd vlak bij dat van de indringer. Een vreemde die binnenkwam zou hun aanwezigheid daar als de gewoonste zaak van de wereld beschouwen.

Ibel stonk. Dan was Mieras toch een heel ander type. Die had weliswaar een sterke lichaamsgeur, maar zag er verder behoorlijk uit. Chris Ibel frummelde aan zijn boordenknoopje dat op zijn strottenhoofd drukte. Eindelijk kreeg hij het los en deelde Hans mee dat ze Steffen een tijdje niet zouden zien. Met diens zoon ging het niet goed.

'Hij heeft het erg moeilijk. Er wordt voor hem gebeden. Het gebed van een rechtvaardige vermag veel.'

'Ik wist niet dat hij kinderen had.'

'Hij spreekt niet snel over zijn persoonlijk leven. Hij heeft één zoon. Een jongen van achttien, met het verstand van drie. Kan alleen maar liggen en herkent zijn eigen ouders niet. Een dier toont meer gevoelens. Toch heeft hij een ziel te verliezen. Dat moeten we aan God overlaten.'

'Ik wist hier niets van, anders had ik ernaar gevraagd.'

'Hij wil het voor niemand weten. Hij beschouwt die onvolwaardige zoon als een straf voor zijn zonden in een vroeger leven. Spreek hem er niet over aan. Het is een altijd aanwezige doorn in zijn vlees.' Zweet prikkelde op Hans' voorhoofd. Hij bezat twee gezonde jongens.

Hij was weer aan het werk gegaan, bleef de deur waarachter Ibel vertoefde in de gaten houden. Als die Ibel het waagde ook maar één stap buiten de deur te zetten, zou hij hem op zijn griezelige smoel (een uitdrukking van Margje) timmeren, zou hij hem de slappe pet van zijn hoofd slaan. Daar mocht Margje dan getuige van zijn.

Hij stak de greep in de aarde, drukte hem met zijn rechter voet dieper de grond in, verstijfde, overvallen door onmacht, staarde naar een dikke bleke pier die om zijn klomp omhoogkronkelde, voelde zich eenzaam en hoorde zichzelf zeggen: 'Het is gewoonweg bespottelijk.' Hij zei het bijna onhoorbaar, maar bijna op haar vinnige toon. Waar draaide dit op uit? Ging hij uit zichzelf weg? De geurige lucht van de aarde wekte zo'n sterke heimwee op dat hij een verbitterd glimlachje niet kon onderdrukken, alsof hij niet openlijk heel even gelukkig mocht zijn. Een kille wind deed hem rillen. Het was beter om hard door te werken en te doen of er niets aan de hand was.

Vanaf het middenpad werd hij geroepen door een klant. De oude dame had een ijzervaren bij zich die nodig nieuwe grond moest hebben. Hij verpotte de plant in de werkplaats; zij prees de aangename ligging van het bedrijf en zei te houden van de wonderlijke sfeer in de kassen.

'Daarom heb ik voor dit vak gekozen,' zei hij met een glimlach. Voor het werk wilde hij slechts vijftig cent hebben. Vanuit de werkplaats ving hij geluiden op. Een zacht zingen, soms gekuch, een pan die viel. Daar, in zijn oude berghok, was een vorm van huiselijk leven ontstaan. Bloed trok weg uit zijn gezicht. Die Ibel had zich daar doodgemoedereerd verschanst.

'Het komt mij allemaal zo vertrouwd, zo intiem voor. Zo lieflijk.'

Hij liet de oude dame uit. De vertrouwde tuin was hem niet zo vertrouwd meer. Hans zag dat de deur op een kier stond en holde er direct op af.

'Het moet niet te gek worden. Ik hoor je zelfs in de werkplaats zingen. Waarom zet je de deur open?'

'Sievez, ik heb toch frisse lucht nodig.' Hij boorde zijn ogen in die van Hans, trommelde met zijn vinger op het boek dat voor hem lag, trommelde met zijn vingers op de rug van zijn andere hand. 'Zou je een paar sigaretten kunnen missen?'

Hans gaf hem zijn pakje met de laatste.

'We zijn van God. Naar Hem zijn we op weg.' Hans zou het

niet in zijn hoofd halen om zulke woorden zo plompverloren te gebruiken.

Hij kruide dahliaknollen over het middenpad, bleef staan. Er zou een dag komen dat de wereld verging. Niemand wist hoe. Misschien zou het regenen en die regen zou nooit meer ophouden en op het einde de hele aarde overspoelen. Mensen en dieren zouden jammerlijk omkomen. Een tweede zondvloed. Zou dan ook een tweede ark gebouwd worden en zou hij behoren tot de weinige rechtvaardigen die binnen mochten gaan? Zou hij Chris Ibel daar weer aantreffen? Mochten Margje en de kinderen naar binnen? Hij weigerde verder te denken, kruide behoedzaam de drie stenen treden af naar de werkplaats.

In de loop van de dag kocht hij op een veilig moment brood en beleg en een pakje sigaretten. Hij wilde niet dat Ibel iets op hem aan te merken had. De deur stond op een kier, maar hij durfde toch niet naar binnen te gaan zonder kloppen.

'Ja?'

'Kan ik binnenkomen?'

'Natuurlijk.'

Hans legde het eten op tafel, legde er vijf sigaretten naast. Chris bedankte niet, leek zelfs enigszins geërgerd.

'Heb je helemaal geen tijd om me even gezelschap te houden? Om over de dingen van de geest te praten?'

Hans keek naar de vloer die hij ooit gemaakt had van planken, zo oud en uitgewerkt dat er diepe groeven en gaten van knoesten in zaten. Margje en hij hadden op deze vloer gezeten en een plattegrond getekend. Ze hadden hier gevreeën, plezier gemaakt. Nog steeds de laagste in genadestaat moest hij voor Ibel door het stof gaan. Een gelovige die voor spek en bonen meedoet. De muffe droge geur van het riet maakte hem misselijk. Na een korte aarzeling vertrok hij, deed de deur achter zich dicht. Bij het zien van de rijen ineengezakte, donkerbruine dahliaplanten overviel hem zo'n krachtig verlangen naar een andere tijd, naar die van voor zijn bekering dat hij tranen in zijn ogen kreeg, verlangde naar Margje, naar zijn moeder, voelde haar armen als zij hem, tot stikkens toe benauwd, bij zich in bed nam, zag bossen kapucijners drogend op staken... Hij liet zijn hand die de greep wilde pakken onmachtig zakken, vroeg angstig om vergeving, sprak woorden, maar raakte de draad van zijn zinnen kwijt. Nog niet eens twee rijen had hij gedaan. Bij de gedachte aan alles wat nog voor hem lag en nog niet was volbracht overviel hem een wanhopige moeheid.

Na het avondeten kon hij het niet meer opbrengen naar zijn werk te gaan, trachtte aan zijn bureau wat te lezen, drukte zijn vuisten tegen zijn slaap, zette het boek schuin, perste zijn kaken op elkaar om zijn gedachten bijeen te houden. De zinnen waren nog duisterder dan anders en hij werd op geen enkele wijze 'bijgelicht'. Voor hij naar bed ging, liep hij met angst en beven de kwekerij op om de ketels bij te vullen. Toen hij weer uit de stookkelder kwam, besloop hij het hoge, smalle bouwsel, hoorde hoe de oude, verroeste veren onder het gewicht van dat kleine lichaam knarsten. Zijn oren en wangen begonnen te gloeien. Zich in één keer van dit monsterlijke gedrocht bevrijden! Hem op zijn mond slaan, zijn gezicht met bloed besmeurd. Zoals hij eens door zijn vader was geslagen en de brandende pijn langs zijn kaken omlaagtrok en zijn mond niet meer openging om te roepen, te gillen.

De volgende dag stond hij vroeger op. Hij schoor zich. Hij begon te huilen. Verbaasd keek hij in de scheerspiegel naast de keukendeur naar zijn gezicht. Hij voelde niets aankomen, het was ineens begonnen.

Een zwak rood aan de hemel; hij zag het een moment aan voor het bloed van Christus en bleef staan, dacht toen een gedempt praten te horen. Het moest niet gekker worden. Licht brandde in het sprookjeshuis, was duidelijk zichtbaar door de kieren, scheen in smalle bundels op de hulst.

Hans kwam in beweging. Hoe voorzichtig hij zijn voeten ook neerzette, de rijp kraakte. Had men hem daarbinnen gehoord? De deur ging open en Jozef Mieras kwam naar buiten, zag Hans, begroette hem hartelijk, hield zijn beide handen vast.

'Goed dat je Chris opgevangen hebt. De man heeft tot zover een treurig aards leven achter de rug, heeft geen onderdak meer. Ik zal je daar niet mee lastig vallen. Hij is een kind Gods.' De toon was zorgzaam, dankbaar. Jozef voerde Hans, een arm over zijn schouder, van het zijpad naar het middenpad, vervolgde: 'Ik ben vannacht bij hem geweest. Hij had directe hulp nodig om het tussen de Heer en hem weer in orde te maken. Het gaat nu eerst om de vergiffenis.' Jozef keek omhoog alsof hij in de hemel daarboven een bevestiging van zijn opmerkingen zocht.

'Wat is er dan gebeurd? Wat voor kwaads...?'

'Hij heeft getwijfeld. Zijn gedachten zijn onzuiver geweest. God sloeg onmiddellijk. Ik ga zo weer naar binnen, neem de taken waar van Steffen die niet kon komen. Ik hoop dat hij nog een paar dagen kan blijven.'

'Twijfelde hij en sloeg God direct?' Hans' stem begaf het.

'Hij moet boeten. Alle bezit is hij kwijt. De hemel zit voor hem op slot.'

Ze waren bij de bocht van het pad gekomen. Een eerste lichtvlek op een raam. 'Jij gaat aan het werk,' zei Jozef.

'Ik heb het er moeilijk mee,' zei Hans bedeesd. 'Mijn gezin mag hier niets van weten.'

'Ik begrijp het. Onder geen beding zal hij hier langer dan drie dagen zijn.'

Met die vage belofte ging Hans Sievez aan het werk. Hij daalde eerst de trap af naar de kelder om de ketels te verzorgen. Met de meterslange haak trok hij sintels uit de vuurgloed waarin hij zelf ooit terecht zou komen zonder te verteren. Hij schepte nieuwe kolen op het vuur. Mondjesmaat was hem dit najaar cokes afgeleverd, omdat de achterstand in betaling te groot was. Er werd hem aangeraden om op olie of gas over te gaan, maar voor de herinrichting was evenmin geld. Hij sloot de keteldeuren met zo'n moedeloos gevoel dat hij zich afvroeg of het niet beter was de kwekerij maar op te geven en zich als knecht te verhuren bij een collega, waarmee hij zijn laatste rest zo gekoesterde vrijheid kwijt was. Hij overwoog even om Margje op de hoogte te brengen en samen, desnoods met geweld, het berghok te ontruimen. Hij voelde drift opstijgen, besefte dat hij onontkoombaar met het drietal was verbonden, dat hij deel van hen moest blijven uitmaken om uitzicht op een ander leven te behouden, dat hij de band niet kon verbreken.

Maar het waren geen vrienden. Hij beklom de ladder. Vanuit de werkplaats had hij zicht op het tuinhuis, vermeed toch die kant op te kijken. Nooit was hij bang geweest op zijn eigen land, noch 's nachts als hij de ketels controleerde, noch in de oorlog toen hij in de stookkelder ondergedoken zat. Hij sneed een scherpe punt aan een rietje, maakte op de punt een inkeping, lichtte vanuit een roodstenen zaadbak de nauwelijks voor het oog waarneembare varenspoor op, zette hem over in een verspeenbak, drukte hem voorzichtig met zijn duim aan. Je moest er fijne vingers voor hebben, maar geen trillende vingers. Het werk ging hem moeizaam af. Over twee jaar zou de varenspoor een volwassen plant zijn. Hoe stond het er dan met zijn bedrijf voor? Met hem? Met Margje en de kinderen? Hij verliet de werkplaats, keek schichtig om zich heen.

Hij luisterde aan de deur. Gesnurk. Jozef had waarschijnlijk een ligplaats op de tegen de muur getimmerde zitbank gevonden.

Hij keerde om. Ruben en Tom waren gewoon hem goeiendag te zeggen voor ze naar school gingen. Net als gisteren ving hij ze op voor ze de tuin opkwamen. Tegen tienen ging hij naar huis om koffie te drinken. Ze keek hem onderzoekend aan.

'Nu al? Je krijgt toch geen bezoek, hè? Ga je vandaag achter die nota's aan? Ik weet dat je het vervelend vindt.'

'Ik was er gisteren,' loog hij, 'maar hij had het druk. Ik kon vandaag terugkomen.'

Dus straks moest hij naar Wieland. Hans vroeg zich af of die twee van hem verwachtten dat hij voor het eten zou zorgen. Dat vertikte hij. Daar had hij het geld niet eens voor. Al piekerend wilde hij weer aan het werk gaan, maar zag toen Mieras de tuin af fietsen. Die ging vast boodschappen doen. Chris Ibel was alleen. Hij stootte met de gieter door het dunne laagje ijs van het bassin, dompelde hem onder, liet hem vollopen.

De inval was zo abrupt dat de colporteur ruggelings op het bed viel. Hans trok hem aan zijn magere arm, omklemde die met zoveel kracht dat hij botten hoorde kraken.

'Eruit! Nu! Spullen pakken!' Die gelegenheid gaf hij hem nog wel. Met zijn voet schopte Hans een trui en schoenen zijn kant op, gooide hem zijn jas toe. Ibel bood geen verweer, maakte ook geen haast, hijgde zwaar, grijnsde zijn onregelmatige voortanden bloot.

Hans volgde hem tot aan de uitgang aan de Schonenbergsingel. Daar sprak Ibel zijn eerste woorden: 'Ja. Je zat met me in je maag.' Hans wist niet of ze dreigend klonken. Het kon hem op dit moment weinig schelen. Eerst moest deze man van de tuin af.

Vanaf de Hoofdstraat zagen ze Mieras de Singel opkomen, lopend naast de fiets. Met zijn zware lichaam was hij niet in staat naar boven te trappen. Ze wachtten hem op.

Jozef nam Ibel apart. Ze spraken kort met elkaar, midden op de weg. Ibel liep vervolgens op Hans toe, gehoorzaam als een kind, bedankte hem voor het genoten onderdak, en begon de weg af te dalen.

Waar ging zo'n man nu naar toe? Toen hij de hoek omsloeg, wendde Jozef zich met een glimlach tot Hans: 'Nee, zo kon het ook niet langer.' Hij gaf hem een welwillend klopje op de schouder. 'Je weet ook al dat Steffen het heel moeilijk heeft? Zijn zoon gaat het niet redden.'

59

~

Wieland, in zijn groene stofjas, schikte een boeket. Hans
Sievez was via de grossiersingang naast de winkel binnengekomen, had hem beleefd gegroet, maar de bloemenwinkelier
had gedaan of hij niets had gehoord. Hans, het bosje nota's in
zijn hand – sommige dateerden van twee jaar geleden; Margje
had gelijk: je levert waar aan die vent en je moet hem achter de
vodden zitten voor je eigen geld – keek naar de brede spekrug van
Wieland, staarde omhoog naar het glazen dak waar, aan draad
over een katrol gespannen, bloemenmanden in velerlei vorm en
grootte hingen. Ze schommelden licht in een tochtstroom. De
winkelbel ging, de telefoon ging. Wieland had een drukke zaak.
De loop zat er goed in. De bedrijvigheid die hier heerste had
Hans nooit gekend. Hij was niet jaloers, zou al tevreden zijn als
vandaag een deel van de nota's voldaan werd.

Zonder zich naar Hans om te draaien vroeg hij: 'Zeg Sievez,
had ik eigenlijk iets besteld? Ik dacht toch van niet?'

Hans keek naar het achterhoofd van de wanbetaler. Onderaan
zat hier en daar wat krullend dun vlashaar geplakt, rossige plukjes, als verschroeid. Het achterhoofd ging zonder overgang over
in zijn nek. Hij leek van achteren op een zeeleeuw. De bloemenwinkelier vloekte binnensmonds.

'Er zijn nota's bij van jaren terug,' waagde Hans.

'Je ziet toch dat ik het druk heb.'

Wieland voltooide het arrangement, schikte nog wat, besprenkelde het boeket met de rafraîchisseur. Hans bekeek een

paar van de smoezelige rekeningen die warm in zijn hand waren geworden. Grossiers in rozen en anjers uit Aalsmeer werden contant betaald. Anders leverden ze niet eens. Hans Sievez was te klein om zulke voorwaarden te stellen. Hij was een heel kleine leverancier, voor de kruimels. Daar kon Wieland mee omspringen zoals het hem uitkwam. Hans had er doorgaans geen moeite mee om klein te zijn. Nu stond hij met zevenhonderdtwaalf gulden aan oude nota's in zijn handen.

'Je ziet dat ik het hartstikke druk heb. Ik heb een hele zooi bestellingen die voor twaalf uur wegmoeten.'

Het was jammer dat Ruben niet bij hem was. Dan voelde hij zich sterker. Maar hij had weinig zin om zich vandaag zonder geld te laten wegsturen.

'Wieland, ik ben thuis ook niet zonder werk. Ik sta hier op mijn eigen geld te wachten.' Hij was verrast over zijn eigen woorden.

De bloemenwinkelier die juist de draad tegen het plafond vierde en zijn arm uitstrekte naar een mand waaraan nog oud, vergeeld lint bungelde, keek over zijn arm de varenkweker verbaasd aan.

'Jij bent uit je gewone doen, jongen.' Hij nam hem op, ondertussen het lint van het hengsel afrukkend. 'Anders zo stil en bescheiden. Zo hoog heb ik je nog nooit van de toren horen blazen. Nou zal je je geld krijgen ook. Dat gehang achter mijn rug.' Hij gooide de lege bloemenmand op de werktafel. 'Hoeveel is het?'

Hans bleef rustig.

'Alles bij elkaar, Wieland, een bedrag van zevenhonderdtwaalf gulden en vijftig cent. Daarmee is alles voldaan.' Hij sprak kalm, maar 'dat gehang achter mijn rug' klonk nog in zijn hoofd na. Maar wat zou het mooi zijn als hij met het geld thuiskwam. Het zou de ellende van de afgelopen dagen goedmaken.

De man liep naar een raamloos vertrek tussen werkplaats en winkel. Daar werden de bloemen ingepakt en afgerekend. Wieland draaide aan de hendel van een zilverkleurige kassa waarvan de la met een rinkelend belletje openschoot. Met de rug naar

Hans toe vroeg hij snauwend nog een keer naar het bedrag. Hans, bezig om op een vrij plekje aan de zinken werktafel de nota's op datum uit te spreiden, herhaalde het bedrag langzaam, hield Wieland in het oog die enkele graaien in de kassa deed en op hem toekwam met een handvol bankpapier.

Hans wees op de tafel.

'Het is allemaal nageteld. Voor beide partijen is het plezierig schoon schip te maken.'

'Jij zult mij niet belazeren. Een gelovig man, nietwaar.' Hij reikte Hans het geld aan maar voor deze het kon pakken liet de winkelier het klusje bankbiljetten los, die langzaam neerdwarrelden, even opwoeien door tocht vanuit de winkel, alle kanten opgingen en neerkwamen, ook onder de werktafel, in het afval.

Er waren genoeg momenten dat Hans Sievez zich van aardse zaken onthecht voelde. Maar de rotzooi onder de tafel herinnerde hem aan de troep die hij van andere bloemenwinkeliers op zijn bakfiets meekreeg. Afval vol puntige gemene potscherven met vlijmscherpe breukranden. Predikers hadden wederrechtelijk bezit genomen van zijn tuin. Allemaal misbruik. Meer vernederd kon hij niet worden, dacht hij. En zie! Hij keek naar zijn handen die de nota's keurig op datum hadden gelegd. Hij zag de oude littekens van genezen wonden, herinnering aan smerige scherven. En nog waren niet alle briefjes neergekomen, waaiden als veertjes zo licht tot ver onder de werktafel. Anders dan op zijn eigen kwekerij, maar op een even wrede manier, werd hij belachelijk gemaakt.

'Die raap ik niet op. Je kunt ze mij fatsoenlijk in de hand geven.'

'Dan laat je ze liggen.'

'Het is mijn geld dat je op de grond gooit.' Hans had zich in tijden niet zo sterk gevoeld. Hij wist zeker dat hij met het geld zou thuiskomen en hij stond in zijn recht. In deze werkplaats hing dezelfde zoete, bedwelmende geur als in de broeikassen. Het glazen dak boven hem schitterde als een emaillen bord. Misschien overviel hem een overmoedig gevoel. Het geld was vlakbij, lag aan zijn voeten. Hij kon het zo in zijn zak steken, weglopen.

Wieland was weer aan het werk gegaan.

'Je kijkt maar wat je ermee doet. Ik zou er niet te veel tijd voor nemen.'

Hans, op zijn hurken, raapte de briefjes bij elkaar, moest onder de werktafel kruipen, prikte zich aan doornen. Hij telde hardop. Hij kwam zevenvijftig tekort.

De bloemenwinkelier wond nieuw geel lint om het hengsel van de mand, deed of hij niets hoorde.

Hans zei dat hij nog zeveneneenhalve gulden tekortkwam. Hij begon naast hem op de werktafel de nota's af te tekenen met zijn paraaf, op één na. Een nota van een tientje bruidsgroen. Hij noteerde dat daarvan een rijksdaalder betaald was.

Wieland, zonder een woord te zeggen, liep naar de kassa, in zijn hand de gele strik die aan de mand bevestigd moest worden. Hij greep er een tientje uit en duwde dat Hans in de hand met de woorden: 'En nu opgesodemieterd!'

Hans Sievez, voorovergebogen aan de met zink beslagen, zes meter lange werktafel (die van hem thuis was een kleine twee meter en van vurenhout), staande naast Wieland, tekende de nota en legde tweevijftig neer. Hij was niet meer in staat om iets te zeggen, bijvoorbeeld: Daar, je wisselgeld. Nu is alles geregeld. Eindelijk.

Hij zag de grote, bleke hand van Wieland bewegen, het stapeltje nota's en die paar centen bij elkaar vegen en opzijschuiven. Een gulden viel van de tafel, rolde een eind weg tot een emmer hem tegenhield. Hans keek de man aan, keek naar hem op, want de ander was groter, en zwaarder. Het glas boven hem bleef maar scherp licht weerkaatsen. Het geld was weggestopt, de deur naar het gangetje dat uitkwam op de Hoofdstraat stond open. Er viel niets meer af te handelen, alle rekeningen waren vereffend, niets belette hem om naar huis te gaan, Margje blij te maken.

Op het gezicht van de bloemenwinkelier lag een hooghartig glimlachje. Met één hand steunde Hans op de werktafel, de ander hief hij.

De glimlach werd een verbaasde grijns. Hij sloeg hem eerst tegen zijn wang, toen op zijn mond en wie sloeg kon niet met zekerheid verteld worden, misschien wel de jongen, die nietige astmajongen uit de varkensschuur, een slachtpartij waaruit hij op wonderbaarlijke wijze, zonder ernstige lichamelijke verwondingen, te voorschijn was gekomen.

De grijns stond nog op Wielands gezicht gegrift toen hij struikelde, wankelde, met een doffe plof tegen de grond sloeg. Hans lustte hem rauw, smeet de bloemenmand, een bloempot, scherven, een rol zilverfolie, de hele mikmak aan afval erachteraan.

Hans Sievez was al halverwege de Bergweg, en de hand waarmee hij had uitgehaald gloeide nog steeds. Wat een kracht had daarin gezeten! Nog steeds was hij in staat in zijn eentje een zwaar raam van een dubbele Lentse bak op te tillen en te versjouwen. Ook daarom keek Ruben tegen hem op.

'En?' vroeg Margje. 'Ik zie dat er iets gebeurd is. Hans, je zegt niets.'

Hij zei dat ze een klant waren kwijtgeraakt, maar Margje en Ruben zagen dat hij van dat verlies niet erg onder de indruk was.

Ruben vond dat hij er zo vrolijk uitzag.

Rustig legde hij het geld op tafel, schoof de briefjes uiteen zodat het meer leek.

Margje was verbaasd. Hoe kreeg hij dat voor elkaar? Het geld was hard nodig. Voor nieuwe kokosmatten in de keuken, voor zoveel andere dingen die ze maar uitstelde.

'Maar pap, hoe ging dat dan?'

Hij aarzelde, maar toen vertelde hij dat hij gewoon had gezegd waar het op stond. Wieland had ingezien dat zo'n lang uitstaande schuld niet acceptabel was, was naar de kassa gelopen, en had uitbetaald, zoals het hoorde. Hij hield voorlopig voor zich dat het beter was niet op de bus te stappen bij halte 'Bloemenzaak Wieland'.

In de loop van de avond liet hij meer los over het bezoek aan de bloemenwinkelier. Zij luisterde aandachtig.

'Wat zou ik daar graag bij zijn geweest...' Ze ging op haar hurken bij hem zitten. 'Die plotse woedes van jou. Toen ik je vroeg naar hem toe te gaan, reageerde je onverschillig, gelaten, je zou wel zien, en dan ga je toch en gebeurt dit! Ik ben zo blij met het geld. Maar ik denk wel eens, zo'n aanval van razernij, je raakt dan bijna buiten jezelf, ik weet niet of ik het bij het rechte eind heb, misschien is dat ook wel gericht op... nou, op die kerels die je maar lastigvallen, je proberen in te palmen, je van mij aftroggelen, diep in je hart wil je dat niet, sta je boven hen...'

Hij wilde niet dat ze zulke dingen zei, het bewees weer eens hoe ver ze van elkaar verwijderd waren. In plaats dat zij hem steunde op zijn smalle, bijna onbegaanbare weg probeerde zij hem met haar woorden en lieve gebaren van zijn stuk te brengen.

'k Heb in mijn hart uw rede weggelegd,
Opdat ik mij mocht wachten voor de zonden,
Gij zijt, o Heer, gezegend, leer uw knecht
Door 't god'lijk woord, een helder licht bevonden,
En door uw' geest, al d'eisen van uw recht,
Zo wordt uw eer nooit stout door mij geschonden!

Ps 119 : 6

Zes

60

~

E en stem verhief zich aan tafel, ongewoon, onbescheiden, schaamteloos, luid als voor een afgeladen kerk. Huib Steffen barstte van begeerte om het Woord te brengen. Nooit hadden ze zo over de kleine eettafel geraasd. 'Oom' Huib was buiten zichzelf, wist niet waar hij zich bevond. Zelfs wie gevoelig was voor de waarheid van deze woorden zette zich innerlijk schrap om niet geheel verpulverd, verdelgd te worden. Hans zat er asgrauw en verslagen bij. De kapper had zijn haar te kort geknipt. Hij zag er weerloos uit.

Raadselachtige, gruwelijke woorden. 'Lieve God, aanbiddelijk Wezen, ik wil dat U mij niet ziet, ik wil nog een tijdje verdoemd blijven. Dwing mij aan U voorbij te gaan, dwing mij tot godslastering, zodat ik gekruisigd mag worden. Zie mij niet aan, o God, nog niet, o God. De verrukking. Nog niet!' Woorden die de oefenaar zelf ontstelden, in vertwijfeling brachten. Sissend tussen zijn tanden kwamen ze van zijn lippen, striemden, klaagden, vervoerden zodat elk denken wel moest ophouden.

Hans, vol eerbied, durfde niet naar hem op te kijken. Hij rook de geur van de oefenaar, de zo vertrouwde geur van de zondag, de sterke lichaamsgeur die de hele dag bleef hangen. De oefenaar oefende, oefende in de exegese, in de herhaling. Zijn handen waren groot, breed, heilig. Steffen had het gebracht tot het hoogst bereikbare voor een mens op aarde. Tot driemaal toe had hij een nachtgezicht gehad. Hij was een schriftgeleerde, van boven onderwezen in het Koninkrijk der Hemelen. Huib had inzage gekregen in het geheel van Gods plan. Wat in oude tijden een Micha, een Ezechiël, was geschied. God had hem dingen laten zien die tot nu toe verborgen waren gebleven. Nachtgezichten waren vele malen hoger dan daggezichten. Steffen was een door God bewilligd, begenadigd mens. Als hij sprak werd alles helderder, duisterder, meer waar. Verklaarde dat waarom Hans Sievez vanzelfsprekend op de onderste tree van de ladder tot heiligmaking was gezet, en nog nauwelijks geklommen was?

Zij keek naar zijn mond die al die gewichtige, eeuwige woorden vormden, keek naar haar man, boog het hoofd, kon die verbeten aandacht voor het onzienlijke niet verdragen, verbijsterde, verbeten gezichten, geheven naar het Gezicht, Zijn Gezicht. Nee, zij zou het heil nooit deelachtig worden.

Huib Steffen haakte zijn vingers in elkaar, maar bad nog niet, verkondigde dat de ouders verantwoordelijk zijn voor hun kinderen. 'Wie ze meeneemt naar een kerk waar een verkeerde leer wordt gepreekt is verantwoordelijk voor hun ondergang.' Nu sloot hij zijn ogen. Hij bad voor hen die 'buiten' waren, voor hen die 'binnen' waren. Voor gedoemden, voor het zout der aarde. In lange dreunen, met lange uithalen, ondoorgrondelijk hetzelfde. Kon een mens dat doorgronden? 'Niet de mens beweegt zich naar de Heere, maar Hij naar ons. Elke krachtsinspanning om zelf die weg te gaan is Hem onwelgevallig. U, o Heere, heeft ongeacht de zondeval, besloten in uw eindeloze liefde enkelen uit te verkiezen.'

Boven de kwekerij hing de ochtendnevel van een hete dag. Zij keek van hen weg, naar buiten en kon toch niet ontkomen aan dat vollemaansgezicht, de kale schedel, de gemene uitwas.

'Amen, ja amen.' Daarna vroeg hij, zijn hoofd schuddend in ontzagwekkende ernst, deze zeer kleine gemeente psalm 119 op te zoeken. Hij keek niet om te zien of iedereen haar gevonden had, zette hard en onzuiver in:

Welzalig zijn d'oprechten van gemoed,

Hans volgde schoorvoetend. In zijn handen zijn psalmboek, goud op snee, zijn duim en wijsvinger stonden afgedrukt in het vettig geworden papier, geel uitgeslagen door de sigarettenrook, zwartig door zijn grondvingers. Hij zong er ook uit, als hij geknield op een oud kokosmatje, violen uitzette. Hij zong bescheiden. Af en toe hoorde hij zijn eigen stem.

Hans meende dat na het eerste couplet de dienst afgelopen zou zijn, klapte zacht het psalmboek dicht, ook de anderen sloten hun boek. Maar Steffen deed of hij niets had gehoord en was al met het tweede vers begonnen. Hans bladerde snel, vond de psalm terug, zong mee. Margje hield haar boek gesloten. Ruben twijfelde, keek van zijn moeder naar zijn vader. De oefenaar zong maar door, het derde, het vierde couplet.

Hans bleef meezingen. Margje keek met opgetrokken wenkbrauwen naar haar oudste zoon. Dit had ze nog nooit meegemaakt. Ze zuchtte diep om haar ongenoegen kenbaar te maken. Misschien ging hij wel alle achtentachtig verzen zingen. Misschien hield dat zingen nooit meer op, zou Steffen blijven zingen tot het einde der aarde, zou hij zingend opvaren ten hemel. Margje keek naar haar man. Hans had grote zweetdruppels op zijn voorhoofd, ze vielen op zijn psalmboek.

'k Heb andren al de rechten van uw mond,
Met lust verteld...

Dit was pas het zevende vers. Hans, gebogen over zijn liedboek had zich opgesloten in zichzelf, durfde de oefenaar niet meer aan te kijken. Ook hij vroeg zich af waar dit op uit moest lopen.

Margje wees Ruben op de pendule. Het was bijna halféén.

Het zingen van Steffen was ten einde. Secondenlang bleef hij met gesloten ogen zitten, de handen geheven boven de tafel, schoof zijn stoel naar achteren, kwam overeind, maar bleef nog ver verwijderd van de gewone wereld – een vrouw, twee jongens, een oprechte toehoorder – zwijgend, nahijgend, midden in de kamer staan. Hans keek naar hem op, de anderen zagen de gedroogde modder aan zijn halfhoge rijglaarzen.

'Pfff,' bracht Margje uit, 'kan het niet wat minder? Wat hebben kinderen daar nou aan? Ik weet niet waar dit goed voor is. Zeven coupletten, dat heb ik van mijn leven nog niet meegemaakt.'

Steffen bestrafte haar. Uit onszelf, in onze diepe blindheid verstonden wij niets.

'Ik probeer u vol te zingen, maar u moet eerst leeg gebeden zijn.'

Hans hield zich afzijdig. Margje zweeg. De oefenaar maakte een wegslaand gebaar.

'We verstaan alleen als we ons hart openzetten.'

De oefenaar liet zijn ogen over de kommen gaan, citeerde uit zijn hoofd: 'Jacob gaf Esau brood en het linzengerecht. Esau at en dronk.' De damp sloeg eraf, hij vouwde zijn handen hoog boven de tafel. Zijn handen beefden. Hij vroeg om de zegen voor deze rijke maaltijd: 'Niets is van ons.'

Margje wenste iedereen smakelijk eten. De geur van de man tegenover haar vermengde zich met die van de linzensoep. Haar maag trok samen.

Ze zat zoveel mogelijk van hem afgekeerd. Hans wendde zich tot de prediker. 'Esau kwam van het veld terug en zag de linzen en gaf zijn broer te kennen "te willen slokken van dat rode, dat rode daar".' Hans' toon was onderdanig, maar hij citeerde wel gemakkelijk uit het Woord.

Tom zag dat zijn moeder niets van de soep nam.

'Mam, vind je het niet lekker?'

'Let maar niet op mij schat. Ik heb even geen trek.' Ze bloosde omdat het kind het opgemerkt had. Ze voelde zich misselijk worden.

Ruben keek naar zijn moeder, tegelijk het gesprek volgend tussen zijn vader en Steffen over de tweelingbroers Esau en Jacob. Esau betekende dichtbehaard, volgens de oefenaar. Hans knikte instemmend. De oefenaar nam een lepel soep, probeerde die naar zijn mond te brengen. Het beven van zijn handen dat altijd maar kort duurde en zich meestal direct na de lezing voordeed, verhevigde. Hij hapte toe, morste veel soep.

Hoewel afgewend bekeek zij hem nieuwsgierig. Haar maag begon nu echt op te spelen, maar ze bleef hem aankijken. Tegen de donkere achterwand leek zijn hoofd groter en dikker dan ooit. Onder de tafel drukte Margje haar nagels in haar handpalm. Huib Steffen roemde de voedzaamheid van linzen. In het oude Israël werden ze ook als moes gegeten en in koeken verwerkt. In Samuel was het allemaal na te lezen.

'Mam, het wordt koud.' Tom aaide even over zijn moeders arm. Nu pakte ze de lepel, wilde zichzelf bewijzen dat ze nog iets vast kon houden zonder het te laten vallen.

Oefenaar Steffen slurpte.

Er was ook het gerinkel van bestek.

Margje probeerde een klein hapje, maar legde snel de lepel neer. Ze moest bijna kokhalzen, het was beter om overeind te komen. Behoedzaam nam ze de kom tussen beide handen om naar de keuken te brengen.

Ruben kwam haar achterna.

'Wat ga je doen?' Haar keel was droog, haar tong lam. Ze wierp een blik over de tafel. Allemaal zagen ze de donkere kringen onder haar ogen.

Bang dat ze zou wankelen, stapte ze snel over de drempel. Niemand zag precies wat er gebeurde. Struikelde ze? De kom gleed uit haar handen. Soep spatte op tegen een tafelpoot, het keukenkastje, over de nieuw aangeschafte kokosmat. Margje verloor een schoen. Haar oudste kon haar op tijd opvangen en hielp haar op een stoel.

Ze excuseerde zich, at vandaag niet meer.

'Ik weet niet wat ik heb.' Ze was wanhopig. Dat zagen ook de anderen. De zomerzon scheen de keuken in via de open achterdeur. Ze zat in de warme zon te rillen en te klappertanden.

'Mammie toch, je bent ziek,' zei Tom. Hij zat gehurkt voor haar, de anderen waren om haar heen komen staan. 'We gaan je zo naar bed brengen,' en Tom streelde haar knieën.

'Ik heb het gevoel dat ik stik als ik eten zie...'

Steffen kneep zijn ogen in afschuw dicht. Zo behoorde over voedsel waarover de zegen was gevraagd niet gesproken te worden.

Margje keek om zich heen in de vertrouwde keuken, met de lichtgroen geverfde kastjes die nog van voor de oorlog waren, het stenen aanrecht waarin nog scherven zaten van een voltreffer in het laatste oorlogsjaar, het gebutste emaillen bord waarin ze peterselie droogde. Ze keek omlaag naar de mat die Hans nu schoonmaakte, zei dat haar hart zo bonkte, dat het eten haar misschien wel nooit meer smaakte, dat ze niet meer aan tafel wilde. Zo onverwacht kwam er een vloedgolf dat ze de oefenaar onderspuugde.

Margje gaf over. Vele keren achter elkaar. Ze hield niet op. Het was pijnlijk om aan te zien. Ze hoorden allen het slikken en spugen, stonden er onhandig met een teiltje bij.

Toen er niets meer viel over te geven, ontspande haar gezicht een ogenblik en verscheen een weemoedige uitdrukking.

Margje schudde langzaam haar hoofd, strak naar een punt op de grond starend: 'Ik verdraag het niet meer.'

Ze snikte.

Een nauwelijks ingehouden snikken dat eigenlijk niemand mocht horen, dat niet te stoppen was. Margje dacht de brandende hitte boven de kwekerij te voelen, in een huis dat ze niet herkende, waar woorden werden gesproken die ze niet wilde horen, niet wilde begrijpen, uit de mond van een vreemde die ze niet verdroeg. Hans stond er met neergeslagen ogen bij. Hij wilde iets doen, pakte haar hand. Zij liet het toe. Haar hand lag passief in de zijne.

61

Haar voorhoofd tegen de bewaasde ruit van het voorkamer-raam, keek Margje de straat af. Een windvlaag deed de zo vaak gewassen gordijnen trillen. Margje, bevangen door de zekerheid van iets onbenoembaars, iets gruwelijks, sloeg de handen voor haar gezicht, bedwong met moeite een kreet. Ze maakte zich van het raam los, liep de achterkamer in, bleef bij zijn bureau staan. Ze zou zich dingen moeten herinneren, voelde de noodzaak een verband te vinden tussen gebeurtenissen uit het verleden en haar gevoelens van nu, deed een poging.

Aan zijn bureau schreef ze op de achterzijde van een nota een kort briefje aan hem dat ze op de keukentafel legde en ging naar boven.

Ze zat rechtop in bed, liet haar hoofd tegen het hout rusten, staarde over het voeteneind naar de muur, luisterde in het donker naar de geluiden van de nacht. Lang had ze gedacht dat alles op de een of andere manier weer in orde zou komen. Van tijd tot tijd streek ze over haar mond, die schraal aanvoelde, mompelde hardop: 'Het is voorbij.' Het briefje dat ze op de keukentafel had gelegd kon ze net zo goed weghalen voor hij thuiskwam, kon ze misschien maar beter weghalen, maar ze bleef onbeweeglijk zitten.

Daar was hij.

Het schijnsel van de lantaarn reikte slechts tot de helft van het wegdek. Pas toen Hans vlak voor zijn huis stond, het tuinhek wilde openen, zag hij door de dichte mist heen, tot zijn geruststelling, schemerlicht tussen de half dichtgetrokken gordijnen. Margje had het wandlampje in de voorkamer aangelaten, een teken dat ze op zijn komst wachtte, hem zijn late thuiskomst niet al te kwalijk nam.

Hij liep om het huis heen, drukte de sigarettenpeuk tegen de muur uit, keek omhoog en zag dat het slaapkamerraam donker was. Dat viel tegen. Maar hij geloofde zeker dat ze nog wakker zou zijn. Ze zou niet gaan slapen zolang hij niet thuis was. Hij noemde zacht haar naam, verlangde naar Margje. De voorlaatste bus vanuit de stad had hij net gemist. Hij had eerder thuis willen zijn. Zijn regenjas hing over zijn arm, hij drukte hem strak tegen zijn lichaam.

De dienst vanavond in Zwartsluis was troostrijk geweest. 'Uw stok en uw staf die bewaren mij', was de tekst vanavond. Hij had Gods aanwezigheid ervaren, was onder de vlammende woorden in een wonderlijke verrukking geraakt, was het rechthuis ingeleid, het wijnhuis. Verrassend was dat hij onder de zaligmakende prediking aan Margjes benen moest denken. Meegevoerd door de stroom heilige woorden zag hij haar op het grasveldje achter het huis in de blauwe ligstoel, de slanke benen over elkaar geslagen en ontbloot tot aan de grens waar de schemer begon. Een van de voeten bewoog op en neer. Haar witte sandaal bungelde aan een teen. Hij knielde om de gave benen te strelen, greep de bewegende voet bij de enkel om die op te tillen, naar zich toe te trekken. Zij, met verzaligde ogen, spreidde haar benen. Margje, toegeeflijk, heet.

Nog in de ban, bezeten van de gedachte haar lichaam met het zijne te bedekken, trok hij de achterdeur open, trok beneden zijn kleren uit, knielde met de handen gevouwen op de keukenstoel, dankte Hem voor deze dag, zong zacht en tamelijk snel, sneller dan geoorloofd:

Zijn naam moet eeuwig eer' ontvangen
Men loov' hem vroeg en spa,

De wereld hoor' en volg' mijn zangen
Met amen amen na.

Een korter gebed, een sneller lied dan anders, maar hij schudde wel ernstig met zijn hoofd. Pas toen hij overeind kwam trof hij aan zijn voeten het toegevouwen briefje. Hij las in haar minutieuze handschrift:

'Hou je nog wel van <u>mij?</u>'

Een lichte ergernis kwam opzetten. Hij stopte het papiertje weg onder zijn overhemd op de keukenstoel. 'Uw borsten zijn als dadeltrossen,' schreef Salomo in het Hooglied. Onder de dienst had hij ze voortdurend voor zich gezien.

In een paar stappen liep hij de kamer door, deed de lamp in de voorkamer uit. Salomo's lied, puur genot. 'Borsten als dadeltrossen.' 'Als een gespleten granaatappel zijn uw slapen.'

De deur van de slaapkamer stond open; hij onderscheidde de lichte rechthoek van het raam, liep op zijn tenen om het bed heen, zag onduidelijk Margjes gestalte en boven haar tegen de wand, de glans van de mahonielijst die in gotische letters de woorden van Gezelle omvatte:

Mij spreekt de blomme een tale
Mij is het kruid beleefd
Mij groet het altemale
Wat God geschapen heeft.

Hij sprak zacht haar naam, schoof direct naar haar toe, wilde zich tegen haar aanvlijen, zocht met zijn hand haar buik en merkte dat ze rechtop zat.

Ze duwde zijn hand van zich af.

'Wat is er?' vroeg hij, en begreep dat hij naar de bekende weg gevraagd had. O, maar als zij zo afwerend reageerde, hoefde hij ook niets over het briefje op de keukentafel te zeggen. Ze benam hem de kans zijn gevoelens te uiten. Maar hij wilde haar nu nog meer, schudde in het donker aan een schouder: Margje!

'Je doet me pijn,' fluisterde ze. Hij drukte haar smalle polsen omlaag. 'Je hoeft niet meer bij me te komen in bed.' Ze zei het kalm en hard.

Dit was ernstig. Hij liet haar onmiddellijk los. Zij voegde eraan toe: 'Nu liever niet.' Wilde ze de bitterheid van haar afwijzing verzachten? Ze haalde daarmee wel de angel uit zijn razernij, uit de drift die van ver kwam opzetten. Stuurs, met onbegrip, rechtop tegen het hoofdeinde, de duisternis in starend, begon hij gejaagd te ademen alsof zijn astma weer de kop opstak, herinnerde zich de oude woorden die hij vanavond gehoord had: willig zijn, bewilligmaking, bewilliging. Woorden waarmee Margje niets van doen had, die op de geest sloegen. Toch ook op het lichaam? Beiden in duisternis, in pijn gehuld. Hij overwoog het licht aan te doen, maar was bang voor haar koele, afwerende blik. Hij probeerde het gelukzalige gevoel van eerder die avond op te roepen, schoof naar haar toe en raakte behoedzaam haar buik aan. Even dacht hij het pleit gewonnen te hebben. Ze duwde zijn hand opnieuw weg.

Hij had haar toch goed begrepen?

'Een hele week niets zeggen, alleen het hoognodige, en dan weggaan, je eigen gang... Ik heb geen zin in liefdoen.' Haar stem was beheerst, van een koele afstandelijkheid die hij niet verdroeg. Ze gaf toe dat die Steffen sindsdien niet meer in huis was geweest. Dat was een verademing. 'Maar jij bent door de week veel vaker weg. Ik weet nauwelijks wat erger is.'

Hij zat rechtop, met het hoofd afgewend naar haar te luisteren, zijn blik dwaalde naar de duisternis naast het raam. Hij hoorde haar stem.

'Denk je nog wel eens aan mij? Doe ik er nog wel toe? Achter mijn rug hoor ik je naar boven gaan en ik weet al hoe de vlag erbij hangt. Meneer trekt zijn nette pak aan, gaat ervandoor. Overdag. Alleen.'

Ze tuurde naar dezelfde duisternis, zei dat ze lang had geloofd dat er ergens in hem nog iets heel was, ongeschonden, een plek waar dat nietsontziende geloof niet bij zou kunnen komen.

'Hans, je gaat weg, sigaretje in je mond en het gekke is: ík heb steeds het gevoel iets verkeerds te doen, het gevoel schuldig te zijn. Maar waaraan? Jij laat ons in de steek en ík voel me schuldig. Wat doe ik dan verkeerd? Zeg iets! Vanavond heb ik mezelf voorgehouden, wachtend op je terugkeer, de straat afturend, het is beter dat ik vertrek. Heb je het briefje beneden gevonden?'

Ze kreeg pijn in haar schouders, liet zich naar beneden zakken, steunde met een elleboog op het kussen, haar gezicht zijn kant op.

'Een hele avond wachten en ongerust zijn. Niet weten wanneer je thuiskomt. Toen je vanmiddag wegging, keek je naar me alsof je even vergeten was wie daar voor je stond. Ja, dat was ik. Altijd maar hopen dat het weer goed zal komen. De laatste tijd heb ik het gevoel al terug te kijken op een ander leven, maar het is allemaal zo geleidelijk gegaan dat ik niet kan zeggen waar het ene leven begonnen is en het andere ophield. Weet je nog dat je tegen de hazen en fazanten sprak, mij op je schouders meenam, campanula voor me plukte. Je was blij met me. Hans, laat die kerels toch! Gooi die vieze, oude boeken weg. Ik zie je de straat aflopen en ik ben nog trots op je ook. Ik ben al zo ver met je meegegaan...'

Zij strekte haar arm uit, legde haar kleine hand op zijn hoofd.

'Die vroegere vriend van je, die Mieras, dat moet je me eens uitleggen... Die heb ik zo vaak van de tuin gejaagd. Ik tikte tegen de ruit, hij schrok, liep terug, bleef bij het toegangshek staan wachten. Als ik even niet oplette, probeerde hij het weer, net een klein straatschoffie. Ik ben hem zelfs een keer achterna gegaan en heb hem verboden langer contact met jou te zoeken. Maar op een dag heb ik me afgevraagd of hij niet wat sympathie verdiende. Hij was toch ooit een vriend van je geweest, en was dat in zekere zin opnieuw geworden. Die man heb ik vernederd, verjaagd, te kennen gegeven dat ik niets van hem moest hebben, uiteindelijk zag ik hem dan weglopen en wist dat hij via de begraafplaats jou toch zou weten te vinden. Een man, altijd bezig anderen te bepraten, achterna te zitten... wonderlijk. Een wonderlijk mens. Hoe ik ook zocht, Hans, ik vond niets... Het gaat mijn bevattingsvermogen te boven... Hij heeft jou ingepalmd. Leg jij het dan uit.' Ze ging liggen, verschoof haar benen. Hij luisterde naar die stem in het duister, hoopte dat zich een eenvoudig antwoord zou aandienen.

Ze vroeg waarom hij niets zei. Omdat hij ook op die vraag niet reageerde, vervolgde ze: 'Ik vraag me af hoe dat dan gaat... Je bent op de tuin aan het werk, je snijdt een boeket, je verspeent of zet planten uit... Wat gebeurt er dan met je? Komt een gedachte op in je hoofd? Is er een stem die je roept? Altijd gehaast kom je het huis in, laat de boel de boel, gaat je verkleden. Er is geen tegenhouden aan. En ik vraag me voor de zoveelste keer af: Hoe is het mogelijk dat ik het verdraag? Weet jij hoe dat mogelijk is? Heb je mijn briefje gevonden?'

Hij voelde dat ze naar hem keek.

'Hou je nog van me?'

Hij wachtte nog met antwoord geven, niet omdat hij erover moest nadenken, maar omdat zij het antwoord al wist. Die vraag hoefde ze niet te stellen.

62

Het was enkele weken later. Zij schonk voor Tom die net uit school was thuisgekomen limonade in. Hij liet zijn moeder een blaadje met sommen zien dat hij van de meester had teruggekregen. Zij bekeek het met grote aandacht. Hij had er een tien voor gehaald, bij alle vakken behoorde hij tot de besten van de klas en hij deed dit jaar toelatingsexamen voor de middelbare school. Zonder dat het hem enige moeite leek te kosten was hij beter dan Ruben indertijd. Verliefd keek ze naar haar jongste, haar benjamin, streek door de blonde krullen van het mooie, frêle jongetje, zoende hem boven op zijn hoofd, liet haar lippen daar even rusten.

Hans kwam binnen, was verbaasd hen in huis aan te treffen.

'Ik dacht dat jij en Tom een afspraak op school hadden!'

'Hans, dat is volgende week. Daar hebben we het gisteren nog over gehad. Maar je doet nou net of je ons liever niet had gezien.' Ze gaf hem het blaadje met de sommen. Hij wierp er een blik op, zag de tien nauwelijks, stond onhandig met het blaadje te draaien, was duidelijk niet in staat voor wat dan ook belangstelling te tonen, legde het ruitjespapier op de keukentafel, zei dat Tom goed zijn best deed.

'Ik geloof niet eens dat hij zo goed zijn best doet,' reageerde Margje, 'maar hij haalt toch zulke cijfers. Het waait hem aan. Ben je niet heel trots op hem? En je mag best eens wat aardiger tegen hem doen.'

Zij schonk thee in. Hij was tot lief, tot aardig doen, helemaal niet in staat. Hij had wel wat anders aan zijn hoofd. Zij schoof een kopje naar hem toe, meende dat hij daarvoor van de tuin was gekomen. Maar hij wilde geen thee, er was geen tijd voor thee. Wat vervelend dat hij die twee in de keuken aantrof. Hij was er zeker van geweest dat zij vandaag op school moest zijn om met de klassenonderwijzer over Toms schoolkeuze te praten. Hoe had hij zich zo kunnen vergissen?

Hij liep de huiskamer in, wilde de deur naar de gang openen, toen zij hem nariep: 'Wat ga je doen?'

Hij bleef bijna onzichtbaar in die donkerste hoek van de kamer staan. Haar blik ging van hem naar haar jongste zoon, en toen direct weer naar hem, als wilde ze hem op andere gedachten brengen. 'Hans, nee... Je gaat toch niet weg?' Ze hoorde zijn luide nerveuze ademhaling. Hij was nerveus, voorzag de lange weg die hij te gaan had. Het was geen sinecure om het huis te verlaten, in vrede te verlaten, en eenmaal op straat moest hij om in Hardinx-veld-Giessendam te komen een bus, een trein, weer een bus nemen. Maar er viel niets met zichzelf te overleggen, hij was zonder aarzeling. Niemand kon hem hiervan afhouden.

Hij liep de trap op, hoorde hen de gang inkomen. Het openstaande zolderluik liet een goudgele zon door, tekende het hekwerk van de overloop af tegen de wand en de slaapkamerdeur. Het dakraam had oud, dik glas, het licht dat erdoorheen viel leek vloeibaar. Vanaf de overloop was de hal beneden donker. Daar stond zij met de jongste en ze keken omhoog.

Net voor hij de slaapkamer binnenging viel het licht op zijn schouders uiteen.

Hij moest gaan. Al dagen tobde hij met sterke schuldgevoelens. Was hij wel verzoend met Christus? Alle zekerheid daaromtrent was verdwenen. Wat moest er van hem worden als hij bij zichzelf een gebrek aan vertrouwen in de Heiland moest constateren? Hij voelde een sterke behoefte om onder gelijkdenkenden te zijn.

Hans trok een wit overhemd aan, zijn zondagse kostuum, knoopte zijn stropdas, bedacht intussen dat hij beneden het psalmboek bij zich moest steken, en sigaretten. Geschoren had hij zich bijtijds in de werkplaats. Hij dacht ook aan de bustijden, de treintijden, de aansluitingen, trof in zijn hoofd voorbereidingen. Hij wilde op tijd zijn. Er werd verwacht dat je op tijd was.

Hij hoorde hen wel de trap opkomen, maar liet zich niet afleiden. Zij stond met Tom op de drempel van de slaapkamer. Hij stopte zijn overhemd in zijn broek, kamde zorgvuldig zijn haar en trachtte vergeefs die andere schuldgevoelens te verjagen. Hij zou graag thuis willen blijven, maar als hij niet ging zou hij zich het leven nog onmogelijker maken. Dit was onderdeel van de beproeving die Jozef hem onlangs had voorgehouden.

Zij ving in de spiegel zijn blik. Hij probeerde zich van haar los te maken, ging verder met het kammen van zijn haar. Door zijn adem besloeg de spiegel. Direct moest hij deze geblokkeerde kamer uit zien te komen.

Hij zei korzelig: 'Als je doorhad wat er met mij gaande was, zou je meehelpen. Niet dwarszitten in elk geval.'

Hans zou willen dat die vrouw verdween. Met zijn heupen tegen de wastafel, heeft hij zich een moment verbeeld dat zij nooit meer zou spreken, nooit meer zou vragen waar hij heenging, wat hij deed, wat hij las, dat alles, hij droomde een fractie van haar definitieve afwezigheid, had zich bijna omgedraaid en zijn moordzuchtige blik op haar gericht. Hij spoelde de kam onder de kraan schoon.

Zij zei: 'Het is verschrikkelijk.'

Ze herhaalde. 'Het is verschrikkelijk. Misschien ga ik ook wel weg en kom nooit meer terug.'

Hij stond nog steeds voor de spiegel, maar zijn haar zat goed, zijn stropdas zat goed. Hij vocht tegen het onverdraaglijke beeld. Langs het raam vloog een hongerige ekster. Het was het moment zich haastig om te keren. Margje en de jongen maakten zich klein. Hij raakte Tom voor de vorm even aan, bleef op de overloop staan.

'Zo kan ik niet weggaan. Dat begrijp je toch. Zo wil ik toch niet weggaan?' Ze stonden tegenover elkaar. Zij keerde zich van hem af.

'Je behoort hier te zijn.'

'Ik wil geen woordenwisseling. Ik kan jou niets uitleggen omdat je je afsluit.'

Ze keek afwijzend. Heel afwijzend. Toen draaide ze haar hoofd naar hem toe, maar hij wendde zich af, keek de helverlichte overloop over, voelde de ongenaakbaarheid van haar blik. Zo moest haar gezicht er ook uitgezien hebben toen ze Jozef Mieras van de tuin af joeg.

'Je durft me niet eens recht in de ogen te kijken. Alles was toch goed?' Margje wist dat ze hem niet kon tegenhouden. Ze zei, terwijl hij naar de trap liep: 'Ik had eerder moeten ingrijpen. Het is allemaal gebeurd voor ik er goed en wel erg in had. Wanneer is eigenlijk die verschrikkelijke vloed op gang gekomen? Was het anders gelopen als je niet die Mieras ontmoet had, als je vanuit Lathum niet in Den Haag was terechtgekomen? Of zou je altijd wel iemand getroffen hebben...'

Halverwege de trap zei hij: 'Aan Gods plan kan niets afgedaan of toegedaan worden.'

Ze keek hem na. Hij hield zich voor dat er verrukking op hem lag te wachten die eeuwig zou duren. Wat woog daar in het tijdelijke tegen op? Hij had tegen haar kunnen zeggen wat de apostel Paulus in zijn brief aan de Corinthiërs schreef. 'Vele vrouwen bekeerden zich.' Dat kon dus. Maar Margje was afkerig van het Woord. Zoals ze soms afkerig was om met hem te vrijen, een doekje had omgedaan, ongesteldheid veinsde om hem van zich af te houden. Hem weigerde.

Daar was hij dan inwendig woedend over, hij die van korte, hevige bevredigingen hield, en een spel waarbij zij langzaam tot ongetemde wildheid kwam niet aankon, omdat hij zich de mindere voelde, en dan nog banger was voor die doekjes, ruwwollig van binnen, glad aan de randen, die zelfs als ze uitgewassen aan de lijn te drogen hingen, geheimzinnig bleven.

Zij stond met haar lieveling boven aan de trap en ze zei, half tegen Tom, half tegen zichzelf: 'Daar gaat hij. Een bekeerde. Een verloste. Wat is dat eigenlijk? We weten het van de lezingen: een weergekeerde, een gekeerde, een omgekeerde. Daar zijn we mooi klaar mee.'

Er lag zelfs niets spottends in haar stem. Hij keek omhoog, gekweld en met een gloeiend gezicht, alsof hij tussen het glas van de broeikassen stond, en maakte een gebaar met zijn hand waarin een grote, maar radeloze gehaastheid lag.

Ze wilde zeggen: Je bent er dus niet met eten? Maar ze zei: 'Ik dacht nog wel dat het ergste voorbij was.' Een tel keken ze elkaar aan, nog korter. Dus zij hoopt nog, dacht hij. Zij zag dat hij niet was tegen te houden. Wie kon nog ingrijpen?

'Zo kan ik toch niet vertrekken,' zei hij. 'Dit is toch geen doen voor mij?' Zo zenuwachtig had ze hem niet eerder gezien. Zo zenuwachtig als een hond die een vlieg volgt cirkelend om zijn snuit.

Hij haastte zich de laatste treden af, opende de voordeur, bedacht zich, trok hem weer dicht en liep via de voorkamer de eetkamer in. Zo was hij sneller bij zijn bureau waar hij zijn psalmboek, zijn sigaretten pakte. Zo had hij nog een reden om een moment langer in huis te blijven. Margje en Tom hoorde hij de trap afkomen. Zijn zoon riep dat hij thuis moest blijven. Hij klemde het gladde, zwarte psalmboek in zijn hand. Het telde bijna vierhonderd dunne pagina's, want het bevatte ook de Heidelbergse catechismus en de Belijdenis des Geloofs, volgens de Dordtse leerregels.

Nu deed hij weer of hij de gang in wilde, legde met de nog niet aangestoken sigaret zijn hand op de klink van de deur naar de gang, drukte die naar beneden. Daarachter was het ineens helemaal stil alsof met het aanraken van de deur allen daarachter in de ban waren geraakt of niet meer in leven waren. Alleen de deur scheidde hen. In verwarring, niet wetend of hij hen nog wilde zien – maar hij hoopte intens op een lief woord van Margje, het zou alle pijn op slag wegnemen, zou hij haar nu maar in zijn armen kunnen sluiten – liet hij de klink los, haastte zich de vertrekken door naar buiten, met koppige blik, stak buiten zijn sigaret aan, nam enkele korte trekken achter elkaar.

Hij was al op het middenpad, maar had de achterdeur laten openstaan. Hij liep terug om die te sluiten.

Zij deed hem direct weer open en riep hem toe: 'Wat is er gebeurd? Wat heb je met ons gedaan? Waarom moest je veranderen?' Ze klonk hees, uitgeput. Het was bijna geen stem. Hij wilde die stem niet herkennen en had met een paar stappen afstand van haar genomen, wilde haar niet horen. Hij stond op het brede middenpad, in de zon, tussen de ligusterhagen. Zoals hij daar stond, de sigaret tussen zijn lippen, jas over de arm, gebruind en toch bleek, van vastbeslotenheid. Een mooie God. Een zoon van God.

Zij was naar binnen gegaan, hij zag dat zij de huiskamer doorliep naar de gang. Hij moest opschieten, het huis al gepasseerd, nog voor zij naar buiten kwam. In enkele passen was hij op straat, toen zij, op hetzelfde moment, de stoep afliep, haar hand naar hem uitstak, in een laatste poging. Hij negeerde haar, keek strak voor zich. Zij opende het tuinhek, greep zijn hand. Hij rukte zich los. Een fractie, nog korter, keken ze elkaar aan. In het schelle licht leken beiden transparant. Hij weerstond haar blik, moest die weerstaan. Een moment later zag hij Margje niet meer, zij hem evenmin. Tussen hen was alleen een kille, verlaten ruimte van afwisselend zon en schaduw.

Zij, achteruitlopend, bereikte het betegelde paadje naar de voordeur. Het zonlicht prentte zich tussen hen in de stenen van de straat. Zij trok het tuinhek dicht, haar handen omklemden de ijzeren rand om het beven te beheersen.

Tom zag alles.

63

Een onbekende voorganger, afkomstig uit Noordeloos, voerde het woord. Hij sprak en bewoog zich traag alsof hij boven alle menselijke tijd verheven was. ''k Ben door uwe wet te schenden, krom van lendenen.' Wat had de oefenaar zojuist gezegd? Hans kon zijn gedachten er niet bij houden. 'Gewassen in bloed staan wij daar. Is dat geen wonderschoon perspectief, gemeente?' Op de heenweg, in de lege bus, had hij overwogen bij de eerste de beste halte uit te stappen en een bus terug te nemen. Hij had de haltes aan zich voorbij laten gaan. Steffen en Mieras hadden hem bezworen deze belangrijke dienst bij te wonen. Hij kwam toch al erg onregelmatig. Steffen bleek zich voor deze dienst ziek te hebben afgemeld. Jozef had zich niet laten zien vandaag. Er was wel bekend dat Chris Ibel in een ziekenhuis was opgenomen.

Hij had gemakkelijk thuis kunnen blijven. Kon hij onder de preek weglopen? Zou vertrek hem als zonde worden aangemerkt? Hij wilde toch de ladder beklimmen die tot vervolmaking moest leiden? 'Er zijn zoveel mensen,' vervolgde de voorganger, 'hier in de Alblasserwaard, die menen dat zij zaligmakend verlicht zijn, die denken Christus ontmoet te hebben. Zij lijden aan een afschuwelijke dwaling.'

De dienst in deze duistere schuur zou nog uren duren. Een schandelijke gedachte kwam in hem op. Hij kon voorwenden zich ineens niet goed te voelen. Met een vuurrood gezicht keek hij om zich heen. Harde, knokige hoofden, die in onnoemelijke ernst op het ritme van de woorden meeschudden, donkere ogen die hem volgden. Hij durfde niet op te staan. 'Dan ga ik maar weg,' had Margje gezegd. 'Ik ga weg. Ik hou het niet meer vol.' Hij stelde zich hun slaapkamer voor. Margje zocht kleren uit om mee te nemen, legde stapeltjes op bed neer. Ruben had ze gevraagd de koffer van zolder te halen. Tom vroeg waar ze heengingen. 'Ik weet het nog niet, lieveling. Zoek jij zelf bij elkaar wat je mee wilt nemen?' En tegen Ruben: 'Er moet iemand thuisblijven. Vang jij pappa op? Voor mij is het over. Hij heeft zich gek laten maken door die kerels...' Het zweet brak hem uit. God kende toch zijn overwegingen.

Het verlangen naar huis te gaan kwam zo hevig en snel dat hij er duizelig van werd. Hoe moest hij verder als Margje het niet meer aankon? Wat zou er van de kwekerij terechtkomen? Hij herinnerde zich een van de keren dat Steffen en Mieras op de tuin waren geweest. Toen hij weer aan het werk wilde gaan was Margje verschenen. 'Dat waren zij weer, hè? Twee uur lang hebben ze je van het werk gehouden. Je zei zelf vanmorgen: Vandaag probeer ik met de violenbedden klaar te komen. Die verloren tijd moet ingehaald worden.' Een ondeugend jongetje dat berispt werd. Ze had haar hand op zijn onderarm gelegd. Verward en geroerd door de warme aanraking, had hij geen beweging durven maken, bang haar van zich af te stoten. Hij zocht naar een antwoord. Dat was niet moeilijk te vinden. Margje kon praten alsof er geen speld tussen te krijgen was. Tijd om het tijdelijke te overwinnen was geen verloren tijd.

Hij belde naar huis. Niemand. Het was halfnegen. Om deze tijd was ze altijd thuis. Twee uur later probeerde hij het van het station in Arnhem. Ruben nam op.

'Ruben, ik heb daarstraks ook gebeld.' Hij sprak met een angstig, klagelijk stemmetje. Een kleine jongen heel erg bang voor straf.

'Pap, ik heb mamma en Tom naar de bus gebracht. Ik kan niet zeggen waar ze naar toe zijn.' Rubens stem was ernstig, gereserveerd, bijna ijzig. Het respect voor zijn vader was hij nooit kwijtgeraakt.

'Hoe laat zijn ze weggegaan? Zei mamma nog iets?'

'Pap, kom maar naar huis.' Een scherp mes begon in Hans' brein te snijden en richtte grote vernielingen aan. Het onheil kwam nu in grote sprongen op hem af.

'Mamma herhaalde maar steeds dat ze wegging. Ik ga. Ik ga. Dat herhaalde ze eindeloos.'

Hans zat aan de keukentafel. Ruben had hem bij thuiskomst een vluchtige zoen gegeven, stond bij het aanrecht koffie in te schenken, met de rug naar hem toe. 'Mamma zei ook: een aardige, vrolijke man die zich met huid en haar overlevert. Domme pech. Voor ons allemaal. Dat zei ze. Gesmeekt heb ik. Het is verschrikkelijk en als je niet beter wist om in lachen uit te barsten. Waarom blijf ik nog? Waarom? Ja, zaterdagavond mag ik het eten voorbereiden. En met die Jozef Mieras is het allemaal begonnen, die man zit op een dag aan mijn keukentafel, een man met een goedaardig gezicht, bol en sproetig, vriendelijk glimlachend. Die man geeft mij een hand en laat merken o zo blij te zijn met mij kennis te maken. En maar glimlachen. Zo beminnelijk. Zo vertrouwenwekkend. Ik loop even met hem mee de tuin op om pappa te zoeken. Hij blijft, gaat op de rand van het bassin zitten.'

'Later op de dag ga ik nog eens kijken. Hij zit er nog steeds, heeft alle tijd. 's Avonds zeg ik tegen pappa: Wat moest die man? Hij was wel dringend om je verlegen! Niet zo lang daarna tref ik ze samen, bij de hulsthaag, tegenover elkaar op de rand van de broeibak. Mieras praat druk op hem in. Pappa zit hem aan te gapen, verrukt, zó verrukt, zó onderdanig. Ik verschuil me achter het waterbassin en ik kijk ernaar en ik weet niet wat ik ermee aan moet. Met die 'mier' is het allemaal begonnen. Achteraf gezien is hij nog de normaalste van al die zwartjassen. Mieras, de mollige tuindersknecht, naast pappa op de foto, een arm om zijn schouder, goeie collega's of boezemvrienden, een foto die in die tijd op een dag spoorloos was verdwenen, verdonkeremaand door mijn eigen man, neem ik aan, want kort tevoren had ik hem nog gezien. En al gauw komen de anderen erbij, Steffen, Ibel en nog meer van wie ik nooit de naam hoorde. Hij heeft zichzelf naar beneden gehaald met die halvegaren.'

'Zei ze dat allemaal?'

Ruben knikte.

'Ze zat daar waar jij nu zit. Maar toen heeft ze niet lang meer nagedacht, mompelde in zichzelf: "Ja, ik ga. Er zit niets anders op." Ze vroeg of ik de kleine koffer van zolder wilde halen.'

'k Heb andren al de rechten van uw' mond
Met lust verteld, hen vlijtig onderwezen,
Uit al den schat van 't grote wereldrond
Is nooit die vreugd in mijn gemoed gerezen,
Die 'k steeds in uw getuigenissen vond,
Door mij betracht, en andren aangeprezen.

Ps 119 : 7

Zeven

64

~

De eigenaar van het huis dat Hans en Margje bewoonden was overleden. Zijn enige dochter had hun geschreven dat zij het pand aan de Bergweg wilde verkopen. 'Bij zijn leven heb ik hierover met mijn vader gesproken. Hij was u goed gezind: u heeft recht van eerste koop. Een dezer dagen zal een makelaar u een uiterst redelijk voorstel doen. Ik hoop dat u daarop in zult gaan, zodat de situatie bestendig blijft. Van mijn vader heb ik begrepen dat u hem tijdens de oorlog ruimschoots van groente en fruit voorzag. Uit piëteit jegens hem zie ik graag dat u op de Bergweg kunt blijven wonen.'

Het huis moest zestigduizend opbrengen. Ze kregen een week de tijd om over het voorstel na te denken. Geld was er niet. Zelfs al was een bank bereid een deel van het bedrag te lenen, de lasten zouden onbetaalbaar zijn.

'Wat moeten we beginnen?' vroeg Margje zich hardop af. 'Dus het kan zijn dat over enkele maanden anderen in deze keuken zitten. En wij, waar zijn wij dan?'

'Het is niet zeker dat de nieuwe eigenaar zelf in het huis wil wonen.'

Maar de kans bestond. Daar zaten ze mooi mee. Ze wisten geen oplossing.

'Zou Ruben kunnen helpen?' vroeg Hans zich hardop af.

Ze dachten beiden aan de tijd dat zij met Tom het huis ontvluchtte. Hoe lang was dat geleden? Meer dan vijf jaar. Ruben had toen een kamer gehuurd in een familiepension onder Dieren. Tom was een dag later naar huis teruggekeerd. Hij kon niet langer van school wegblijven. Margje was ruim veertien dagen gebleven. Ruben had de kosten betaald.

Hun oudste zoon kon dit probleem niet oplossen.

Het was al mooi dat hij, op deze leeftijd, nog steeds bij zijn ouders wilde wonen en hun maandelijks kost en inwoning betaalde. Dat geld konden ze niet missen.

Ruben had een baan gevonden in IJzerlo, een gehucht bij de Duitse grens. Voor de drie laagste klassen van de tweemansschool had men geen leerkracht kunnen vinden. Het Rijk verleende hem vrijstelling van militaire dienst als hij minstens zes jaar bleef. Die zes jaar waren bijna voorbij. Voorlopig gaf hij die verre school niet op, hoewel ze met het openbaar vervoer moeilijk te bereiken was. Van de aanmoedigingsbonus die de overheid hem uitkeerde toen hij zijn akte als volledig bevoegd onderwijzer haalde, had hij tweedehands een Renault Dauphine gekocht.

Hans stond op om naar de tuin te gaan. Er was geen oplossing. Hij wilde tegen Margje zeggen: Dan moeten we het maar overlaten... Maken de vogels zich druk over de dag van morgen, wat zij eten en drinken zullen? Hij hield die voor haar oren ergerlijke en weinig praktische woorden voor zich.

In de werkplaats bukte hij zich voor het kastje waarin hij notablokken, etiketten en schrijfgerei bewaarde. Hij vond het briefje van Jozef Mieras dat hij daar had verborgen. Jozef had het geschreven kort na Margjes terugkeer. Ruben had bemiddeld. Die leesdiensten wilde ze niet meer, die 'mier' en consorten wilde ze nooit meer zien, ze wilde dat hij afstand van ze nam. Aan zijn geloof wilde ze niet komen. Ruben had hem ervan overtuigd op die voorwaarden in te gaan. 'Mamma wil graag terugkomen. Als je je oude leventje voortzet, gaat ze definitief weg.' Hans had Mieras en Steffen een brief geschreven waarin hij de situatie uitlegde en hun verzocht geen contact meer met hem op te nemen. Ruben had de brief gelezen. Kort daarop had Hans een bericht op de inpaktafel gevonden, ondertekend, namens de anderen, door Huib Steffen.

Slechts één zin: 'De Heere is groot. Hij werkt ook zonder mensenhand.'

Al die tijd had hij niets van hen gehoord. Hans had hen ook niet opgezocht, maar vond vanmorgen vroeg, nog voor het alarmerende bericht over het huis, een briefje in de werkplaats. Oefenaar Steffen schreef hem dat Chris Ibel tot zijn vaderen verzameld was, na een lang en pijnlijk ziekbed. Misschien gaf dit gelegenheid na zoveel tijd een afspraak te maken. Hij stelde een datum en plaats (stationsrestauratie in Arnhem) voor. Beide berichten borg Hans weg, opende de tussendeur naar de broeikas, knielde voor het tablet. Hij droeg die dag zijn bruine manchester broek en een hemd dat aan de hals openstond en waarvan hij de mouwen had opgerold. Hals en armen waren donkerbruin verbrand, maar mager. Er zat geen gram vet op. Met de smalle gebogen rug – de jongste zoon had zijn gestalte – in kleren die net iets te groot waren (Margje had vanmorgen nog gezegd: Ik koop dezelfde maat als altijd... en je eet goed...) een nietige gedaante. Wie vanuit de hemel op hem keek, moest die nietigheid extra opvallen, met hem te doen hebben.

Hij bad lang, van de buitenwereld afgescheiden door de bekalkte beglazing van de kas. Alleen. Hij bad zo lang omdat hij zich op de rand van de afgrond voelde, omdat hij zijn gedachten er niet bij kon houden. Tijdens de veertien dagen dat Margje op een geheim adres verbleef (pas veel later had ze hem haar verblijfplaats onthuld: het hotel waar ze als lakenmeisje gewerkt had om extra te verdienen) was alle contact via Ruben verlopen.

Hij had haar willen opzoeken, maar van zijn zoon te horen gekregen dat ze hem niet wilde zien, nog niet, dat ze op dit moment evenmin wist of ze ooit nog thuiskwam.

Alleen bij de gedachte aan de zondagen voelde ze haar maag al. Maar op een dag was ze met de pont bij Dieren de IJssel overgestoken en naar het oudste en kleinste stadje van Nederland gelopen. Alleen op een caféterras, tegenover de kerk van Bronkhorst, te midden van toeristen, had ze onverwacht zo hevig naar hem verlangd dat ze naar huis had gebeld en hem aan de telefoon had gekregen.

Hans, rustiger, fluisterde tot Hem die het Al in de palm van Zijn hand houdt, geloofde een antwoord te hebben gekregen. Op Steffens verzoek zou hij niet ingaan. Nog een tijdje bleef hij geknield, met open ogen, omhoog staren, toen omlaag naar de dorre grond onder het tablet waar 's winters de dahliaknollen lagen.

Een paar keldermotten waren op weg naar een vochtige plek. Hans schudde zijn hoofd. Al het gewriemel op de aarde werd door de Almachtige gadegeslagen, ook dat van deze onaanzienlijke schepsels. Hoe lang hadden ze te leven? Een paar maanden? Een half jaar? Maar als ze dood gingen, hadden ze geen ziel te verliezen. Daar lag het grote verschil. De grenzen waren duidelijk gesteld. Daar viel niet mee te schipperen. En de dode Chris Ibel, waar was hij nu? Het was geen aangename man geweest, maar het had Hans geraakt dat in Steffens brief niets van verdriet of medelijden doorklonk. Had Ibel een vrouw gekend, had hij kinderen op de wereld gezet? Ibel was ook een klein jongetje geweest dat gespeeld had.

Het zweet stond in zijn handen. Zijn ziel! Op naïeve afbeeldingen werd de ziel als een duif voorgesteld. Dat was een heidense voorstelling. Maar hoe moest je je de ziel wel voorstellen?

Hij kwam overeind, strekte zijn benen, droogde zijn klamme handen aan de handdoek, zette een Kaaps viooltje in de turfmolm recht. Eén probleem was opgelost. Hij schreef een korte brief naar Steffen, trok een colbert aan om hem onder aan de Schonenbergsingel te posten, hield zijn adem in...

Maters was thuis. De aannemer ging hem voor naar zijn kantoor dat op zijn achtertuin en, verder weg, op het land van Hans uitkeek, bood hem een platte Egyptische sigaret aan, een Dubecq met goudkleurig mondstuk, uit zijn zilveren koker, vroeg wat hem hierheen voerde. Hans vroeg zijn buurman of hij nog steeds belangstelling had voor het stukje grond dat aan zijn tuin grensde.

'Ik overweeg het te verkopen.'

'Vanwaar ineens die ommezwaai, jongen? Ik had mijn mooie plannetje eerlijk gezegd een beetje opgegeven. Je standpunt was duidelijk.'

Was het verstandig Maters te vertellen waarom hij geld nodig had? Zou hij zich, door oprecht te zijn, in de vingers snijden?

'Nou, waarom zo plots van mening veranderd?' drong Maters aan. Hans was open. Hij had geld nodig om het woonhuis te kopen, legde de precaire situatie uit. Maters knikte, tipte de lichte as van zijn sigaret, vroeg wat voor het huis gevraagd werd. Met enige aarzeling noemde Hans het bedrag. Maters liet niet merken of hij dat veel of weinig vond, zei dat hij er rustig over wilde nadenken, keek zijn lange, diepe achtertuin in die hij graag nog dieper wilde.

'Buurman, ik kom er vandaag nog op terug. Kan ik je op de kwekerij treffen?'

'Ik blijf thuis.'

'Wij zien elkaar vandaag nog.'

Via de Singel liep Hans terug, bleef bij het stuk land staan dat hij te koop had aangeboden. Het was slechts een vijftig vierkante meter groot en hij had er op dit moment gescheurde rotsplanten in opgekuild. Als hij het kwijt was, zou hij voor dat doel een ander deel van de tuin, een zonniger deel, moeten opofferen. Onder het werk bedacht hij hoeveel geld Maters zou bieden, als hij het nog hebben wilde. Wat was die grond eigenlijk waard? Veel voor wie echt belangstelling had. Zou hij hem de helft bieden van wat voor het huis gevraagd werd? Meer, minder? Hans had geen idee. Dit was nou werkelijk iets dat hij moest overlaten. Hij had een stap gezet. Er was ook de hypotheekschuld bij de bank, de schuld bij de kolenleverancier. Zelfs al bood Maters veertigduizend, dan nog zou hij het huis niet kunnen kopen.

Maters verscheen eind van de middag, bood hem direct een sigaret aan, gaf in één beweging door vuur uit een gouden aansteker bezet met diamantjes.

'Ik denk dat we zaken kunnen doen.'

Hij had het stukje grond laten schatten. Het lag niet aan de openbare weg, was ook niet opgenomen in een gemeentelijk bestemmingsplan. Met de huidige grondprijs was het een kleine tienduizend gulden waard. Dan zat hij nog behoorlijk aan de hoge kant. Die flinke waarde voor hem had natuurlijk direct te maken met de ligging, grenzend aan zijn diepe tuin. Zijn huis aan de Hoofdstraat werd zo waardevoller. 'Sievez, dat daargelaten, ik heb dit bedacht. Ik mag je én ik wil de grond graag hebben. Hou je vast! Jij krijgt van mij – ja, je denkt dat je droomt, maar ik meen wat ik zeg – het zesvoudige. Ik heb de makelaar gesproken die jouw huis in portefeuille heeft. Ik heb vijfduizend van de vraagprijs afgekregen. Met dat geld kun je je huis kopen, kunnen de notariskosten en dergelijke betaald worden en hou je nog wat over. Daar staat tegenover dat ik het deel van het middenpad krijg dat vanaf de grond naar de Singel leidt. Jij hebt, zolang je hier je bedrijf uitoefent, recht van overpad. Beter kan ik het niet voor je maken. Denk erover na. Het bezit van het pad is de enige voorwaarde. Zonder dat gaat de koop niet door.'

Hans sloot even zijn ogen. Zestigduizend was een onvoorstelbaar bedrag. Het woonhuis was ermee veilig gesteld. Iets van de kolenschuld kon afbetaald worden. Of hij kon de slechte verwarmingsbuizen laten vernieuwen, of overgaan op olie.

'Sievez,' Maters sloeg hem op zijn schouder, 'denk er rustig over na. Praat er met je vrouw, je zoons over. Neem anderen in de arm. Beslis niet overhaast. Iets van jezelf verkopen, iets dat je koestert, is niet niks. Beslis niet overhaast, nogmaals.'

'Dat is echt een eis?' vroeg Hans, verlegen, 'dat ik de zeggenschap over het pad kwijtraak?'

Daar bleef de aannemer bij.

'Voor ik het vergeet, heb je nog van die gloxinia's, die lila met witte spikkels? Mijn vrouw is er gek op. Breng er een stuk of zes, morgen of overmorgen, als je besloten hebt. Ja, het pad moet ik hebben. Alleen het laatste stukje, vanaf de knik. Dus een meter of vijftig. Als dat het punt is... Sievez, ik maak er vijfenzestigduizend van.'

Hans knikte, nauwelijks merkbaar. Hij deed het. Wist hij het zeker? Hij wist het zeker. Wat kon hij anders?

'Kom mee,' zei Wim Maters, een arm over zijn schouder en samen liepen ze het middenpad af, staken het landje over, wrongen zich met enige moeite door de dichte coniferenhaag die de afscheiding vormde met de tuin van Maters. (De laatste drukte een conifeer opzij zodat Hans gemakkelijker kon passeren!) In zijn kantoor liet hij Hans een moment alleen, besprak in een aangrenzend vertrek iets met zijn secretaresse, kwam even later terug met glazen en een fles whisky. Ze klonken. Maters dronk zijn glas in één teug leeg. Hans nipte eraan. Hij prefereerde Margjes kersen op brandewijn.

Zijn secretaresse kwam met een slof Dubecq-sigaretten het vertrek binnen.

'Die is voor jou, jongen,' zei Maters. 'En we steken er nog eentje op!' Maters zoog de rook met zijn krachtige kaken naar binnen, meende dat voor hen beiden goede tijden waren aangebroken. Hans zou er nooit spijt van krijgen. Hij hielp zijn buurman en zijn buurman hielp hem. Daarvoor was je op de wereld. Dat had zijn katholieke vader hem al vroeg geleerd. Hans keek gefascineerd naar de slof met twintig pakjes sigaretten en een sensatie van angst en genot golfde omhoog. Zoveel pakjes tegelijk had hij nog nooit aangeschaft. Wim Maters maakte grappen, praatte over koetjes en kalfjes. De secretaresse verscheen met een voorlopig koopcontract. Hans kneep zichzelf in de hand, was zichzelf weer meester, keek in het contract alleen naar het ingevulde bedrag.

Opgelucht weer buiten te zijn, maar niet vrolijk, met een vaag onaangenaam gevoel – hij had toch niet anders kunnen handelen, zat zo klem als wat! – keek hij naar het woonhuis dat spoedig hun eigen bezit zou zijn.

Margje kwam hem tegemoet.

'Kom je eten?' Ruben bleef op school vanwege een ouderavond. Tom was er nog niet. Gisteren was hij er ook al niet bij, kwam tegen middernacht thuis. Tom zat in de vierde van het Thorbecke-lyceum.

Ze stak haar arm door de zijne. Langs de regenpijp slingerde een clematis omhoog, met grote witte bloemen, geplant bij de geboorte van de jongste. Margje zei dat ze zich al langer over Tom ongerust maakte. Na school bleef hij in de stad hangen. Ze kende zijn vrienden niet. Vandaag liep ze zich ook nog suf te piekeren over het huis. Als ze eraan dacht dat over een paar maanden anderen hier zouden wonen. Ze kon het zich niet voorstellen.

'Hans, ik heb nog even aan Maters gedacht. Die wilde toch ooit dat landje kopen? Als het ons uit de nood kan helpen... Je zou hem eens kunnen polsen. Het is trouwens maar de vraag of zo'n stukje genoeg opbrengt, het kan best zo weinig zijn dat we er niets mee opschieten.'

Zij legde een hand op zijn mond nadat hij het bedrag had genoemd, het contract toonde. Ze drukte haar lippen tegen zijn hals, liet ze daar even. Ze kuste hem weer en fluisterde in zijn oor: 'Ik ben er overstuur van. Ik ben echt heel opgelucht, heel opgewonden. Het duizelt me. Wat een geld! Het is heerlijk dat we in dit huis kunnen blijven en die afschuwelijke kolenschuld kunnen aflossen. Even op adem komen.' Ze zuchtte diep. 'Maar ik weet het allemaal niet, hoor. Over een tijdje lopen anderen over jouw land en moeten we over andermans pad naar de uitgang bij de Singel.'

'Wat betreft het pad verandert er in werkelijkheid niets.'

Margje herhaalde dat het bedrag exorbitant hoog was.

'Hans, het is zoveel, zit daar niets achter?'

'Maters is niet iemand die bedriegt. Hij betaalt altijd vlot. Altijd boter bij de vis.'

'Maar... hij heeft na de oorlog in de wederopbouw wel erg dik verdiend.'

'Het is hem goed gegaan. Hij wil die grond graag, geld speelt geen rol meer.'

Ze waren een tijdje stil.

'We moeten gaan eten. Maar ik heb geen trek. Je denkt toch dat sommige dingen er voor altijd zijn. Hoe je het ook wendt of keert er wordt iets van jou afgepakt. Ik weet nog dat ik er voor het eerst met een makelaar liep. Van het bestaan wist jij toen nog niets af.'

Ze stond op, kuste hem. Het was een mogelijkheid en die had hij benut. En hij had het binnen een dag geregeld! Als die Wim Maters geen belangstelling meer had gehad was de ellende niet te overzien geweest.

Na de maaltijd liepen ze samen naar het verkochte land, keken ernaar als naar een grafsteen – je gevoel heeft verschillende kanten. Bij de uitgang aan de Schonenbergsingel stond het smalle blauwe bord met de woorden Eigen Pad dat Hans langgeleden had geplaatst. Het kon blijven staan, gold nog steeds, maar nu voor een ander. Dat was pijnlijk. Voor de buitenwereld was er niets veranderd.

Sinds hij de contacten met de broeders had verbroken las hij meer. Dan zat hij aan zijn bureau voor het zijraam, met de rug naar haar toe en deed pogingen om de duistere zinswendingen te doorgronden. Zo nu en dan draaide hij zich om, keek toe, of nam met een kort zinnetje deel aan het gesprek. Tegen bedtijd borg hij zijn boek op, kwam bij haar zitten.

'Waar blijft Tom?'

'Hans, als het weer zo laat wordt, zeg ik er wat van. Op zijn minst had hij even kunnen bellen. In de derde is hij blijven zitten, nu gaat het weer niet goed. Hij beweert dat hij bij anderen zijn huiswerk maakt...'

65

~

Het verkochte land lag er nog als voordien bij. Hans had de opgekuilde planten overgebracht naar de donkere plek onder de limoen.

Op een zaterdagavond liep hij Maters tegen het lijf.

'Heb je al een idee wat je ermee gaat doen?'

'Ik heb eerst gedacht om het bij de achtertuin te trekken, maar de laatste tijd denk ik aan een eenvoudig zwembad voor mijn beide dochters. En voor mij, buurman, zou het ook gezond zijn elke dag een paar baantjes te trekken.' Hij klopte op zijn dikke buik. 'Het gaat ons te goed. Maar ik hou je op de hoogte.'

Tom ontbrak de volgende ochtend aan het ontbijt, was laat van een feestje thuisgekomen.

'Een gek idee, een zwembad op onze oude grond,' merkte Ruben op. 'Hoe groot wil hij het maken?'

'Hij had het over een eenvoudig bad.'

'Ik had liever gehad dat de grond zo was blijven liggen,' vond Margje, 'of dat hij een gazon had ingezaaid. Zo'n zwembad kan een hoop last veroorzaken. Zei hij ook wanneer ze aan de bouw begonnen? Ik mag hopen dat het nog jaren duurt.' Ze keek van Ruben naar haar man. 'Pappa, je zegt niets.'

'Ik vind dat Tom bij het ontbijt behoort te zijn.'

'Ik ben net boven gaan kijken. Hij is niet wakker te krijgen.'

'Eigenlijk heb ik hem net zo lief niet onder ogen.'

'Zeg zulke dingen nou niet,' suste zij, 'je wordt er zelf vervelend van.'

'Aan tafel zit hij van me afgekeerd, als ik hem iets vraag... naar de vorderingen op school, krijg ik geen antwoord!'

Ze aten zwijgend, Margje schonk thee bij, wendde zich tot Ruben: 'Pappa wachtte hem vannacht op. Tom viel hard tegen pappa uit. Wat hij precies zei, doet er nu niet toe, maar hij wenste geen reprimandes aan te horen als hij eens laat thuiskwam.'

'Hij stonk naar drank,' zei Hans.

'Misschien wist hij niet wat hij zei,' suste Margje weer.

'Dat wist hij natuurlijk donders goed,' zei Ruben streng.

Het is vorig jaar begonnen, dacht Margje. Hij was altijd de meest gezeglijke leerling in de klas. Tijdens ouderavonden prezen de leraren hem. In de derde veranderde dat plotseling. Hoe vaak ik de conrector van zijn afdeling niet aan de telefoon heb gehad. Hij werd eruit gestuurd, hij spijbelde, maakte geen huiswerk, vergat zijn boeken. Het was natuurlijk de moeilijke leeftijd, had de conrector gezegd, maar bij hem zette de puberteit laat, en wel erg hevig in.

Hans sloot af met het lezen van een psalm onberijmd; ze vouwden hun handen voor het gebed.

Ze bleven nog even zitten.

'Ik beleef geen enkel plezier aan die jongen,' zei Hans.

Margje bestrafte hem. Het ging er niet om dat je aan je kinderen plezier beleefde.

'Kinderen zijn er. Tom is je zoon.'

Ruben opende het hek van de kwekerij en reed de Renault Dauphine de straat op. Margje liep naar boven om haar zondagse mantel aan te trekken. Sinds er geen huisdiensten meer werden gehouden, ging ze elke zondag weer naar de hervormde kerk in de Kerkstraat. Ruben vergezelde haar vandaag. De vorige zondag was hij bij zijn vader thuisgebleven. Hij wisselde af, nauwgezet.

Na hun vertrek ging Hans aan zijn bureau zitten, sloeg bij de bladwijzer *Over de navolging van Christus* open. Het was zijn geliefdste boek geworden. Het boek kondigde al ver voor Luther voorzichtig de Reformatie aan en was in zijn naïviteit misschien zuiverder dan de Reformatoren zelf.

Het was doodstil in huis. Tom zou de komende uren niet te voorschijn komen. Heel ver weg, boven aan de straat, hoorde hij vaag gejuich op de voetbalvelden. Hans trok het overgordijn half dicht, draaide zijn stoel zo dat hij beter met zijn rug naar dat lawaai zat. Het was verkeerd dat de leesdiensten waren opgehouden. Het zuivere geloof, dat van de Oude vaders, werd in dit huis nu niet meer verkondigd. Hij beschouwde dat als een zwakte van zichzelf en bad hiervoor dagelijks vele malen om vergeving. Het kwam voor dat hij met de bakfiets planten naar de stad bracht en halverwege, ongeveer ter hoogte van het landgoed Bronbeek, de rem erop zette, zijn handen op het stuur bij elkaar bracht en de ogen sloot.

Terwijl het verkeer hem voorbijreed zocht hij contact met zijn hemelse Vader, vroeg hem voor deze zonde niet te straffen. In het gebed bad hij ook voor Steffen en Mieras. Niet dat hij de broeders miste. Hij miste de bemoediging. Met niemand kon hij over deze dingen spreken. Hij was alleen. Alleen ook, te midden van het verkeer op de Velperstraatweg. Nog hield hij zijn ogen gesloten. Het kostte hem moeite zich los te maken van die andere wereld.

Een keer in de laatste jaren was hij voor de verleiding gezwicht en had met Jozef contact opgenomen en een afspraak gemaakt. Nadat hij bij Weidema planten had afgeleverd, was hij doorgereden naar het Stationsplein, had de bakfiets met de lege kisten voor de ingang van de restauratie geparkeerd waar Mieras hem opwachtte. Hans had hem lang niet gezien. Hij was zichtbaar vermagerd, zijn wangen waren ingevallen. Droevig had hij voor zich uit gestaard, maar zijn gezicht was opgeklaard toen hij Hans op zich zag toekomen. Hij had zijn beide handen gepakt, die lang vastgehouden. 'Ik ben zo blij je te zien, broeder, ik kan niet zeggen hoe ik op je gesteld ben.' Jozef had hem onder een kopje koffie gerustgesteld. De leesdiensten waren niet door God verordonneerd, maar een menselijke instelling, uit nood geboren. De charismatische dominee Poort die ooit de kleine kudde wekelijks toesprak werd nog door allen betreurd. Zeker, oefenaar Steffen verving hem zo goed en zo kwaad als het ging, maar mocht zich geen opvolger noemen. Poort was een profeet geweest door God persoonlijk aangesteld en zou nooit opgevolgd kunnen worden. Daarom was het thuislezen van het Poortiaanse gedachtegoed de beste oplossing. De gelovigen hadden de status van 'thuiszitter' gekregen, een ware geuzennaam.

'Maar,' had Hans toen gezegd, 'in mijn gezin wordt Gods Woord niet meer verkondigd. Wat vindt God daarvan?'

'Beste Hans, jouw vrouw en zoons zien jou lezen in Smijtegelt, in Kohlbrugge, in Thomas à Kempis. Het is niet aan ons om te vragen of Hij hun harten opent. Laat ik het nog eens zo samenvatten: een volgeling van Poort is thuiszitter en onkerkelijk. Het heil is slechts te vinden buiten de muren van de kerk.'

Nu, in de stilte van het huis, moest hij bijna glimlachen. Wat had Tom hem onlangs toegevoegd toen hij hem na het eten vroeg: 'Geef mij het Boek eens aan.' Met een onverschillig gebaar had hij zijn vader de bijbel aangereikt met de woorden: 'Ze moesten alle kerken tegen de vlakte gooien.' Margje had direct gereageerd met: 'Zo denkt pappa er ook over.' Tom en Wim Maters, de rijke buurman, en talloze anderen op de wereld behoorden tot een bij voorbaat gedoemd soort onkerkelijken.

Maar had Mieras gelijk? Was het voldoende zelf een boek te lezen? Nam God genoegen met zo'n passieve houding? Margje en Ruben zaten in de hervormde kerk naar een valse prediking te luisteren. Toms hart verhardde steeds meer. Zou Hans dan toch, net als Eli de hogepriester, een zware straf ten deel vallen omdat hij zijn zoons niet in het gareel had weten te houden?

Zijn hart kromp ineen. Angstig keek hij omhoog – de slaapkamer van zijn jongste lag precies boven de huiskamer – en hij besefte zijn nerveuze gespannenheid. Hij zocht naar andere gedachten, boog zich opnieuw over de *Imitatio Christi*: 'Wens slechts met God en zijn engelen gemeenzaam te zijn en vermijd kennismaking met mensen.' Werd er nu aan de voordeur gebeld? Iemand die een zieke ging bezoeken en een plant wilde kopen?

Op geld daarmee verdiend kon geen zegen rusten. Doodstil blijven zitten. Ze zouden denken dat er niemand thuis was. Hij hoorde snelle, stevige voetstappen langs het huis. Het was zijn buurman van de Hoofdstraat.

Hans deed de achterdeur voor Maters open.

'Goeiemorgen Sievez, ik moet je even storen in je religieuze overpeinzingen. Neem me niet kwalijk. Het hek van mijn uitgang zit op slot. Mijn eigen schuld,' liet hij er direct op volgen. 'We hadden afgesproken dat ik de sleutel bij je zou komen halen.'

'Die ligt in de werkplaats.' Ze liepen samen de kwekerij op.

'Laat de sluiting van dat hek in het vervolg maar aan mij over.'

'Het is jouw uitgang, je hebt gelijk.'

Met een onrustig gevoel liep Hans terug naar huis. Tot nu toe had hij nog steeds gedaan of die uitgang van hem was, had het ritueel van de sluiting op zaterdagmiddag aangehouden. Het besef slechts een gebruiker van pad en uitgang te zijn was onplezieriger dan op zondagmorgen in zijn lectuur gestoord te worden.

Hij bleef midden in de kamer staan, kon zich niet meer aan het lezen zetten. Boven hem heerste stilte. Hij ging de trap op. De deur van Toms slaapkamer stond open. Halverwege de trap kon hij door de spijlen van de balustrade in zijn kamer kijken. Hij rook een vleug alcohol. Zou hij zijn vaderlijke gezag laten gelden? Op de kamer van zijn jongste was het benauwd, de dranklucht sterker. De jongen die een meisje had moeten zijn, lag op zijn rug. De blonde krullen omkransten het fijn getekende gezicht. Hans stak zijn hand uit om hem wakker te maken, maar hield in. Of zou hij hem roepen? Maar hij kon de naam van zijn zoon niet over zijn lippen krijgen. Schandalig, zo de kostelijke zondagmorgen te verslapen. Op de verkoop van het land had deze zoon met een schouderophalen gereageerd. Ruben had hem daarvoor berispt. 'Daar lieten we de vlieger op die pappa maakte, daar groeit de vlier waarvan we vlierdoppen voor de pijlen sneden.'

De vader keerde om, liet hem slapen.

Het was tijd om de kassen te luchten. Op het pad voorbij de

bocht hoorde hij luidruchtige stemmen. Die van Maters klonk boven de andere uit. Hij wilde niet gaan kijken, had niets te maken met wat daar gebeurde, maar werd ernaartoe getrokken. Het was onmogelijk ongezien te naderen. Maters overlegde met drie heren in dure pakken en stak een hand op naar Hans die in de bocht was blijven staan. De lichtblauwe limousine stond op het pad geparkeerd. Daarachter nog twee auto's, zilvergrijs.

De heren liepen het voormalige land van Hans op, maar Maters kwam op hem toe.

'Buurman, het zwembad gaat door. De entree is onhandig, te smal. De hagen aan weerszijden zullen weg moeten. Dat hek gaat verdwijnen. Daar gaat iets anders voor komen. Het moet voor mijn familie en kennissen die ook een baantje willen trekken gemakkelijker worden het zwembad te bereiken.' Een van de heren riep hem.

'Tabee jongen.'

Hans had zwijgend geluisterd, de kleur was uit zijn gezicht verdwenen. Boven zijn hoofd streek de wind ruisend door de sequoia's. Of waren het engelen die hem toeriepen dat hij rustig moest blijven? Had hij er niet beter aan gedaan om te zien naar een andere woning in de buurt? Desnoods het vrijgezellenhuisje weer voor bewoning geschikt te maken. Vandaag of morgen zouden Ruben en Tom toch het huis verlaten. Had de verkoop hem in grotere, nog onvoorziene ellende gebracht? Hij voelde zich diep verslagen toen hij terugliep.

Hij zette koffie. Margje en Ruben konden elk moment thuiskomen. Hij verlangde naar hun aanwezigheid, hoorde de kleine Renault van zijn oudste zoon.

Het eerste wat Margje vroeg: 'Is Tom al beneden?'

66

~

De bewoners van de monumentale villa's aan de Schonenbergsingel hadden nog geen besef van wat hen boven het
hoofd hing toen de oplegger met het bord Convoi exceptionnel
voor de ingang van kwekerij Sempervirens stopte. Laadkleppen
werden uitgeklapt.

De graafmachines waren zo breed dat ze het hek vermorzel-
den en de dichte hagen aan weerszijden, geplant toen Hans de
kwekerij had gekocht, kapottrokken, het goed bemeste land om-
woelden. Meer machines werden aangevoerd. Sommige waren
zo groot dat ze via een hijskraan onder protest van de bewoners
over een aangrenzend pand werden getild.

Een delegatie van de Singel bezocht Hans in de werkplaats en
vroeg wat er precies gaande was. De aannemer had hen niet te
woord willen staan.

Hans zei dat hij door de omstandigheden gedwongen was geweest een stuk land aan Maters te verkopen en hij had begrepen
dat er een klein familiezwembad zou komen.

'Dat wordt dan wel een groot familiebad,' constateerde een van
de villabewoners, een directielid van de AKU aan wie Hans geregeld planten leverde voor kamer en tuin. De bouwput liep tot ver
in de tuin van Maters door. Margje was erbij komen staan.

'Mijn man en ik hadden dit ook liever anders gezien. Hij had
de grond liever niet verkocht.'

'Is het dan brutaal om te vragen,' vroeg het directielid, 'wat u
tot de verkoop gedwongen heeft?'

Daar waren de anderen ook nieuwsgierig naar. Hans aarzelde, keek Margje aan.

'Waarom zou je het niet vertellen, Hans? Het is geen geheim.' Hij lichtte hen in, noemde het bedrag dat hij nodig had gehad, hoewel ze daar natuurlijk niets mee te maken hadden. Maar hij zag hen op dat moment als bondgenoten.

De vier deftige heren met choker en pochette keken elkaar aan. Degene die het woord namens hen voerde:

'Maar beste meneer en mevrouw Sievez, had ons dit laten weten, het was toch een kleinigheid geweest om u dit bedrag renteloos te lenen zodat u in uw huis kon blijven wonen. Wij willen in deze buurt niets anders dan bestendigheid!'

Hans schudde zijn hoofd.

'Hoe hadden wij aan die mogelijkheid kunnen denken?' Hij dacht: Als ik met dit verhaal bij ze aan de deur was gekomen hadden ze me uitgelachen. Wat mankeert die bloemenman?

De bewoners richtten een actiecomité op en vroegen Hans of hij meedeed. Dat zwembad mocht er niet komen. Oude documenten betreffende het landgoed Schonenberg vóór de verkaveling vermeldden dat op die grond een beding rustte. Er mocht niet gebouwd worden. Het was land waarop groenten en bloemen mochten worden geteeld. Ze hadden zelfs oude teeltvergunningen gevonden. Ze stonden heel sterk. Een dergelijk beding kon niet genegeerd worden.

Hij zat met het verzoek in zijn maag. Maters had de vijfentwintig jaar oude rozenhaag vernield, het pad met diepe voren omgewoeld. Hij behoorde lid van het actiecomité te worden. Het was nauwelijks mogelijk om neutraal te blijven. Maar wat, als hij de buurman-aannemer tegen zich in het harnas joeg?

Hij overlegde met Margje en Ruben. Niet doen, vonden beiden.

'Niet Maters het idee geven dat je hem dwarszit,' zei Margje. 'En die lui van de Singel kunnen nu wel gemakkelijk zeggen: Wij hadden dat geld er graag voor overgehad. Ze hadden ons zien aankomen. Maar ik ben wel kwaad op Maters. Zoals het pad er nu toegetakeld bij ligt.'

Hans deelde het directielid persoonlijk mee dat hij er liever buiten wilde blijven.

'Maar u bent er toch al bij betrokken!'

'Ik wil er verder buiten blijven,' zei Hans verlegen. Hij stond in de ruime vestibule. Aan de kapstok hing een lange bontjas. Een tussendeur van matglas was gegraveerd met guirlandes.

'Sievez, daar kan ik maar één ding op zeggen. Dit betekent dat je een aantal particuliere cliënten kwijtraakt.'

'Dat moet dan maar, meneer. Het spijt me.'

In de bocht staande keek hij toe. Het pad was volledig geblokkeerd met bouwketen, materialen. Toch was beloofd dat de vrije doorgang gewaarborgd zou blijven. Daar was op dit moment geen sprake van. Als er bestellingen voor de stad waren moest Hans de omweg via de Bergweg nemen. Margje had tegen hem gezegd: 'Ga erheen. Schiet die Maters eens aan, zeg dat het geen manier van doen is. Je hebt recht van spreken. Dit is nu al maanden bezig.' Hij wilde het nog aanzien, wilde ruzie vermijden. Als het zwembad klaar was, zou het pad weer vrij komen. 'Informeer dan hoe lang het nog gaat duren. Passanten die op het idee komen een boeket te kopen gaan niet naar een andere ingang zoeken. We missen zo inkomsten. Of zullen we Ruben vragen erop af te gaan. Je moet opkomen...' Hij stond daar diep in gedachten verzonken, toen hij opkeek alsof hij zijn naam hoorde vallen.

Maters stond voor hem.

'Toch geen gepieker? Dit is even een vervelende tijd voor ons allemaal. Ik hoop de overlast zoveel mogelijk te beperken. Als je door de situatie inkomsten mist, moet je het laten weten.'

De woorden deden hem goed. Maters was betrouwbaar, was uit zichzelf naar hem toe gekomen.

'Dat is moeilijk te zeggen. Het kan zijn...'

'Als ik je nu eens driehonderd gulden geef... is dat voldoende compensatie?'

'Meer dan.'

Hij haalde drie briefjes van honderd uit zijn binnenzak. Hans borg ze veilig op, dacht: Hier kan ik mee thuiskomen. Margje zal hier meer dan tevreden over zijn.

De beide mannen zagen hoe roodgemenied stalen dakgebint van tientallen meters lengte door de lucht werd aangevoerd.

'Sievez, ben jij benaderd door de bewoners van de Singel?'

'Ja.'

'En?'

'Ze vroegen of ik een protest wilde ondertekenen. Ik heb geweigerd. Ik heb gezegd dat ik met jou duidelijke afspraken had gemaakt, op jou vertrouwde.'

Maters raakte even zijn schouder aan.

'Ze denken dat ze gewone jongens zoals wij eronder kunnen krijgen. Sievez, ik spuug op dat zooitje.' Zo dacht Hans er niet over. Hij had altijd tegen hen opgezien, maar ze waren hem bitter tegengevallen.

'Ik ben ze kwijtgeraakt als klant.'

'Wat zeg je?'

'Omdat ik niet met hen meewerkte...'

'Dat doet zich beschaafd voor.'

'In die zin heb ik duidelijk schade geleden. Er zaten klanten bij die al jaren bij me kwamen. Ik zie ze niet meer.'

'Luister. Het bad wordt te zijner tijd – en dat duurt hoogstens nog zo'n vijf, zes weken – feestelijk geopend. Ik heb veel bloeiende planten nodig. Jij mag alles leveren. Jou wil ik ook wel toevertrouwen wat het precies gaat worden. Dat weet nog niemand. Zelfs de gemeente niet. Er komt een golfslagbad. Ik laat de allermodernste machinerieën uit Amerika komen.'

'Zoals het golfslagbad in Doorwerth? Mijn vrouw ging er met de kinderen heen toen ze klein waren.'

'Die van mij ook. Dit wordt een mooier bad, moderner. Met een palmenstrand en een dak dat bij mooi weer kan worden opengeschoven. De machines kunnen golven produceren tot zeven meter hoogte.'

'Dan gingen we met de bus naar Oosterbeek en liepen naar Doorwerth. Als de sirene afging,' herinnerde Margje zich, 'begon het dreunen van de golfmachines en jullie holden naar het bad.'

Ruben herinnerde zich de klok met de rode wijzer die met schokken versprong. De golven begonnen altijd op de hele uren en duurden maar vijf minuten. Vanwege de duurte.

'Ik was altijd bang dat jullie wat overkwam. En nu zo'n bad naast de deur. Ik weet niet wat ik ervan denken moet.' Ze kneep de drie briefjes van honderd samen.

Ruben herinnerde zich dat je de kleren in een platte houten bak moest doen. Die werd in een schemerige ruimte op een stellage geschoven. 'Als we naar het golfslagbad waren geweest, kreeg ik 's nachts altijd nachtmerries. Die schemerige ruimte was de hel. Alle mensen lagen in hun platte houten bak en waren dood. Maar als er een nieuwe kist werd bijgeschoven loerden ze over de rand.'

'Het zit me niet lekker,' zei Margje. 'Ik weet niet wat ik ervan moet denken. Eerst moeten we bijna het huis uit, we krijgen onverwacht veel geld, op onze grond ineens een zwembad. Hoeveel overlast gaat dat geven?'

Misschien hadden ze zich toch in de vingers gesneden. Je kon niet alles voorzien. Ze hadden wel het gevoel bedrogen te zijn. Zo'n bad had niets met het oorspronkelijke plan te maken. Een officieel bad. Het zou van ver publiek trekken.

Tijdens het werk keek Hans zo weinig mogelijk die kant op. Er was altijd lawaai, met sterke lampen werd tot laat in de avond doorgewerkt. Een vroege ochtend was hij violen op een bed aan het uitzetten toen hijskranen reusachtige metalen schuiven optilden. Het leken wel scheepsschroeven. Dat moesten onderdelen van de golfmachines zijn. Op dat moment hoorde Hans in de verte ruziënde stemmen; die van Maters kwam erboven uit. Vlak daarna hield alle werk, alle lawaai op.

De Singel was bezet door politie, leden van het actiecomité. Maters sprak hem opgewonden aan: 'Ze hebben geen schijn van kans. Al zitten ze in de top van de AKU, of zijn ze specialist in het ziekenhuis, één is zelfs generaal bd, ze kunnen nog zo'n goede advocaat in de arm nemen en denken dat ze succes hebben. Kortstondig succes, Sievez. Ik laat ze even in de waan...' Hij verwijderde zich haastig.

De reusachtige stalen schroeven waren in het avondlicht cherubs uit het roepingsvisioen van Ezechiël: 'Elk met vier vleugels en daaronder mensenhanden en -voeten als die van een kalf en daarboven een troon van oleasterhout en lazuursteen waarop de Heere troonde...' Het was windstil, maar ze schommelden zacht, als de IJslandse papavers, fonkelend als gepolijst koper.

'Heerlijk rustig,' vond Margje. Op de tuin vlotte het werk beter. De stillegging duurde al een week. Ze was benieuwd wat er ging gebeuren.

'Als hij tegen de wet in bouwt,' dacht Hans, 'zal hij het uiteindelijk verliezen en alles moeten afbreken.'

'Hoe gek het ook klinkt,' zei Margje, 'ik ben nog eerder voor Maters. Ik kan er nog niet over uit dat die lui hun klandizie hebben opgezegd. Had alles maar bij het oude kunnen blijven.'

Na anderhalve week werd het werk hervat. De golfmachines werden geïnstalleerd, het bad betegeld, het bad voltooid en het verbrede pad geasfalteerd. De officiële ingang was aan de Hoofdstraat, maar de bar behorend bij het kunstmatige strand had zijn uitgang op het pad.

Onrustig zocht Hans in de buitengewone stilte van de broeikas een plek om Gods aangezicht te zoeken toen een schaduw over de ruiten viel en hij Maters ontwaarde. Zijn buurman riep: 'Sievez, waar ben je?'

Bang voor meer onheil kwam Hans te voorschijn. Maters gaf hem een hand. Over een week werd het bad officieel geopend. Hij wilde voor het terras palmen, hoge varens.

'Kijk maar wat je hebt. Huur maar palmen voor me als je die niet hebt. Doe er bloeiend goed voor de bar bij voor zo'n vijf-, zeshonderd piek. Lukt dat? Loop even mee. Dan kun je zien hoe het geworden is.'

Als oude vrienden liepen ze samen het middenpad af, gingen de drie treden op die naar de bar voerden. Tegen de gevel was men bezig de naam van het golfslagbad aan te brengen.

'Het gaat Phelipe heten. Ken je het woord?'

'Het is de oude naam van Velp en betekent doorwaadbare plaats.'

Maters keek hem bewonderend aan.

'Dat had ik niet achter je gezocht.'

Met een breed gebaar showde hij de bar.

'Is de bar zondag dicht?' Hans had willen zeggen: Maar het klopt niet, Maters. Het zou toch een klein bad voor de familie worden?

Maters lachte.

'Nee, buurman, zondagmorgen traint het waterpoloteam van Neptunus en 's middags zijn er wedstrijden. Je zult er geen last van hebben. Voor zaterdagavond heb ik van de gemeente vergunning gekregen de bar tot drie uur open te houden. Kijk niet zo angstig. Je zult het niet merken.'

Maters hield een deur in de glazen wand voor hem open die bar en terras van het bassin scheidde, toonde de golfmachines, de tribunes, het opengaan van het dak.

Hans toonde verbazing voor alle techniek, alle luxe, maar de rondgang duurde hem te lang. Het lag op zijn lippen hem te zeggen: Toch...

Maters vertelde dat men morgen het bassin liet vollopen.

'Dan gaan de golfmachines proefdraaien.'

Toen ze weer buiten stonden zei Hans onverwacht: 'Toch is het niet in de haak...'

'Wat niet?' Alle vriendelijkheid was op slag verdwenen. Zijn toon ineens scherper, de stem platter.

'Het is niet wat je me hebt voorgespiegeld!' Maters dacht even na.

'Beste Sievez, luister,' en hij legde beide handen op zijn schouders en keek hem diep in de ogen. 'Ik heb geen zin om boos te worden, ik zal ook zeker die mooie bestelling niet intrekken zoals dat volk (hij wees op de villa's uitrijzend boven het geboomte), maar als je heel goed nadenkt (hij klemde zijn handen om Hans' magere schouders) ben je dan niet een heel klein beetje dankbaar?' Wim Maters, de omhooggevallen huisschilder uit Klarendal, liet zijn handen liggen, zou de botten moeten voelen. Had hem in zijn greep. 'Nou, denk daar 's over na.' Toen liet hij los, gaf hem met zijn rechterhand een zacht klapje tegen de zijkant van zijn hoofd, zoals je het met een hond goedmaakt na een berisping. 'Breng dat spul van je tijdig, een paar dagen voor de opening, het moet een beetje een mediterraan terras worden, het mag ook morgen al, en laten we dit incidentje vergeten, ja? Je weet, ik mag je.'

Vlaggen met Golfslagbad Phelipe wapperden op de nok van het dak. De klok met rode wijzer versprong, een sirene loeide, metalen schuiven begonnen in een zacht dreunen traag te bewegen, kwamen op snelheid, het dreunen werd een donker grommen. Schoonspringers maakten salto's van de hoge plank, waterpoloërs deinden op de hoge golven, wierpen elkaar de bal toe, leken aan de golven vastgekluisterd, uit luidsprekers klonk geloei van een storm, golven sloegen bruisend uiteen tegen de bassinwanden.

'Ik voel me hier niet op mijn gemak,' zei Margje. 'Laten we gaan. Wij horen hier niet.'

67

De hemel werd overstroomd door licht, gejuich klonk op vanuit het bad, de golfmachines bromden zwaar en dof, de rode schijnsels die op het land vielen kwamen van de lampen van de bar.

Het regende zacht, het slaapkamerraam stond op een kier. Ze stonden in de donkere kamer naast elkaar. Margje vond het net een verlicht schip, met al die ruitjes. Hij dacht aan de ark van Noach gestrand op de berg Ararat. Zijn vader was putman geweest en had het nooit tot moddertrapper of vormer gebracht. Hans was zo goed op weg geweest. Een langzame opklimming tot kleine zelfstandige, kinderen die studeerden, die het verder zouden schoppen dan de ouders.

'Je rilt. Laten we naar bed gaan. Ik vond dat je er erg moe uitzag, vanavond, daarginds.'

Zou hij zijn vader later in de hemel tegenkomen? Zou zijn vader hem in de armen sluiten en vergeving vragen voor wat hij hem in de varkensschuur had aangedaan? Zou hij Hans nog evenveel angst aanjagen als de avond toen hij hem meenam naar de schuur? Zijn vader droeg zijn overhemd zonder boord tot aan de hals dichtgeknoopt met een paarlemoer boordenknoopje. Zijn vader frummelde aan het boordenknoopje als hem iets niet zinde...

'We hebben verloren,' zei hij. Zij trok hem naar zich toe, rook de geur van de regen in de kamer of de geur van zijn betraande gezicht. Ze wiste zijn gezicht dat ze niet zag behoedzaam af, kuste hem. Hij draaide zich in schaamte van haar weg, wilde zeggen dat alles verloren was, maar zweeg, nog steeds van haar afgewend. Vanuit het bad klonk gejuich. Zij stond op om het raam helemaal te sluiten.

Had hij alles verloren?

Margje was aan zijn kant bij hem gekomen, kuste zijn gezicht, fluisterde dat ze van hem hield, fluisterde dat hij er in zijn lichte kostuum aantrekkelijker dan wie ook had uitgezien, dat zij tegen hem opzag.

Had hij alles verloren? Het leven was eeuwig. Er was het kleine stukje hier, vol moeite en verdriet, het tijdelijke, maar dan ging het verder, in een hiernamaals. Waar je terechtkwam hing af van de oordelende God. Er was een kans dat hij gered werd. O God der Goden. Margje overdekte hem met kussen. Met haar kon hij over deze dingen niet spreken. Margje kuste hem, duwde haar gezicht in zijn hals. Margje had geen weet van deze dingen. Had hij alles verloren? Maar er was toch het gewin van Christus? Dus was niets verloren. Margje zei: 'Lief, we hadden geen andere keus.' Kon hij wel verloren gaan? Ik heb Hem gevonden. Kan Hij weer van mij worden afgenomen? Van Jozef wist hij dat er hoegenaamd geen afval van bekeerden was. 'Hans, waar denk je aan?'

68

∽

De zon stond hoog, het dak van het bad was opengeschoven.
Lawaai van de badgasten en daarbovenuit, van de golfmachines verhief zich doordringend in de namiddaghitte. Hans was
bezig dahlia's te dieven.

Badgasten kwamen uit de bar, wandelden druk pratend, een
opgerolde handdoek onder de arm, op rubberen slippers over de
kwekerij, dachten in hun onnozelheid dat dit land bij het zwembad hoorde. Wie uit de zon wilde ging in de schaduw van de
hulsthaag op de rand van een broeibak zitten. Of juist in de zon,
zich insmerend met zonnebrandolie. Ze hadden een flesje bier of
cola bij zich dat ze bij vertrek op de rand lieten staan. Die bloementuin werd als een welkom aanhangsel van het zwembad beschouwd, een extra ontspanningsoord.

Hans liep rustig op hen af, vroeg vriendelijk het terrein te verlaten en wees daarbij op het bord dat Ruben op twee plaatsen aan
een paal geplant had: Verboden toegang.

Ze excuseerden zich, hadden niet geweten dat het andermans
gebied was, verdwenen. Even later namen anderen hun plaats in,
rookten sigaretten, wierpen de peuken tussen het zaaigoed,
dronken bier, wandelden over de paden, hadden geen oog voor
pas ingezaaide bedden, vertrapten tere jonge primula veris die
hun eerste knoppen maakten. Het was als met de regen, de zon.
Het herhaalde zich in een natuurlijk ritme, als een lange ademhaling.

'Meneer, mevrouw, dit is privé-terrein...'

Soms zei hij maar niets, kon wel aan de gang blijven, veinsde de indringers niet te zien, hield dat even vol. Tot het te erg werd. Ze gristen onrijp fruit van de leibomen, stonden achter de kassen te pissen. Hij had ze ook al in de werkplaats aangetroffen en breeduit staand, in de deuropening alsof ze hier de baas waren, een sigaret of pijp losjes tussen de lippen. Hij joeg er een paar weg, gooide er een zelfs een volle gieter achterna. Er kwamen er drie voor terug.

Ze werden brutaler. Hij zou een afscheiding moeten plaatsen, maar dan sneed hij definitief de doorgang voor zichzelf af en gaf daarmee ook openlijk toe dat hij daar alle zeggenschap was kwijtgeraakt.

Ruben stapte een avond op Maters af die rond en gul deed, een drankje en een sigaret uit zijn zilveren koker aanbood.

Ze namen plaats op het terras. Ruben prees het zwembad, refereerde kort aan het bad in Doorwerth dat hij als kind had gekend.

'Wat is het probleem?' vroeg Wim Maters.

'De badgasten zwermen uit over het land van mijn vader. Er wordt veel vernield.'

'Beste jongen... jij lijkt precies je vader.'

'We zouden van alle problemen af zijn als u de uitgang van de bar sloot.'

'Wat mijn gasten in hun vrije tijd doen is hun zaak. Zet er een hek neer.'

'U dwingt mijn vader het pad op te geven. Hij heeft recht van gebruik. U hebt hem gewoon belazerd.'

'Ik heb er goed voor betaald. Te veel.' Hij sprak luid zodat ook de barkeeper en badgasten in hun ligstoel, in het witte zand onder de palmen, het konden horen. 'Die vader van jou? Klagen! Klagen! En ook nog gelovig zijn. Nog honderd keer erger dan gereformeerden. Zo heel fijn gelovig, als gemalen poppenstront! Opgesodemieterd! En heel gauw!'

Ruben trapte hem, met het hele zwembad, het liefst in elkaar.

Alles was geoorloofd. Ze waren vijanden, in hevige strijd gewikkeld. Of dat verstandig was? Zijn blik viel op de glazen rode wijn, op een tafeltje in het witte zand. Hij zou ze tegen de bassinrand moeten kapotsmijten, zag bijtijds de gevolgen in.

De barkeeper was vanachter de bar gekomen om zijn baas bij te staan, de badgasten keken geamuseerd toe. Dit was niet alleen een mooi bad, er gebeurden ook spannende dingen.

Ruben stond alleen. Hij kreeg vrije doorgang, werd zelfs niet nageroepen.

De volgende dag begon Hans met zijn zoon aan de bouw van een hoog hek van scherpgepunte houten palen, ze spanden er prikkeldraad overheen, plantten er berberis en braam tegenaan. De kosten konden betaald worden van het geld dat Hans van Maters had ontvangen voor de laatste bestelling.

Ze overzagen hun werk van een afstand. Het was slechts vijftig vierkante meter, maar het leek wel de helft van alle land en met het pad erbij zeker honderd die ze kwijtgeraakt waren. Dat kwam ook door de overweldigende indruk die het zwembad maakte. Het was goed dat ze dat deel definitief hadden afgestoten. Het zou in de toekomst alleen maar meer ergernis geven. Het gaf wel een kaal en pijnlijk gevoel, alsof je je eigen arm had afgesneden.

Ze staken een Gold Flake op, liepen richting werkplaats. Ruben hoopte met zijn akte Frans een benoeming aan een mavo te krijgen. 'En pa... jij bent de eerste die ik het vertel. Ik heb een vriendin. Binnenkort zul je haar zien.'

69

~

In het gezin Sievez werd door de week alleen bij het avondeten een hoofdstuk uit de bijbel gelezen. Op zondag bij het middag- en avondeten. De gewoonte was ontstaan dat de beide zoons om toerbeurt lazen. Het was een poging van Hans om ze bij Gods Woord te betrekken. Vandaag, een vrijdag, was het Toms beurt.

Ze aten in de keuken.

'Och, jongen,' zei Hans, 'pak jij het Boek.' De zeventienjarige deed verbaasd.

'Welk boek?'

Zijn gezicht, zijn houding – benen ver onder tafel – drukten verveling uit. Margje stuurde hem met een lange blik een signaal: alsjeblieft, ga rechtop zitten en reageer normaal.

Het Boek – de huwelijksbijbel van Hans en Margje – stond op het schapje achter hem. Tom stak een hand uit alsof hij er zo bij kon. Hij moest overeind komen, deed alsof hij heel vermoeid was.

Hans zag het getraineer wel, maar zweeg. Hij begreep dat deze dwarse houding jegens geestelijke zaken tegen hem was gericht. Ruben greep gelukkig in, stond zelf op, pakte het Boek en legde het voor zijn jongere broer neer.

'Kom nou, Tom.' Ruben sloeg het voor hem open bij de bladwijzer. Tom begon onmiddellijk te lezen, niet opkijkend of iedereen zo ver was, las zo vlug en zo slecht articulerend dat de woorden nauwelijks te verstaan waren. Het was een passage uit psalm 88:

Toch hebt Gij verstoten en versmaad en
het verbond met uw knecht hebt Gij teniet gedaan.

'Je slaat een zin over,' zei Hans.

'Dat is waar ook: Gij zijt verbolgen geweest op uw gezalfde. Het is ook allemaal zo'n godsnakende onzin.'

'Hè?' bracht Margje uit. 'Hoe kom je aan zo'n term?'

'Misschien heb ik die wel hier in huis gehoord.'

Met Tom was geen land te bezeilen. Er was geen hoop dat hij zijn afwijzende houding, zijn laatdunkende toon zou laten varen. Hans kon het niet langer aanzien. Hier werd door zijn eigen kind met Gods Woord gespot. Het was een wonder dat het dak van hun huis niet werd gespleten door een bliksemstraal, of instortte.

'Je kunt beter ophouden. Wie heeft er zo wat aan? Je wilt het niet goed lezen. Je slaat ook expres stukken over en vergeet "sela" te lezen.'

'Omdat "sela" niets betekent. Onzin sla ik sowieso over. Dus blijft er niets over.'

Margje vroeg hem niet zo'n toon tegen zijn vader aan te slaan. Hans legde uit – niet voor de eerste keer – dat 'sela' wel degelijk iets betekende. Letterlijk stond er: Verhef u. Het was een aanduiding voor de koorleider of dirigent in de tempel. Als het ware een afsluiting van een bepaalde passage. 'Geef maar hier.'

Tom klapte het dicht, trok een gezicht en reikte het zijn vader aan. Hans gaf het aan Ruben met de woorden: 'Lees jij maar. Tom schept er genoegen in om wat heilig is te tarten. Het zal verkeerd met hem aflopen.'

'Ik begrijp trouwens niet waarom dat grote hek met prikkeldraad daar is neergezet. Als ik naar de stad moet, kan ik eerst de Bergweg op.'

'Kom nou, joh!' Ruben maakte een verzoenend gebaar door zijn arm naar zijn broer uit te strekken. Hij had net de bladzij teruggevonden toen Tom opstond en de kamer verliet. Ze hoorden hem de trap opgaan, op zijn kamer heen en weer lopen, de piepende kastdeur opentrekken.

'Wacht maar even,' zei Hans. Overvloedig water stroomde door de leiding die door de vaste kast van de keuken liep.

'Ik denk dat hij zich gaat verkleden. Ik had gehoopt dat hij vanavond thuis zou blijven.'

'Alleen die paar regels,' wees Hans. Ruben las een alinea. 'Zo is het genoeg voor vandaag. De lofzang Gods is toch verstoord. Zelfs dat is nog te veel gevraagd in dit gezin: een voorlezing van enkele minuten. Ik weet niet waar dat heen moet.' Hij keek naar niemand in het bijzonder. Ruben zette het Boek terug.

'Wat er toch met hem is?' vroeg Margje zich af. 'Liever jongen bestond er niet.'

'Hij leidt een onnut bestaan.'

'Dat mag je niet zeggen, pappa,' wees zij hem terecht. 'Hij heeft veel vrienden, als de telefoon gaat is het voor hem.'

'Ik zal er het zwijgen toe doen.' Hij besloot de maaltijd met gebed. De traptreden kraakten, een roe die loszat rinkelde. Tom kwam in zijn linnen kostuum dat Margje voor hem bij Peek in de opruiming had gekocht de keuken binnen. Het accentueerde zijn tenger gebouwde lichaam. Zij keek bijna verliefd naar hem, corrigeerde: 'Je moet je stropdas iets meer aantrekken.' Zij stond op, hielp hem. Het pak stond goed. Alles stond hem goed, zelfs het goedkoopste ding. Je had van die mensen.

'Blijf je vanavond niet bij ons?'

'Ik ga even naar de stad.'

Even, schamperde Hans in gedachte. Zijn moeder gaf hij snel een zoen, zijn vader en zijn oudere broer negeerde hij. Via het middenpad liep hij naar de straat, wierp geen blik de keuken in, zwaaide niet. Zij haastte zich naar de voorkamer. Tom zag zijn moeder, wierp een handkus naar haar, knipoogde, lachte. Toen ze terugliep, bleef ze achter de stoel van haar man staan. Eerst zei ze niets, zocht naar woorden, hij kon de tranen in haar ogen niet zien. 'Die keer dat jij wegging en Tom jou op zijn driewieler volgde en jou niet bij kon houden, en later bij het tuinhek. Weet je dat nog...?'

Hij stak een sigaret op, hield hem in zijn mond, staarde gekweld over tafel, ging niet direct op haar woorden in.

'Hij trekt zich van God noch gebod wat aan. De brede weg voert naar het verderf.'

'Je weet best wat ik bedoel.'

Zij begon af te ruimen. Hij hielp haar. Voor Tom leek alle hoop op verlossing vervlogen. Ruben was wel niet bekeerd, maar niet onverschillig. Zou hij om die ene zoon, de oudste, toch gespaard blijven? Zijn hoofd werd door angst verschroeid. Had hij tussen het glas gestaan of tussen de bedden waarboven de bedwelmende hitte golfde, hij zou hebben gedacht: Mijn hoofd wordt verschroeid door de zon.

Er was in de verte het bonken van de machines. Je wende eraan. Over de tuin lag de lome wat onwezenlijke sfeer van een warme najaarsavond. Als je de geruchten rond het zwembad wegdacht kon je je in het paradijs wanen... de leeuw weidde bij het lam, de zwaarden waren omgesmeed tot ploegscharen.

Over het Christusbeeld met het glitterige lofwerk lag een verblindende rode gloed. 'O Heere, ik ben niet als de paapsen die het beeld aanbidden. Gij zult u geen gesneden beeld maken noch enige gestalte van wat boven in de hemel is noch beneden op de aarde, noch in de wateren onder de aarde, gij zult u voor die niet buigen.' De oranje bloemen van de gazania's en de ijsplantjes hadden zich al gesloten. Het laatste licht viel over de pas omgespitte bedden, de aarde was fris en donker. 'O God, wie kan bestaan voor Uw Aangezicht! Ik heb gezondigd, ik ben het niet waard dat u mij opmerkt.'

'O God van Abraham, Izaäk en Jacob, mijn mond vloeit over van uw eer.' Het was zeker dat hij schuldig was. Hij dacht niet zozeer aan Tom. Aan Tom wilde hij het liefst helemaal niet denken. De jongen stelde hem teleur. Hij was in diepere zin schuldig, in geestelijke zin. Er was geen ontkomen aan. Hij had straf verdiend.

Hans Sievez gooide afvalhout op de hoop onder de limoen, liep gebukt onder een wijd uitstaande tak van de appelboom door, bleef in die donkere hoek staan. Nu kwam geen stem tot hem, noch een vuurkolom. Er was alleen het zachte suizen van de wind in de hoge bomen, als kokend water. Had hij toen naar een bepaald punt in de hemel gekeken? In het hoge suizen kon Hij ook zijn. Het was de hemelse ademhaling. In oude tijden liet God vaker van zich spreken. Een direct ingrijpen kwam nu hoogst zelden voor. Daaruit was op te maken dat de tijden bijna vervuld waren. Zo lang zou de wereld niet meer bestaan. God zelf is al bezig de persbak van de wijn der gramschap te treden. Van Ruben had hij geleerd dat Gethsemane grot van de oliepers betekende. In die grot had de Heiland zware innerlijke strijd gevoerd en werd Zijn Zweet als druppels bloed. Op de Olijfberg zouden nog bomen staan die getuige waren geweest van Christus' lijden.

Hans harkte de paden tot het te donker werd.

70

~

E erst dekte hij met een laag stro en turfmolm de vorstgevoelige rotsplanten af. Daarna schepte hij met een greep cokes
van de kolenhoop in de kruiwagen, kruide die naar het stortgat,
kieperde hem leeg, ontweek de donkere stofwolk. Daar was hij
enige uren mee bezig. Na weken kwakkelend weer werd voor
vannacht strenge vorst verwacht. Hans sloot het stortgat met het
luik, daalde tegen vijven die middag in de stookkelder af, opende
de deur van de eerste ketel. De hitte daar lag te gloeien met witte
randen. Hij schepte nieuwe kolen op het vuur, de cokesgreep
knarste doordringend over de betonvloer. Hier was het zwembad
niet te horen. Bij de tweede ketel, schuin achter de eerste, haalde
hij een dikke laag as en sintels weg. Deze trok een stuk slechter,
gaf steeds minder warmte. Die zou vervangen moeten worden.
Hij trok de trekregelaar zo ver mogelijk open, gooide met de
hand briketten op het bijna gedoofde vuur, wachtte tot de briketten begonnen te gloeien en durfde er toen cokes op te gooien.
Van beide ketels controleerde hij na enige tijd de thermometers,
zag zijn schaduw op de hoge, beroete wanden, gezwollen op
plaatsen waar ooit spijkers in waren geslagen, hoorde boven zich
de ijskoude wind langs de kas, durfde de ketels nog niet alleen te
laten en ging op de smalle wandbank zitten naast de rij sintelha-
ken. In de kastjes eronder waren ook boeken opgeborgen. Hij bezat een ware bibliotheek. Ze stonden niet op alfabet, maar hij zou
Smijtegelts *Herderlijke Avondbezoek* en *Gedachten* van Blaise Pas-
cal blindelings kunnen vinden, mocht iemand erom vragen.

Hans keek naar de donkere wand aan de overzijde, geblakerd als door brand, de wirwar van buizen, leidingen, dacht aan Tom. Na diefstal van een collectebus ten bate van een ziekenhuis voor melaatsen in Ivoorkust was hij definitief van het Thorbecke gestuurd. De school zou, omdat de jongen nog leerplichtig was, haar best doen hem elders onder dak te krijgen. Ruben was naar het Lorentzlyceum gestapt om voor zijn broer te pleiten.

Uit een van de kasten haalde hij een dun boekje van de Schotse piëtist James Smith. Het bezat geen titelpagina. Hij was er nog niet achter gekomen hoe de titel luidde. Maar het was een heerlijk werkje, gemakkelijk aanspreekbaar, bevatte voor elke dag een korte overdenking. Hij sloeg de achttiende januari op, de dag die hij nu beleefde, las deze regel: 'Zo vind ik dat het kwaad mij bijligt, terwijl ik het goede wil doen.' Hij overzag de bladzij waar hij eerder dit jaar met een rood potlood correcties had aangebracht. De vertaler had Heer gebruikt in plaats van Heere. Hans had door het hele boek heen de -e toegevoegd. Het stond eerbiediger, uit de -e sprak respect. Op één bladzij had hij gemiddeld twaalf -e's moeten toevoegen. Het boek had honderdnegentig bladzijden. Hij had het gevoel gehad daar nuttig en noodzakelijk werk mee te doen. Ook in de marge maakte hij notities.

Hans bladerde naar dertien februari, Rubens geboortedatum. Er stond: Ruben geb. Strenge vorst. Bij 1 maart: Thomas. Een jongen! Zijn hart kromp ineen. Het kostte hem geen enkele moeite zich zijn reactie op die geboorte te herinneren. Had Margje die geschiedenis aan haar benjamin verteld? Margje ontkende dat ten stelligste. 'Natuurlijk niet.' Ze was bijna boos geworden. Zij suggereerde wel: Misschien voelt hij het onbewust. Margje verzekerde ook dat ze hierover niet met Ruben gesproken had.

Voor hij naar boven ging, wierp hij een laatste blik in de ketels. De cokes lag vredig te gloeien. Als er geen lekkage kwam zou hij de kassen warm kunnen houden.

Vannacht zou hij er ter controle zeker twee keer uit moeten. Rond twee en vijf uur.

Net wilde hij de lichtknop omdraaien, toen er tegen de ruit

van de deur werd getikt. Een klant, op de valreep. Klanten had hij vandaag weinig gezien. Bij vorst stagneerde de verkoop direct en volledig. Bij zijn bedrijf althans. De mensen dachten aan andere dingen. Hij herkende eerst de gestalte, toen het gezicht van Jozef Mieras.

'Mag ik even binnenkomen? Dag broedervriend, ik hoop niet dat ik stoor. Wat een kou, en zo onverwacht.' Hij hijgde, zag er droevig uit in de dunne, tot op de draad versleten donkere jas, klopte zich de rijp van een mouw, zette zijn zwarte hoed af. Vooral in zijn gezicht was hij nog smaller geworden. 'Broeder, halleluja. Ik wilde je opzoeken, maar het komt geloof ik niet zo gelegen.' Aan zijn jas kleefde dor blad, en aan zijn knieën. Hij was door het gat in de haag gekropen.

'Mijn vrouw riep net. Ik stond op het punt te gaan eten.'

'Ga gerust. Ik heb geen haast. Ik zit hier warm.'

Dan bleef Jozef alleen in de werkplaats achter. Dat zag hij liever niet. Jozef had beloofd zich niet meer te laten zien. Een rustige maaltijd, een rustige avond in de werkplaats, kon hij wel vergeten. Jozef was niet welkom.

'Ik was hevig benieuwd naar je welzijn, Hans.' Hij was op het bankje gaan zitten. 'Het wordt bitter koud vannacht.' De woorden kwamen er in één adem uit alsof ze iets met elkaar te maken hadden.

Hans was nerveus. 'Die kerels maken je nerveus,' had Margje eens gezegd. Jozef had moeten wegblijven. Hans keek door het glas de duisternis in. Met korte tikken begon het uit te zetten. Het glas was broos als de van kou verstijfde stengels van de vaste planten op het land. Hij voelde zich koud en broos.

'Blijf maar. Alleen heb ik liever dat je naar de kelder gaat. Het is daar aangenamer.' Hij wilde onder geen beding dat iemand Mieras in de werkplaats zou aantreffen. Hans ging hem voor de steile trap af, Jozef volgde hem, ook achterwaarts. Hans hield beneden de ladder vast die met haken in de brede voegen van de werkplaatsvloer hing. Jozef, bang, zette stapje voor stapje, steeds met zijn voeten de treden aftastend, zijn dunne zwarte jas woei op in een warme luchtstroom. Een massieve, zwarte engel daalde omlaag.

Hans reikte hem de hand, wees hem de wandbank, waarop hij plaats kon nemen, toonde zijn boekenverzameling. Jozef klakte een paar keer met zijn tong.

Zijn zwakheid zat hem dwars. Hij zag de lichten van het huis, bleef stilstaan bij de bessenstruiken. Waarom had hij hem niet weggestuurd? Het was nog mogelijk terug te keren, de man de deur te wijzen, duidelijk te zijn: Dit was niet de afspraak, Jozef. Kom eruit, ik heb liever dat je gaat, voor mijn gemoedsrust. En nu eruit! Hij schrok, dacht dat hij die woorden luid had gezegd. Even overviel hem zo'n diepe weerzin voor die oude, onafscheidelijke vriend dat hij het pad wilde uitrennen, de straat op, en nooit meer terugkeren. In die weerzin zag hij de beide ketels voor zich, met hun gordijn van verterend vuur dat stil lag te stralen.

Mieras, had hij gezien, toen die zijn jas beneden uittrok, droeg onder zijn colbert een tot aan zijn hals dichtgeknoopt overhemd zonder boord. Voor het eerst had Hans hem zo onaf gekleed gezien. Vader achter de schuur wrikte met harde rukken de zieke en gezonde koolstronken uit de grond. Mieras... Mieras was onvoorzichtig, opende nieuwsgierig een van de ketels, gooide er uit spel of verveling kurkdroog hout of houtwol op, vatte zelf vlam. Zijn mouw brandde, zijn arm, zijn hand. Hij trachtte de trap te bereiken. Hans stelde zich de vuurzee in de kelder voor, het verkoolde lijk van Mieras onder aan de trap. Het was een dagdroom, maar elk detail kwam hem heel helder voor, in een kille belichting van binnenuit. Er was geen enkel schaduwhoekje waar zijn gedachte veiligheid of rust kon vinden. In de afgrond van de stookkelder Mieras' verkoolde lijk, zo ongemeen helder.

Hans drukte beide handen tegen zijn voorhoofd. Mieras in het hol onder de grond, Mieras die hem niet losliet, 'hem in de tang had', in Margjes woorden.

Ontmoedigd liep hij op huis toe. Margje zou licht ontstemd zijn, omdat hij zich weer had laten ophouden.

71

~

Margje was niet ontstemd, merkte slechts op dat het eten koud stond te worden. Ze zaten tegenover elkaar aan tafel zonder de kinderen. Zijn handen beefden.

'Dat van Tom zit je dwars.'

'Ik probeer er niet aan te denken.'

'Je rilt...' De gezwollen aderen op zijn handen vielen haar op. Zijn handen leken kleiner geworden. 'Ruben heeft me beloofd dat hij met Tom gaat praten. Ik kan er niet tegen als hij je negeert. Ik heb hem daar pas nog over aangesproken. Dan zegt hij dat hij heus wel van je houdt. Ik heb hem toen gezegd: Dat moet je pappa dan eens laten merken. Daar gaf hij geen reactie op.'

Ze stak haar hand uit over de tafel. Hij raakte die kort aan, voor haar lang genoeg om te voelen dat zijn hand ijskoud was.

'Je wordt ziek. We vragen Ruben of hij vannacht de ketels verzorgt. Ik zou het wel willen doen, maar ik krijg niet eens een greep met cokes omhoog.'

Hans dacht: Ik zou niet willen dat zij bij nacht de tuin opging, ook niet in gewone omstandigheden. 'Nee, ik ga. Ik heb misschien vanmiddag bij het afdekken kou gevat. Het stelt niets voor.' Meer kon hij niet zeggen. Tot denken was hij helemaal niet meer in staat. Woorden kwamen in hem op, gehoord tijdens een dienst. De tegenwoordige, smartelijke strijd die wij voeren zal in eeuwige vrede eindigen. En ook deze uitspraak, opdoemend uit zijn geest: God zij dank als het leven u tot last is, want de overwinning is ons, door de Christus.

Hij putte geen troost uit deze lijdenswoorden. Margje zei nog eens dat ze er niet tegen kon als Tom onverschillig tegen hem deed, vond het raar dat hij nooit op de kwekerij kwam om zomaar een praatje met zijn vader te maken.

'Tegen mij is hij ook niet altijd aardig...'

'Hij is zo ontstellend onverschillig tegenover alles,' viel Hans ineens fel uit. 'Waar hebben we dat aan verdiend?'

'Op een dag heeft hij die houding aangenomen. Hij kijkt anders naar de dingen dan Ruben. Maar op een dag... onze jongste heeft geen doorsneevader, bedenk dat wel. Eerlijk gezegd ben ik al lang blij dat het met die kerels op de tuin voorbij is. Dat is al een pak van mijn hart. Met Tom komt het ook goed.'

Na het avondeten ging hij met grote tegenzin terug, repeteerde wat hij ging zeggen: Je kunt nog enkele uren blijven. In gedachten sprak hij die zin in één adem uit en nog eens, als om iets goed te maken. Het ononderbroken, dreigende tikken van uitzettend glas – een hand uit de hemel liet grove kiezel regenen; een ruit knapte werkelijk – mengde zich met het geloei van de golfmachines. Nog voor hij de werkplaats binnenging, hoorde hij uit het kierende luik van het stortgat, zacht weliswaar, stemmen in het kabaal dat boven de tuin hing. Met een angstig hart daalde hij de trap af. De stemmen zwegen.

Eerst zag Hans niemand. De stookkelder liep smal toe. Daar, achterin, stond de ronde ketel. Daar liepen de dikke verwarmingsbuizen waarop drukmeters waren gemonteerd. Sommige waren zo bestoft dat de wijzers niet meer zichtbaar waren. In de loop van de jaren hadden ze hun functie verloren. In die uiterste hoek kwam Hans nooit. Het was er donker als het binnenste van een graf, maar in die donkerte wemelde het van staafjes weerkaatsend licht. Het was ook de warmste plek. Daar onderscheidde hij Jozef Mieras, half liggend, comfortabel op een bed van platgedrukte dozen, oude kranten, houtwol. Naast hem zat een man die hij nooit eerder had gezien. Hij had een lang, spits hoofd en donkere, stekende ogen. Beiden kwamen overeind. Jozef stelde de ander voor.

'Dit is Taverne. Hij is zojuist gearriveerd. Ik denk dat je hem al eens hebt ontmoet bij een gezelschap in Genemuiden. Het kan ook in Lunteren geweest zijn.' Hans kon hem zich niet herinneren. Hij droeg een lange, vuile jas tot op zijn schoenen. Taverne had zich in dagen niet geschoren. 'Wij zijn op weg naar het oosten,' voegde Jozef nog aan zijn woorden toe. 'Morgen hopen we in Gendringen aan te komen, oefenaar Steffen komt ons morgenvroeg hier ophalen en samen reizen we door. Voor vannacht zoeken we nog onderdak.' Hij keek van Hans naar Taverne en zei toen: 'Nee, dat is waar, je hebt Taverne nog niet eerder kunnen ontmoeten. Hij is een tamelijk recent overgekomene.'

Hans verbaasde zich opnieuw over het ondoorzichtige, zwervende leven dat ze leidden, waarin op geen enkele manier sprake was van normale arbeid.

Hij bood hun voor de nacht onderdak aan, vroeg zo zacht mogelijk te spreken.

Jozef bedankte hem en stelde voor het gebed des Heren te zeggen. Jozef sprak voor, de twee anderen mompelden hem na.

'Amen. Amen. Amen. Nietswaardig zijn we zonder Hem. Zijn Bloed heeft ons vrij gekocht. Hij heeft een groot wonder aan ons verricht.'

Hans spitste zijn oren bij elk geluid boven zich. Taverne zei dat hij ook niet verrast zou zijn geweest als hij niet uitverkoren was, waarop Jozef repliceerde dat God al van tevoren, ongeacht de zondeval, besloten had om tot zijn eer een aantal mensen te verkiezen en de overigen te verwerpen.

Het was dus niet zo dat de anderen de verwerping zich door ongehoorzaamheid op de hals hadden gehaald. Hans stelde zich de maanverlichte kwekerij voor, de jonge varens die hij had willen oppotten vanavond, dacht aan de scherpte in Margjes stem als ze hem hier wist. Hij kreeg een zenuwachtige hoestbui.

Hij begon aan zijn werk, maar zijn handen beefden zo dat hij geen bloempot kon vasthouden, de plantjes scheef in de grond zette, niet in staat was adiantum fragans op een etiket te schrijven. Onder hem hoorde hij een zacht zingen. Hij herkende de melodie van psalm vijfentwintig. Die zaten daar warmpjes, maakten zich druk om niets, deden niets, ja, lagen nota bene te zingen. Maken de leliën van het veld zich bezorgd voor de dag van morgen...? Jezus, tijdens zijn rondwandeling op aarde, verzamelde ook mensen om zich heen die alles opgaven en Hem volgden.

Voor hij naar huis ging, ging hij opnieuw naar beneden om een blik op de ketels te werpen. De beide mannen zaten op de bank. Hans porde in het vuur, vonken stoven op. Jozef Mieras zei:

'Geloof dat vrij maakt, is een eeuwig vuur.'

Hans sloot de ketels. Jozef vroeg of hij nog even tijd had om bij hen te komen zitten. Ze schoven aan weerszijden op om plaats voor hem te maken. Als een gevangene zat hij tussen hen in, de handen op zijn knieën. Taverne sprak: 'God is vuur en rechtvaardigen branden van liefde, in eeuwige vreugde, maar de verworpenen van angst. Vreselijke dingen staan voor hen te gebeuren! De demonen verzamelen zich al in het pandemonium!' Jozef legde uit dat broeder Taverne zoals het zich liet aanzien de natuurlijke opvolger zou worden als oefenaar Steffen iets zou overkomen. 'Uit broeder Taverne kan een groot boeteprediker groeien.' Het dichtbehaarde gezicht van wie de lof bezongen werd, drukte niets uit.

Verdoofd, uitgeput, kwam Hans het huis binnen.

'Je bent ziek,' zei Margje. 'Zal ik een kruik maken? Ga naar bed. Ik zal Ruben vragen als hij thuiskomt, vannacht de ketels te verzorgen.'

'Nee, ik doe het zelf. Met dit weer durf ik het niemand anders toe te vertrouwen.'

'Hoe laat moet ik de wekker zetten?'

'Twee uur.'

'Tom is er nog steeds niet.'

'O ja, Tom.' Hij had vanavond niet meer aan hem gedacht.

In de voornacht trof hij hen, behaaglijk uitgestrekt, naast elkaar aan. In de oorlog had hij hier met twee mannen uit de straat ondergedoken gezeten en precies op die plaats geslapen. Hans opende de ketels, de vuurzee verlichtte hen. Het was heel normaal dat ze daar lagen en vaag toekeken, knipperend met de ogen. Misschien zou hij niet eens verbaasd zijn geweest als zich nog een derde, een vierde bij hen had gevoegd om elkaar gedurende de nacht gezelschap te houden. Maar ze waren slaperig, mompelden wat terug toen Hans hen zacht welterusten wenste. De kelder was een veilig, warm onderkomen.

Om vijf uur die nacht was hij terug. Mieras en Taverne waren diep in slaap. Eén snurkte, met lange uithalen. Bijna vertederd keek hij op hen neer, herinnerde zich Jezus' woorden in de Hof van Gethsemane: 'Kunt gij dan niet één uur met mij waken?' Was hij met hen verbonden? Hield hij van ze? Zag hij tegen hen op? Verdienden ze respect?

Hij wist het niet, hij wist het niet meer. Vanaf het bankje, luisterend naar het oplaaiende vuur en hun ademhaling, nam hij ze op. 'Wanneer heb ik U gehuisvest, O Heere, en U te eten gegeven?' Hij huisvestte heiligen, gezondenen in de wereld, die tegelijk buiten de wereld stonden. Te midden van de miljoenen hadden ze hun oog op hem laten vallen. De herkomst van de staafjes licht in de warreling van het buizenstelsel was hem nooit duidelijk geworden, ze waren als de glinsteringen die je zag bij het zo hard mogelijk dichtknijpen van je ogen, als de glinsteringen vroeger bij duister in het veen.

's Morgens tegen zevenen bracht hij koffie en brood. Kort daarna verscheen ook Huib Steffen. Het was niet zo dat hij deze mensen alleen maar verdroeg, nee, hij hield van ze, was ze na. Steffen bad na het ontbijt: 'O God, Gij houdt met Uzelf raad om onze zondige, maar uitverkoren zielen met U te verenigen in de heiligmaking. Dienaangaande hebt Gij toen met Uw Zoon het verbond des vergoten bloeds gesloten. O, Lam...'

Hans schonk nog de laatste koffie in, Steffen noemde nog het separatio-motief dat hen bond met een monnik als Thomas à

Kempis, Gods bemoeienis met deze wereld. Hans boog het hoofd, voelde zich ver de mindere.

Ineens kregen ze haast. Je was niet op aarde om je tijd te verbeuzelen. Hans begeleidde hen tot aan de haag; ze kropen er achter elkaar onderdoor, hielpen elkaar aan de andere zijde overeind, klopten elkaar af. Hans volgde hen met zijn blik door de van dor blad ritselende haag heen. In hun lange, zwarte jassen, hun weg zoekend tussen de graven met hoge stenen zerken, elkaar wijzend op een engel van travertin, een kruisbeeld, de witmarmeren gekruisigde Christus in het midden, hun gezichten moesten getekend zijn door diepe afschuw.

72

Ter gelegenheid van de kennismaking met Rubens vriendin had Margje Oost-Indische kers geschikt in het oranje vaasje dat Ruben bij de troonsafstand van koningin Wilhelmina op de lagere school had gekregen. De bloemen stonden op de lage, ronde tafel in de voorkamer. Daar zaten Margje, Ruben en Johanna Dornseiffer. Margje stak een sigaret op.

'Voor de gezelligheid,' zei ze. Sinds ze die colporteurs en oefenaars niet meer zag, en Hans thuisbleef, was ze van de sigaretten afgebleven. Ze bevoelde haar jurk, streek hem glad op haar bovenbeen, een natuurlijk gebaar.

Johanna zei dat haar ouders op de Hoogkamp woonden. Hun huis keek uit op park Sonsbeek.

Hans zat aan zijn bureau, voor het zijraam, met de rug naar hen toe, de *Concordans* van Abraham Trommius opengeslagen om er onbekende begrippen in op te zoeken, beide armen op zijn bureau, de handen op de bladzijde van Brood uit de hemel, een gids tot God en Zijne Heerlijkheid, murmelend, herhalend, met de vinger de woorden volgend ter onderstreping, met een gloeiend gezicht alsof hij koorts had. Hij herlas. Zijn gedachten raakten al weer op drift en de wereld was ineens vol uitweidingen die zijn geest onophoudelijk alle kanten op voerden. Naar het veen van vroeger, met de bloeiende zuring. Het veen in het late voorjaar, vermomd als vuur en vlam. Hij las. Zijn blik was elders. Alsof hij ver weg een liedje hoorde.

Aandacht! Aandacht! hield hij zichzelf voor. Hem is gegeven

alle macht in hemel en op aarde. Heerlijke, dierbare Heere Jezus, help mij! Hij wilde dat de woorden in hem doordrongen, dat hij ze in zuiverheid ontving, herhaalde ze zacht, proefde ze op zijn tong, begreep met zijn verstand, onderging niets. Het ging over Christus, maar Christus was niet in hem. Had God wel iets met hem voor? Vleselijk begonnen, vleselijk voortgezet. Zonder God. Was hij wel wedergeboren? Had hij licht? Zaligmakend licht? Gezien? Of dwaalde hij, dwaalde hij nog verschrikkelijker dan zijn jongens en Margje en die jonge vrouw in de voorkamer, met haar heldere stem.

Zij studeerde aan de universiteit van Leiden. Klassieke talen als haar vader. Hoe kwam Ruben aan zo'n deftig meisje? Hans kende de villa's op de steile Hoogkamp. Lopend achter de bakfiets met andermans bestellingen was hij ertegenop geklommen.

'Jammer dat Tom er nog niet is,' zei Margje. 'Ik verwacht hem elk moment.' Ze hadden hem het hele weekend nog niet gezien.

'Ik heb je verteld van Tom,' zei Ruben. 'Hij zit op het Lorentz in de stad.' Het Lorentz had hem eerst niet willen opnemen maar Ruben was naar de school toe gestapt en had zich sterk voor zijn broer gemaakt. Het was niet eenvoudig geweest om Tom geplaatst te krijgen. Er was informatie opgevraagd. Deze leerling had werkelijk alle krediet verspeeld, had gelogen, gestolen, gespijbeld, had zich de laatste maanden nauwelijks op school vertoond, maar wel briefjes bij de conciërge bezorgd met een vervalste handtekening van zijn vader. Men had hem aangenomen onder strenge condities. Bij het minste of geringste zou hij ook van deze school verwijderd worden. Tom had zijn oudere broer beterschap beloofd en hem daarbij zo oprecht in de ogen gekeken dat Ruben hem geloofde.

Margje schonk morellen op brandewijn in. Ze zette de houten onderzettertjes, ingelegd met rode steentjes, op de lage tafel en daarop de wat groot uitgevallen likeurglaasjes.

Johanna liep naar de achterkamer.

'U zit maar te lezen... Net als mijn vader.' Hij draaide zich naar haar toe, zij schoof een stoel bij, ging bij hem zitten. 'Mag ik even kijken?'

'Och kind, dat zijn geen boeken voor jonge vrouwen.'

'Dat weet u niet.'

Hij zei terwijl ze in de *Concordans* bladerde en een blik in *Brood uit de hemel* wierp: 'Voor jou zijn er... andere boeken.' Bijna had hij gezegd: Betere boeken. Wereldser.

'Mijn ouders, vooral mijn vader willen niets met godsdienst te maken hebben. Ik ben het niet met hen eens hoor! Ze vonden wel dat ik naar de zondagsschool moest. Bijbelse verhalen heb je nodig om boeken en schilderijen te begrijpen. Maar mijn vader is niet van de gedachte af te brengen dat godsdiensten veel kwaad hebben gesticht.' Hans had de beide boeken opzijgeschoven, ze dienden op dit moment nergens meer toe, keek. Keek. Staarde. Haar handen zijn lang, haar nagels donkerblauw, haar oogleden ook. Deze jonge vrouw, nog maar enkele uren in huis en al zo vertrouwd. Donkere krullen, nog donkerder ogen, in een beweeglijk knap gezicht. Een elegante dame, uit een ander milieu. De villa's zijn er met riet overkapt. Als een loopjongen had hij op de stoep gestaan en de bestellingen afgeleverd.

Hij knikte.

'Ja, dat is zo,' erkende hij. 'Bijna alle godsdienst is vals. Zij richt veel kwaad aan in de harten.'

'Extremen raken elkaar,' riep Ruben lachend vanuit de voorkamer, waar hij nu alleen met zijn moeder zat.

'Maar ik ben het helemaal niet met mijn vader eens. Op dat gebied draaft hij altijd door.'

Die stem zou hij niet meer vergeten. Ze sprak met een lichte traagheid, onderbroken door plotse haast, een bijna ondoordachte geestdrift – als liet zij zich meeslepen door haar eigen woorden – die snel weer werd onderdrukt. 'Ik...' Een begonnen zin moest door een gebaar van haar hand worden afgemaakt. Dan sloeg ze haar ogen even neer.

'Johanna, pappa,' riep Margje, 'jullie glaasjes staan hier!'

'Kom, pappa!' Johanna nam hem bij de arm.

In de voorkamer klonken ze op deze dochter.

De lucht was zo doorzichtig dat je de insecten aan zag komen vliegen. Hans liet haar het kweekkasje met de zaaibakken zien, lichtte een met condens bedekte glasplaat op.

'De net opgekomen varensporen. Voorkiemen of prothallia.'

'Je ziet alleen een dun groen waas.' Ze boog zich over het tablet.

'Toch zijn het individuele plantjes. In zo'n zaadbak staan zeker duizend bijna-planten. Ze moeten een voor een verspeend worden.'

Hij sneed een nieuw riet, maakte een inkeping in de punt, het doorzichtige rietvlies liet los, dwarrelde omlaag. Hans deed het verspenen voor, wipte er handig, met een precies gebaar, de bijna onzichtbare voorkiem uit. Zij, vlak naast hem, keek toe. Hij deed het nog een keer voor. 'Kijk zo.' In zijn vrijmoedige, blauwe oogopslag lag nu alleen maar toewijding. Hij ruimde zijn plaats voor haar in en zij deed hem zo goed mogelijk na, slaagde erin een kiem over te hevelen, te planten, maar drukte hem vervolgens te hard aan, zodat het nietige ding onder de aarde verdween.

Hij legde het nog eens omstandig uit. Margje en Ruben keken verbaasd toe. Ze hadden hem in lange tijd niet zoveel woorden achter elkaar horen gebruiken.

'Maar wanneer is zoiets nou volwassen?'

'Dat duurt zeker twee jaar en dan is hij nog maar tien centimeter hoog. Varens zijn langzame groeiers. En dan heb je ook nog het gevaar van verspochting als ze heel jong zijn. Ze vallen weg. Door te veel vocht. Of te weinig. Dat luistert heel nauw.'

Ze gingen met z'n vieren alle kassen door en ze zag de tabletten vol gloxinia's, kalanchoës, calceolaria's.

Margje liet in de werkplaats zien hoe je crêpepapier friseerde, Ruben toonde de werking van de rafraîchisseur.

'Het ruikt overal zo lekker zoet,' zei Johanna en keek in het bijzonder Hans aan. Hij had al opgemerkt dat ze de gewoonte had, wanneer ze het woord tot iemand richtte even, heel licht, met de ringvinger haar hoofd aan te raken. Was dat zijn oudste zoon ook opgevallen? Tot slot gingen ze de grootste kas in waar op dit moment alleen asparagus-'bruidsgroen' werd geteeld. De lange ranken waren voor de bruidsboeketten, de kortere voor de corsages. Hans zegde toe dat hij te zijner tijd het bruidsboeket voor haar wilde maken. Ze keek verliefd naar Ruben, trok hem tegen zich aan. Zijn zoon had een goede keus gedaan. Gelukkig stonden haar ouders nu wel achter deze omgang, waren geïnteresseerd in zijn vervolgstudie. Die twee kusten elkaar.

'Naar het zwembad gaan we niet kijken,' zei Ruben. Hij had zich met Johanna bij Hans en Margje gevoegd die op het middenpad stonden te wachten.

Johanna bleef eten. Margje zei dat ze niet begreep waar Tom bleef. Voor Hans was dat alles niet meer dan achtergrond. Zij bleef. Haar donkere ogen hadden kleine oranje vlekjes. Hij kon zijn blik niet van haar afhouden, stond versteld van haar schoonheid. Ruben boog zich over zijn vriendin. Hij was blij voor zijn oudste zoon, zag dat Ruben gelukkig was.

Na het eten vroeg hij Ruben het Boek te pakken. Die sloeg de bijbel open bij de bladwijzer. Hans stelde toen voor het vaste stramien te doorbreken om het hele boek hoofdstuk voor hoofdstuk te lezen, maar ter ere van Johanna enkele verzen te nemen uit het Hooglied. Hoofdstuk zeven, had hij willen voorstellen: Uw schoot is een tarwehoop, omzoomd met leliën, uw beide borsten zijn als tweelingjongen van gazellen, maar hij liet de keus aan Ruben, die las: Schoon zijt gij, liefelijk als Jeruzalem, naar de notenhof daalde ik af...

Tom kwam die zondag tegen tienen thuis. Zij en Ruben waren net vertrokken. Tom bleef een moment met een licht verwonderde glimlach in de kamer staan, omhelsde zijn moeder hartstochtelijk, ging met een sigaret in zijn mond naar boven.

'Hij heeft weer gedronken,' zei Hans.

Zij had de sterke drank ook geroken, zou hem er morgen over aanspreken.

'Ik heb er natuurlijk ook verdriet van.'

'De hele zondag heeft hij in het café gezeten. Beklagenswaardig.' Hans bladerde in de *Concordans*: In het Oud-Perzisch Ufrata, in het Grieks Eufrates, de grootste rivier van Voor-Azië, een van de vier rivieren die Mesopotamië omsloten waar het Paradijs zou hebben gelegen. 'Waar het paradijs voorzeker lag,' mompelde hij.

In de verste hoek van de door de maan beschenen broeikas knielde hij zomaar op de grond, en sprak, het hoofd geheven, niet in woorden, maar in onuitsprekelijke verzuchtingen en ze betekenden zoveel als: Redt mij. Verleen mij de staat van genade die Gij oprechte zondaars beloofd hebt. Want wat is het Koninkrijk Gods anders dan de staat der genade, dat wil zeggen Zijn Aangezicht gezien hebben. Dat is het Koninkrijk. Niets anders, en Hans dacht aan de jonge vrouw. Tegen wie hij nu in gedachten glimlacht. Zij is elders. Hij kijkt naar de vrouw die voor hem staat, haar arm naar hem uitstrekt, hem aanraakt, haar ogen onzichtbaar onder de neergeslagen oogleden. Hij steekt een sigaret op, voelt zich vreemd sterk, zelfverzekerd, ziet, met zijn sigaret losjes in de mondhoek, de blauwe ader die bij haar rechterslaap klopt. Ze hadden elkaar hier, in de opperste schemer, toch maar gevonden! Haar mond beweegt, neemt de vorm van een kus aan. Een volle mond, niet breed, van nature rood. Zij trekt hem naar zich toe, kust hem, hij herkrijgt zijn adem, wacht op een tweede kus, staat klaar om die met meer aandacht te ondergaan. De eerste was te onverwacht gekomen, te snel gegaan, te snel voorbijgegaan. Een verloren gelegenheid. Nu restte alleen nog het onmiddellijke, angstige verlangen. Hij lag daar maar geknield, kon niet ophouden aan haar te denken, verward, heerlijk schaamtevol; zijn gestalte was nauwelijks te onderscheiden van de hoge varens in het schemerdonker. Hij zag haar als een oude bekende, als een vrouw over wie hij vroeger eens had horen vertellen, iemand uit een heel ander leven. David liet zijn legeraanvoerder Uria op lage wijze uit de weg ruimen en kwam tot Bathseba, diens vrouw, en lag bij haar. Bathseba had trotse borsten die fier van haar lichaam af stonden. David lag bij haar. De koning lag bij haar. Hans kon zich van die woorden niet losmaken, herhaalde ze hardop toen hij overeind kwam en naar de diepe indeukingen staarde die zijn knieën in de zachte grond hadden gemaakt.

Zijn geslacht was zo hard dat het pijn deed. In de werkplaats knoopte hij zijn broek los. Strooide er pure nicotine overheen. Het ding schrompelde in elkaar, leek als vloei weg te schroeien. Hij gilde het uit, hield hem onder de kraan van het bassin. Maar hij had hem zijn schuld ingepeperd. De hitte was getemd. Hij kon terug naar huis.

73

~

Enkele dagen na zijn vijfenvijftigste verjaardag, toen hij bezig was jonge dahliastekken te begieten en zich nogal ergerde aan luid applaus uit het zwembad (in het pad stonden leger-trucks; Hans had gehoord dat er militaire zwemkampioen-schappen werden gehouden vandaag), viel de volle gieter uit zijn handen, knakte enkele net bewortelde, maar in de hitte nog nauwelijks aangeslagen stekken. Het water liep doelloos weg, vormde ronde, modderige knikkers op de hete stoffige grond. Het was vervelend wat gebeurd was, maar hij schrok niet, dacht aan een verkeerde beweging van zijn hand.

Wel voelde hij in zijn rechterarm een lichte pijn, niet erg, nau-welijks pijn, eerder een suggestie van pijn, een zachte druk. Niets om zich ongerust over te maken, hij zou er niet eens aandacht aan hebben besteed als de gieter niet uit zijn handen was geval-len. Met enige moeite kregen zijn vingers greep op de bijna leeg-gelopen gieter die twaalf liter kon bevatten, maar optillen ging niet. Met beide armen eromheen geslagen bereikte hij het water-bassin, liet hem tot op de grond zakken, de beide machteloze handen op de bassinrand, heel onzeker van zichzelf.

Even later, op de vraag van een klant die een zelfgeplukt boe-ket kwam afrekenen, of er iets niet in orde was, antwoordde Hans met een glimlach: 'Ik heb mijn arm een beetje verdraaid bij het sproeien. Het is niet van belang.' Maar toen de klant een rijksdaalder gaf, kon Hans hem niet aannemen, de vingers wei-gerden zich om het bankpapier te vouwen dat wegwoei. Geld teruggeven was een even onmogelijke opgave.

Hij kreeg niet eens de portemonnee uit zijn achterzak, laat staan dat hij de subtiele knipbeweging om hem te openen kon maken. Hij had hulp nodig. Met de linkerhand was het even slecht gesteld.

Hij oefende zijn handen door ze open en dicht te doen, boog zijn vingers een voor een, strekte ze. Van verbazing trok hij zijn wenkbrauwen hoog op. Wat overkwam hem nu? Hij had zin in een sigaret. Met zijn pols duwde hij het pakje uit zijn binnenzak, met zijn tanden kreeg hij er een uit, maar er was geen sprake van dat hij een sigaret aan kon steken. Sabbelend aan de tabak tussen zijn lippen, bukte hij om het handvat van de gieter te grijpen, maar kreeg hem geen centimeter van de grond.

Zo trof Ruben, die met zijn oude Renaultje het pad opreed, hem aan.

De zoon nam de handen van zijn vader in de zijne, keerde ze om, bekeek ze van alle kanten. Ze waren smal en licht als van een vrouw en bruinverbrand. Littekens aan de binnenkant verraadden hardhandige aanrakingen met gemene glasscherven. Zo zagen de handen van zijn vader er altijd uit.

'Pap, probeer het nog eens.'

Hans tilde de gieter een halve meter van de grond.

'Dat kon ik daarnet niet.'

'En nu wat hoger.'

Hij tilde hem, met moeite, tot op de rand. Hans legde de gieter op het wateroppervlak, liet er wat water inlopen, kon hem uit het water tillen en zacht op de grond neerzetten. De kracht keerde langzaam terug. Ruben dacht aan een beknelde zenuw, hoewel het merkwaardig was in beide armen of handen tegelijk een beklemde zenuw te hebben.

'Forceer vandaag niets. Ik giet zo de dahlia's wel en wat nog meer moet gebeuren.' Ruben stak een sigaret voor hem aan, dat lukte Hans nog niet. De sigaret tussen zijn lippen, keek hij vanaf de bassinrand toe hoe zijn oudste zoon met twee zware gieters het dahliaveld opliep en water in de hoogomwalde kuiltjes met stekken liet lopen. Toen Ruben dat werk klaar had, kwam hij bij zijn vader zitten.

'Gaat het wat beter?' Hij bekeek de handen nog eens. 'Anders gaan we naar de dokter. Pap, ik moet je wat vertellen.'

'Over Johanna?' Rubens toon was ineens zo ernstig.

'Nee, niets met Johanna. Aanstaande zondag zal ze weer hier zijn. Ze voelt zich bij ons meer op haar gemak dan thuis, zegt ze. Het gaat over Tom. Vanmiddag had ik een afspraak met hem in de stad. Ik heb langer dan een uur gewacht, hij kwam niet opdagen. Ik ben naar zijn school gegaan en daar hoorde ik van de conrector dat hij ook van het Lorentz gestuurd is. Jullie zullen daar deze week een brief over krijgen. Ik had nog gehoopt hem thuis aan te treffen.'

Hans hoorde de woorden van Ruben aan, verstijfde, naar zijn handen kijkend, als een klein in het nauw gedreven dier.

'Er komt niets van hem terecht. Hij voelt minachting voor mij. Alles wat hij doet of nalaat is tegen mij gericht.' De jongen had een diepe afkeer van hem. Wanneer was die afschuw ontstaan? Had het te maken met Toms haat voor alles wat met geloof te maken had? Maar het was geen toeval. Zijn jongste werd door iets bewogen waar geen naam voor bestond.

'Waarom? Wat is het? In niets is hij meer geïnteresseerd. Ik kan me niet herinneren dat hij ooit bij me op de tuin is komen kijken.'

Ruben ontweek de vraag. Er viel een ongemakkelijke stilte.

'Nee pap, minachting, dat geloof ik niet. Maar hij doet bot tegen je, onredelijk. En niet alleen tegen jou.'

'Dat kan wel zijn, maar ik voel me niet op mijn gemak, als Tom in de buurt is. Hij zegt niets en als ik opkijk, zit hij mij vreemd, vijandig aan te staren. Onverwacht gaat hij weg, zegt niets. Hij kijkt op mij neer, op zijn eigen vader.'

'Vorige week heb ik met Tom gesproken. Ik heb hem gevraagd waarom hij jou negeerde. Hij zei dat hij in jouw ogen toch nooit goed genoeg zou zijn.'

'Zei hij dat?'

'Met die woorden, ja.'

'Hij leidt een nutteloos bestaan.'

'Zo kun je dat niet zeggen.'

'Wat vindt hij eigenlijk van Johanna?'

'Hij feliciteerde me. Zo'n meisje wilde hij later ook.'

Ze hoorden de achterdeur van het woonhuis opengaan. Marg-je kwam op hen toe, riep vanuit de verte naar haar oudste:

'Kom je mij ook nog goeiendag zeggen?'

'Vertel dat van Toms school straks maar aan mamma.' Hans zei dat er nog een kleine bestelling was gekomen. Het kon met de transportfiets. Zou hij dat willen doen? Hij durfde het nu, met zijn handen, niet aan.

74

~

Op sommige plaatsen, boven de kassen, boven het glas van de broeibakken, valt het licht in de winter zelfs bij bewolkt en grauw weer zo stralend dat je denkt aan een vroege augustus- dag. Hartje zomer in december, maar buiten strijkt ijzige kou langs de kashoeken.

Hij voelde deze zondag noch de kou toen hij de werkplaats verliet, noch de zeurderige pijn in zijn handen en voeten. In plaats van gevoelloos waren ze overgevoelig, beurs. Alsof ze in een klem hadden gezeten. Een sigaret in zijn rechter mondhoek, zijn oog half toegeknepen vanwege de opkringelende rook, nam hij een van de smalle zijpaden die naar het sprookjeshuis voer- den. Een zondag. Een zondag met Johanna. Hans voelde zich licht en vrolijk ondanks de pijn. Margje had al een paar keer over Johanna gezegd dat ze een mooi en deftig meisje was. Het had een beetje jaloers geklonken.

Voor hij de uit zijn hengsels hangende deur verder opentrok, keek hij om zich heen of hij niemand zag. Binnen schoof hij blokken pek, een pot kit, een rietmat opzij. Op een oude doek lag het netjes ingepakte kleinood dat hij deze middag Johanna zou geven. Ze was niet jarig, ook niet voor een tentamen geslaagd. Maar in de marge van zijn Herderlijk dagboek had hij wel de da- tum van twaalf mei genoteerd en haar naam. Nee, er was geen speciale gelegenheid of het moest zijn dat ze een jaar en tien da- gen geleden voor het eerst op de Bergweg was verschenen. Het liefst gaf hij haar het cadeau in afwezigheid van de anderen. In dat geval zou hij ten volle kunnen genieten van haar verraste gezicht. Moest hij vanwege een plotselinge weersverandering op zondagmiddag op de tuin zijn – luchten, rietmatten afrollen – dan was het voorgekomen dat zij hem achterna kwam, een arm gaf. 'Ik loop even mee.' Ze toonde belangstelling voor zijn werk, hielp met kleine dingen als het bebroesen van de zaadbakken.

Hans dekte het cadeau toe, schoof er weer de rietmat, kit en pek voor, bleef een moment uit de wind achter de geopende deur staan. De zon stond op de ruiten. Speels kneep hij zijn ogen dicht, gele en rode sterren dansten op het glas, hij opende zijn ogen op een kiertje en de sterren werden een grote vuurbal die over het glas van de kassen huppelde en sprong. Daar stond ze en zijn verlangen werd buitensporig groot; zijn handen brandden. Er was geen ander geluid dan dat van zijn eigen woeste ademhaling en het fluitende suizen van de wind.

De golfmachines hoorde hij niet, wilde hij niet horen, noch het klapperen van de vlaggen met Phelipe. Bij Johanna vergeleken was op dit moment niets van belang. De vernederingen sloot hij buiten. Hij tuurde naar de luchtspiegeling met de blik van iemand die nooit liegt en toch iets probeert te verzinnen. Toen hij zijn ogen opendeed, vloeide licht terug, stroomde licht over de kassen weg.

Op de kerktoren zag hij dat het drie uur was. Ze kon elk moment komen, was er meestal rond de thee. Margje en Ruben zouden in de voorkamer zitten, de suitedeuren geopend. Op zondagen dat Johanna kwam, werd ook de voorkamer warm gestookt. Hij had zich vanmorgen met extra zorg geschoren.

In de broeikas begoot hij een rij droogstaande planten. Onvergetelijke kalmte heerste hier. Er was alleen het geheimzinnige gemompel in de verwarmingsbuizen en het zachte ploffen van de smeltende sneeuw die van de ruiten gleed.

Tom had beloofd op tijd te zijn. Vannacht had hij buitenshuis geslapen, bij vrienden in de stad, maar hij had Ruben bezworen in de loop van de zondagmiddag thuis te komen.

Al twee keer was Hans langs het huis opgelopen om te kijken

of ze er al aankwam. Hij bleef de straat afkijken, voelde wel de blikken vanuit de kamer. Het liet hem onverschillig. Weer teruglopend leek het hem toch beter het cadeau niet in het berghok te laten liggen, het óf in zijn zak te steken, óf in een kast van de werkplaats op te bergen. Het was zelfs denkbaar dat een rat of een bunzing het pakje in de gaten had gekregen en weggesleept. Hij haastte zich terug (Margje zou zeggen: 'Wat heeft die man toch?'), tastte naar het sieraaddoosje, in zijdepapier, met een strik van gouddraad. Binnenin het bijou, veilig in donkerblauw fluweel. Hij zou het even in zijn hand willen nemen voor hij het haar gaf. Een collier van parels. Een hele week inkomsten had hij eraan gespendeerd. Het had meer mogen kosten. Geld speelde geen rol. Nerveus stopte hij het weg, verborg het achter boeken in de werkplaats, deed het toch in zijn zak, bleef ter hoogte van de bessenstruiken staan... de profeet Nathan! De grimmige profeet van de plaat in de statenbijbel die koning David Gods toorn aanzegde. Die naam dook zomaar op. Niet zomaar. David had met Bathseba overspel gepleegd. De profeet kwam de koning Gods straf meedelen. Het kind dat hij bij haar verwekt had zou met ziekte worden geslagen en sterven.

Waren er in deze tijden nog profeten en richteren als ten tijde van het joodse volk? Was Huib Steffen een soort profeet? Of Jozef Mieras?

Johanna was er nog steeds niet. Staande in de huiskamer, vroeg hij met een kinderlijk stemmetje, een hoog piepen: 'Waar blijft mijn meisje?'

'Alsjeblieft zeg,' zei Margje, 'hou op. Ze is geen klein kind en ze kan elk ogenblik komen.'

Hij liep naar zijn bureau. Margje richtte zich tot Ruben: 'Pappa's stem is heel anders als Johanna in zicht komt.' Hij hoorde haar woorden wel en zag ook het geërgerde gebaar.

Hij sloeg Ezechiël op. Misschien dat deze visionaire profeet hem troost kon verschaffen in deze tijd van wachten. De hemel werd geopend en ik zag een uitspansel van ijskristal en boven het uitspansel was een troon en daar weer boven een gedaante die

eruitzag als een mens. Toen ik dat zag, viel ik op mijn aangezicht... Hij stond weer op, bleef besluiteloos bij zijn bureau staan.

'Pappa,' zei Ruben, 'Johanna komt nooit voor vieren.'

'Mens, blijf zitten,' zei Margje.

'Ik ga toch even kijken.' Hij slenterde, quasi-ongeïnteresseerd
het pad af, opende het grote hek, keek de straat af, begon de
straat af te lopen, tot het kerkhof, tot de Enkweg, tot de Wilhelminastraat, keerde terug, steeds omkijkend. Hij dacht aan Johanna's ouders. De rijzige gestalte had ze van haar vader, de donkere
ogen van haar moeder. Je zag direct dat het gestudeerde mensen
waren. Zij was doctorandus, hij doctor. Het waren titels die ook
Ruben ambieerde. Haar ouders mochten dan anti-godsdienstig
zijn, ze waren tijdens het kennismakingsbezoek vriendelijk en
voorkomend geweest, hadden niet uit de hoogte gedaan. Voor hij
het pad weer inging, keek hij nog een keer de straat af, sloot toen
het hek.

Net toen hij weer aan zijn bureau zat, hoorde hij voetstappen
in het grind. Daar was ze. Hij veegde zijn voorhoofd af. Johanna
liep langs het huis op, in een vuurrode lange winterjas. Hij bleef
zitten, zwaaide. Ruben ging haar tegemoet. Hans verzamelde
moed. Margje liep ook naar de keuken toe. Hij ging staan, stond
alleen in de kamer. Haar lange benen. Hij veegde opnieuw zijn
voorhoofd af, was zijn verwarring niet de baas, kon zich niet aan
haar betovering onttrekken. 'Mijn meisje,' mompelde hij zacht.
'Mijn meisje.' Niet de geëigende stem van een aanstaande schoonvader. Zichzelf niet meer, wachtte hij. In de keuken werd gela-
chen, haar lachen klonk boven de anderen uit. Hij wachtte deemoedig tot het haar beliefde, tot hij in haar gedachten was,
hoorde: 'Maar ik heb nog niet iedereen goeiendag gezegd,' en
toen kwam ze de huiskamer binnen, in die lange, vuurrode jas,
een vuurkolom. Zij kuste hem op beide wangen, hij rook de fris-
heid, de buitenlucht, drukte haar met nauwelijks bedwongen
hartstocht tegen zich aan, dacht zo zijn zondige, lustvolle gedachten tot bedaren te kunnen brengen. Hoe kon hij weerstand
bieden aan die warmte? Wat houterig bleef hij staan, alle pijn in

388

armen en benen en handen vergetend, bedwelmd, verdoofd, door de gedachten die haar lippen hadden opgewekt. Salomo, al- leen Salomo, had er woorden voor gevonden: Gij hebt mij beto- verd met één blik van uw ogen, met één snoer van uw halsver- siersel.

'Je bent er,' zei hij zacht. 'Eindelijk.' Een weelderig en dierlijk zacht lichaam. Ruben had een goede keus gedaan. Ze liep naar de gang, impulsief volgde hij. Hans hielp haar uit haar jas, hing hem op, was nog een moment heel dichtbij.

'Dank u. Ik geloof dat ik Tom hoor!'

75

*

Lacherig vertelde Tom aan Johanna hoe het hem gelukt was de militaire dienst te ontlopen. Door te doen alsof hij de vragen van de keuringsofficier niet begreep en testen expres fout in te vullen.

'Terwijl je zo goed kunt leren,' onderbrak Margje. Als elke zondag droeg ze haar barnstenen oorknopjes, ze voelde even of ze ze goed aangedrukt had. Hans, bij zijn bureau, kon net als zij weinig bewondering voor deze houding opbrengen. Anderen die zich normaal gedroegen moesten wel twee jaar lang hun militaire dienstplicht vervullen. Maar hij mengde zich niet in het gesprek. Ruben keek nadrukkelijk naar zijn moeder, toen naar Hans, in de verte. Het was duidelijk: Tom was behoorlijk aangeschoten, pakte Johanna steeds bij haar arm, lachte hikkerig, zijn smalle gezicht gloeide van de drank. O, zijn toekomst? Nog zo ver weg, nog niks om je druk over te maken, hij had zeeën van tijd om daarover na te denken.

Zijn jongste had wat Hans betreft deze zondag weg mogen blijven. Het was lang geleden dat hij op zondagmiddag thuis was geweest. Wat deed hij hier, alle aandacht opeisend, druk gebarend? Zou er nog wel gelegenheid zijn om haar het cadeautje op een fatsoenlijke wijze te geven?

Na de thee zei Hans dat hij nog even de tuin opliep. De kans bestond dat zij hem achterna zou komen. Hans liep om de kassen heen, over smalle, mossige passages tussen de kassen door, zag wel dat er cement losliet bij wijkende kasmuren, dat sponningen verrot waren en de voegen op barsten stonden. Het eeuwige oplappen had geen effect meer. In een diepe scheur zat al opslag van mos en lijsterbes. Gespitst op een geluid van de achterdeur, drukte hij met zijn duim een reep stopverf vast. Zijn profiel tekende zich af tegen de met rietmatten afgedekte broeikassen, zijn zondagse overhemd een witte vlek. Hij voelde haar adem op zijn rug, haar vingers gespreid op zijn schouder. Onverwacht zoende ze hem in zijn hals. Roerloos wachtte hij op een tweede zoen.

'Waar blijf je toch?' mopperde Margje toen hij weer binnen kwam. Tom bukte zich, pakte een willekeurig boek van de stapel onder de lage tafel, keek erin, begon hardop te lezen. 'Goed luisteren, jongens! Het verhaal heet: De kleermaker in de hemel. Het gebeurde eens dat de Goede God op een mooie dag wilde gaan wandelen in de hemelse tuin en hij nam alle apostelen en heiligen mee, zodat er niemand meer in de hemel achterbleef, behalve de heilige Petrus. De Heer beval hem tijdens zijn afwezigheid niemand binnen te laten...'

Hans, aan zijn bureau, met zijn gezicht naar de voorkamer, zei: 'Ik heb er bezwaar tegen...' Ruben, die zelfs de dreiging van een ruzieachtige stemming niet verdroeg, vroeg zijn broer met dit gelees op te houden.

'Ik ben benieuwd naar de bezwaren die mijn vader tegen het verhaal heeft.'

'Sprookjes brengen kinderen op verkeerde gedachten.'

'Mamma heeft ze ons zelf voorgelezen.'

'Stop je nu?' Ruben raakte hem over tafel heen even aan. 'Wat schiet je hiermee op?'

Maar Tom negeerde Ruben.

'Nietwaar, mam?'

Margje gaf geen antwoord. Tom richtte zich weer tot zijn slachtoffer.

'En waarom, pa?'

'Ze geven de werkelijkheid niet weer.'

'Die boeken van jou doen dat wel?'

'Alsjeblieft, hou allebei op,' smeekte Margje en Ruben maakte een verzoenend gebaar, vroeg met een blik inschikkelijk te zijn. Maar Tom wierp tegen dat hij serieus met zijn vader wilde discussiëren.

'Dat wil je helemaal niet. Je moet ophouden.' Ruben probeerde het nog eens, maar hij had geen vat op zijn broer, die aankondigde dat hij zin had om het hele sprookje voor te lezen. Een ander soort sprookje dan waar zijn vader in geloofde. Ruben, met een rood hoofd, stond op om het boek uit zijn hand te rukken. Tom hield het hoog boven zich, liet het achter zich op de grond vallen. De vitrage voor de open bovenramen kronkelde als een beest. Ruben raapte het boek op, legde het terug op de stapel.

'Kom ik gezellig thuis. Altijd moet ik voorlezen, mag er God nog an toe ineens niet meer voorgelezen worden. Wie daar wijs uit kan worden?'

Niemand keek hem aan. Ze durfden evenmin elkaar aan te kijken. 'Nou, als dan niemand meer aandacht voor mij heeft, ga ik maar weer.'

'Blijf, Tom. Je verpest alles.'

Tom keek zijn oudere broer aan.

'Niet ik verpest alles. Dat doet hij.' Hij wees op zijn vader. 'Dag mam, dag broertje, dag Johanna.' Hij ging rustig de kamer uit en ze hoorden hem de buitendeur achter zich dichttrekken. Zonder op of om te kijken liep hij vlak langs het huis. Margje zuchtte dat ze zich de middag anders had voorgesteld.

'Die gaat weer naar het café,' zei Hans. 'Hij verbeuzelt de kostbare zondag in het café.'

Margje vond dat hij beter zijn mond had kunnen houden over sprookjes. 'Je was er toch nooit tegen?' Hij had geen zin om antwoord te geven.

'Pap, vergeet maar wat hij gezegd heeft. Straks heeft hij er weer spijt van.' Maar tegen Margje was Tom ook anders geworden. Zijn aanhankelijke buien, een onverwachte kus – soms tilde hij zijn moeder even op en danste met haar de kamer rond – waren ook gestopt. In elk geval was Tom niet voor rede vatbaar.

Was dit misschien het juiste moment? Aan zijn zoon wilde hij geen gedachte meer verspillen. Maar als hij nu opstond, zou hij de enige zijn die in beweging kwam.

'Ja, ik weet niet wat ons meisje hiervan denken moet.' Zijn stem klonk hoog en schril van ontroering. Hij herkende met geen mogelijkheid zijn eigen stem.

'Pappa,' zei Ruben, 'weet je nog dat je een wilgentak tussen je knieën boog, een touw tussen de uiteinden spande en lange, rechte pijlen sneed...' Hans keek naar Johanna. Hij dacht niet: In deze situatie kan ik geen cadeautje geven. Het stond voor hem vast dat hij het zou geven, maar hoe? Met welke woorden? Wanneer precies?

'Geef mij maar een sigaret,' zei Margje tegen Ruben.

Ze nam een lange trek. 'Ik weet het ook niet meer...'

Buiten gingen de straatlantaarns aan. Het licht van de lantaarn voor hun huis flikkerde en de schaduwen van de struiken in de voortuin leken te deinen op het donker. Margje stond op om het gordijn van de voorkamer dicht te trekken, Johanna deed de schemerlampen aan. Hans stak de hand in de binnenzak van zijn colbert, zocht in zijn broekzak. Hij was er zeker van het presentje bij zich te hebben gestopt. Of had hij het op de inpaktafel laten liggen in de werkplaats?

'Pappa, wat zoek je?'

Hij stamelde: 'Ik had het net nog. Dan moet het op de tuin liggen. Ik had iets voor Johanna. Jij bent precies het meisje...' Zijn stem begaf het. Dat dit hem moest overkomen. Hans kon niet zeggen of iemand hem aankeek.

Hij zag helemaal niets meer.

Het pakje lag niet op de inpaktafel. Hij vond het in de passage tussen de broeikassen, glinsterend op het mos.

'Alsjeblieft, dit is voor jou.' Hij stond vlak voor haar, zij ging staan om het aan te pakken. Hij voelde Margjes ogen in zijn rug, Ruben keek van zijn vader naar Johanna.

'Maar pa, je zei daarnet dat ze precies het meisje was... maak die zin eens af.' Hij nam Ruben die woorden kwalijk, wist niet waarom. Ruben dwong hem iets te zeggen waartoe hij niet in staat was. Het hoofd gebogen stond hij voor haar. Was hij alleen geweest dan had hij haar eerst om een kus gevraagd of zijn wang naar haar toe gewend. Die geweldige gêne in de huiskamer, de onhoorbare stilte in een ondeelbaar ogenblik, het tot dan toe onhoorbare tikken van de pendule op de schoorsteenmantel. Johanna bewonderde de strik, het changeant papier dat zij voorzichtig van het doosje schoof, zag het snoer met parels, voelde de gêne, maar kon niet anders dan het in haar hand nemen, het tegen haar hals leggen om hem niet teleur te stellen.

'Wat een verrassing! Ik ben er erg blij mee.' Hij stond er afwachtend, nederig bij. Johanna deed niet verbaasd, vroeg niet naar de reden van dit buitengewone cadeau. Zij had met plezier zijn bezwete hoofd in haar handen genomen, maar liet het na. Ruben toonde zich nog wel belangstellend, maar zag dat zijn moeder er nauwelijks notitie van nam, verbeten over haar jurk wreef alsof ze erg jeuk op haar dijbeen had, en een andere kant op keek. Het ging haar niet aan. Johanna herhaalde dat ze er erg blij mee was, dat het vast mooi zou staan en ze gaf hem een zoen op zijn wang. Was ze alleen met hem geweest dan had ze een duidelijker betuiging van dankbaarheid en genegenheid gegeven, want ze vond hem een lieve, niet onknappe man en ze bedacht, ook al was ze wars van alles wat op zweverigheid leek, dat hij een man was die met innerlijke ogen naar haar keek.

'Ik zal hem omdoen,' zei ze, terwijl hij nog op een vervolgzoen wachtte, en liep naar de spiegel in de gang.

'Mens, hoe kom je aan het geld?' vroeg Margje. Ruben beduidde haar met een blik er niet op door te gaan.

Hans was op zijn plaats aan het zijraam gaan zitten, kon zo de kamerdeur in de gaten houden.

Johanna kwam terug.

'Mooi hè? Het is veel te gek, hoor.'

'Hij staat je prachtig,' zei Margje die haar ergernis had laten varen. 'Dat heeft pappa goed gezien.' Ruben liep op zijn vriendin

394

toe, voelde aan de parels, wendde zich tot zijn vader.

'Pap, je hebt het fantastisch uitgezocht.' Het leek of hij iets goed wilde maken. Voor hij terugging naar de voorkamer, legde hij een arm om zijn vader heen.

Ze dachten aan het ongehoorde cadeau en aan Tom.

'Waar is hij nu?' vroeg Margje zich af. 'Het kind is in de war.'

'Hij is heel dichtbij,' zei Ruben. 'Je zou het toch eens te weten komen. Sinds hij van het Lorentz gestuurd is, werkt hij in de bar van het zwembad.'

'Wat zeg je? Dat vind ik niet in de haak. Hij weet wat er gebeurd is. Heeft hij dan nergens gevoel voor? Pappa, wat zeg jij daarvan?'

'Wat valt daar nog over te zeggen. Hij heeft er niets te zoeken.'

'Ik krijg het er koud van,' zei Margje. 'We zullen maar iets inschenken.' Maar ze liep niet naar de kast, ze ging naar de keuken.

'Margje huilt,' zei Johanna tegen Hans en ging haar achterna. Hij keek door het zijraam in de keuken. Johanna hield Margje tegen zich aan.

Waar viel nog troost uit te putten? Zijn blik gleed langs het belagende, massieve gebouw met de bar die het pad rood verlichtte. Hij had lang geknield gelegen en de vochtigheid uit de doorweekte grond was in zijn knieën getrokken. Moeizaam kwam hij overeind, wreef met een verschoten handdoek zijn broek zo goed mogelijk droog. In de werkplaats noteerde hij met een enkel woord op het kaft van een opgebruikt notablok de gebeurtenissen van deze dag, legde het in de *Navolging*. Later, al bladerend en lezend, zou hij ze weer voor de geest kunnen halen.

Johanna bleef nog de hele avond, zoende iedereen toen ze wegging, bedankte voor het cadeau, zei op de drempel dat ze zich hier op haar gemak voelde. Haar ouders zaten altijd ieder op een eigen kamer te werken.

76

⁓

Wind blies recht in zijn gezicht, brandde als ijskoud vuur op
zijn voorhoofd. De wolken aan de hemel waren vuilgrijze
vlaggen, een doorgeroeste tuidraad sloeg tegen de schoorsteen-
pijp. Met Ruben had hij vanmiddag oude vloerkleden en voor
een prik opgekochte traplopers over de ramen uitgerold. Daarover rietmatten. Hij was bang dat hij de kassen vannacht niet
vorstvrij hield.

Binnen controleerde hij de thermometer. In de schemering
van de kas waren de witte cyclamen lichte vlekken op de tabletten. Op schappen daarboven, hangend aan draden, vredig wie-
gend, stonden in diepe schotels rode en witte begonia's. Het liep
tegen kerst. Er zou vraag zijn naar deze producten. Als de leidingen het niet hielden zou een jaar werken niets opgeleverd hebben. Voorbij de kassen lagen de bloembedden, verstijfd van de
kou.

Middernacht. Weer keek hij op de thermometer. Het licht van
de werkplaats reikte niet verder dan het waterbassin. Gelach
klonk op uit de bar van het zwembad die doordeweeks om twaalf
uur dichtging. Muziek deinde in golven naar hem toe. De rode
barlampen waren nog aan, die van het zwembad ook, dat over-
belicht leek. Door het glas van de werkplaats zag hij een gedaante
zich voortbewegen langs de zuidmuur, ter hoogte van de oranjerie. Hans herkende zijn jongste zoon. Nu baande hij zich een weg
door de vaste planten die broos van de vorst krakend afbraken.

Hans wilde niet kijken, trok de slecht sluitende tussendeur

hard dicht. Had zijn zoon hem gehoord? Door het raam van de buitendeur loerde hij de werkplaats in. Het leek of hij zijn vader zocht. Een schim morrelde aan de klink, kreeg de deur met moeite open.

'Hé, papaatje, waar ben je? Ik heb je wel gezien, ouwe.' Druip-nat stond Tom daar. Misschien was hij met een bezopen kop in het zwembad gesprongen of in het water gegooid. Zo had Hans hem niet eerder meegemaakt. De ogen waren troebel en bloed-doorlopen. Vanmorgen om tien uur was hij het huis uitgegaan. Hij had tot zes uur dienst gehad en was in de bar blijven hangen.

Hans zei zacht: 'Ik zie dat je gedronken hebt,' en dacht aan de woorden die oefenaar Steffen tegen hem gesproken had: 'Na de bekering zullen nog vele verschrikkingen komen. Mismoedig-heid, als het geloof nog maar heel klein is, is daarvan wel de allergeringste. De verschrikkingen zijn een teken dat de over-winnende werking van de Geest bezig is.' Hans keek naar de deerniswekkende gestalte, de delicate gelaatstrekken verwrongen in een verhitte grijns. De knappe altijd elegant geklede zoon. 'Al-les staat hem,' zei Margje zo vaak, trots. 'Zatlap, rotjong,' mom-pelde Hans en voelde de koude wind door de kieren. Wist niet wat hij met hem moest beginnen, hoopte dat Margje of Ruben uit het duister zou opdagen.

'Dat moet je toch niet vergeten zijn, vadertje, ik op mijn drie-wielertje achter jou aan sjezend. Je had haast. Je negeerde mij.' Hij blies de woorden traag maar goed verstaanbaar uit. 'En je zei: "Tot hier en nu terug naar huis." Maar Tommie was ongehoor-zaam, bleef je volgen. Iemand riep je, zwaaide. Je hoorde niets, zag niets, begon nog harder te lopen. En ik maar trappen om je bij te blijven. Je keek niet op of om, ik raakte achterop.' Tom veeg-de de druppels uit zijn gezicht. 'Je zag mij niet, je was mij verge-ten, pas toen je bleef staan om snel een sigaret op te steken, haal-de ik je weer in. "Ga terug." Je was niet boos, je wilde mij gewoon niet zien.' Hij sprak nu heel vormelijk, overdreven articulerend, gebarend als voor een groot publiek. 'Je begon te rennen alsof de dood je op de hielen zat. Waar dacht je aan? Aan één ding: jouw ziel moest gered. Je moest naar zo'n verdomde dienst. God zag jou en Hij zag dat je het goed deed. De beloning zou voor eeuwig zijn. Alles draait om jou. Om jouw zogenaamde uitverkiezing, jouw redding. Waarvan? Er is niks te redden hier. Je bent een egoïst. Ik liet je gaan, keek je na tot je de hoek bij de Wilhelminastraat omsloeg. Ik keek mijn vader na... Waarom zou ik van jou houden? Waarom zou ik aardig voor je zijn? Wat betekenen Floralia, versierde fietsjes en zeskantige vliegers? Mamma heb je alleen aan het hek laten staan, haar uitgestoken hand weggeduwd. Niet één keer, maar een oneindig aantal keren... En nog verliefd op je schoondochter ook, ja ja. Maar dat kan ik je vergeven. Och, je eerste dochter in huis, het eerste meisje en ze is niet lelijk, dat heb je goed gezien... hè, ouwe geile...' Verder kwam hij niet. Hij was ver genoeg gekomen. Tom gaf over. Niet eens met veel lawaai. Het gulpte in kleine golfjes uit zijn mond, op zijn boord, op zijn overhemd. Hij leek het zelf eerst niet in de gaten te hebben, maakte een gebaar of hij wat slijm wegveegde van zijn kin, probeerde gewoon door te praten: 'Ik heb een vader die gered wil worden. Of anderen eeuwig branden, snakkend naar een druppel water, maakt niet uit. Hij heeft een stem gehoord, wij niet.'

Hans zag hem een vies gezicht trekken om het zure braaksel langs zijn mond. Hij kreunde luidruchtig, leunde gevaarlijk voorover naar de kelderopening, de echo weergalmde met veel tumult in de stookkelder. Hij dreigde voorover te vallen, maar zijn vader was niet in staat hem aan te raken, schoof het zitbankje tussen hem en het keldergat.

Hij gaf over, je zou zeggen met overgave, zijn vader luisterde naar de kreten, het gerochel, Tom ademde met horten en stoten. Wit als een doek stond hij dubbelgevouwen. Zijn smalle schouders beefden. Hij spoog nog iets hards, iets onverteerbaars tussen zijn lippen door, dat met een geluidje op de grond terechtkwam en door Hans met zijn klomp over de kelderrand werd geduwd. Nog enkele kleine, belachelijke geluidjes.

Hans keek naar de grond.

Tom was gaan zitten en hij zag zichzelf, door de ogen van zijn vader, van zijn falende vader, een dronken, falende zoon, die leed en weerloos was, die voelde hoe smadelijk dit lijden was.

'Je minacht me,' zei de vader.

'Pappa, echt, je kunt doodvallen. Ik meen het. Ik heb een ex-cuus voor mijn dronkenschap. Ik weet ook al dat mijn lieve broer straks zal zeggen: "Dit is onvergeeflijk. Ik wil niet dat je zo over vader praat. Hij houdt van ons." Ruben kan het niet verdragen, omdat hij weet dat ik gelijk heb. Wat heb je mamma niet aange-daan? Mij? En jezelf? Ik kots nooit als ik bezopen ben. Vandaag wel. Ik geef over als een idioot. Hoe zou dat toch komen?'

'Ga naar huis. Probeer thuis te komen.' Hans zei het zacht en eenvoudig, maar hij kon het niet opbrengen hem op de een of andere manier bij te staan, een arm om hem heen te leggen. Ge-dachten vlogen voor hem uit: Ik trek mijn handen voorgoed van hem af. Zulke woorden zijn een regelrechte verzoeking. Hij had zich niet meer in bedwang, wist dat Margje dit niet zou vergeven: 'Je had nooit geboren moeten worden,' besefte onmiddellijk dat hij te ver was gegaan, bad om vergeving. Zoiets zeggen tegen je eigen kind. Hans liet zijn hoofd hangen. De tranen op zijn wan-gen glinsterden als rondgestrooide glitter.

77

⁓

Hij bladerde een paar bladzijden terug, wees met zijn vinger de tekst bij, keek op van zijn boek, een leerrede uitgesproken op 2 augustus 1739 in de kerk van Aarlanderveen door Johannus Groenewegen. 'Ik heb de dodelijke dag niet begeerd, Gij weet het: wat uit mijn lippen is gegaan is voor Uw Aangezicht geweest.'

Deze tweede kerstdag viel grauw schijnsel in de werkplaats; resten kalk die zich oplosten in de regen dropen van het glas, lieten op plaatsen waar de kit was vergaan of een roede doorgeroest witte sporen na op de tabletten. De cokeshoop buiten was een donkere wand, de hulsthaag erachter een tweede. Hij kon er nog niet toe komen zijn lectuur voort te zetten, dacht, zijn blik op de tussendeur met de moederdagaffiche van dit jaar (Ruben had hem opgehangen: Een vrolijk jongetje dat voor zijn moeder een bos bloemen achter zijn rug houdt), aan zijn oudste zoon en Johanna die zich vandaag verloofden. Op de inpaktafel lag een bosje rode cyclamenbloemen, opgeschikt met een takje fijn bruidsgroen, gewikkeld in wit vloei. Hij zou een moment vinden haar dat te overhandigen. Het was bestemd voor haar kamer in Leiden.

Hij hoestte en legde een hand tegen zijn borst om de pijn weg te drukken. Een licht, maar aanhoudend kuchen van de laatste maanden was in een pijnlijk hoesten overgegaan. Margje had een flesje Nattermann voor hem gekocht. Dat verlichtte tijdelijk. 'Laat er eens naar kijken,' had ze al enkele keren gezegd. 'Ik maak me zorgen.' Maar hij stelde de gang naar de dokter uit, verlangde naar het voorjaar, naar de voorjaarszon die de kwekerij zou verwarmen, de onaangename hoest zou laten verdwijnen. Het was niet zijn enige zorg. Daarnet toen hij de zaadbakken in het kweekkasje voorzichtig besprenkelde was het gietertje, het kleinste formaat dat hij bezat, zomaar uit zijn hand gevallen, en het had een diepe bres geslagen in de tere voorkiemen. De pijn in zijn handen en voeten was verdwenen, evenals de knelling bij zijn enkels, maar er zat geen gevoel meer in.

Zijn gebruinde, maar ingevallen gezicht werd even verlicht door de opgloeiende sigaret. Het was al een tijdje niet meer zo dat hij er gedachteloos een opstak en in zijn mondhoek onder het verspenen of oppotten liet opbranden. Sigaretten smaakten niet meer, hij proefde alleen de bitterheid van koude as. Het genot van zwaar stug roken was voorbij. Ook dat zou in het voorjaar terug kunnen komen.

Het regende nu zo dicht dat het bassin en de broeikassen aan de overzijde van het pad onzichtbaar werden. De zalige sensatie (maar Hans zou het woord 'zalig' in deze situatie nooit in zijn mond nemen, evenmin het woord 'rot' als het over het weer ging, want alle weer kwam van boven!) van veiligheid die regen hem altijd had verschaft deed zich nu niet voor.

Voordat hij de modderige tuin was opgelopen, om zich een moment terug te trekken – Johanna en haar ouders zouden in de loop van de ochtend komen – had hij zijn goeie schoenen voor klompen verwisseld. Hij besefte nu, indachtig het voorval met de kleine gieter die zeker een kleine duizend net opgekomen varens had verpletterd, dat hij zijn klompen niet voelde, alsof zijn voeten sliepen. Hij strekte zijn rechtervoet, liet de klomp eraf glijden, wreef over zijn sok, kietelde onder zijn voet. Hij voelde niets. Zijn voet leek wel dood. Hij deed zijn andere klomp uit, een kier bij het nokraam liet regendruppels binnen, ze verkoelden zijn voorhoofd. Hij was bang, Met zijn andere voet was het geen haar beter. Hans trok zijn sokken uit. In de dikke, gele eeltknobbels op zijn wreef en de bovenkant van zijn tenen – klompendragerseelt – had hij nooit gevoel kunnen ontdekken. Met zijn blote voeten schoof hij over de verbrokkelde cementen vloer en keek toe, met de naïeve verbazing waarmee volwassenen naar hun eigen onontkoombare einde kijken, zoals mensen zich bij een ongeluk staan te verdringen. Ontmoedigd bewoog hij zijn bleke, eeltige tenen. Hij stond op het punt om zijn sokken weer aan te trekken en met het lezen van Groenewegens godvruchtige leerrede verder te gaan, toen hij voetstappen hoorde. Ruben kwam binnen om te zeggen dat Johanna en haar ouders gearriveerd waren.

'Zelfs Tom is er.'

Hij knielde bij zijn vader, nam de beide voeten in zijn handen.

'Ik heb er geen gevoel meer in. En de kleine gieter kon ik ook niet houden.'

'Het is toch een tijdje goed gegaan.'

'Ga er eens met een scherp voorwerp over. Een spijker of zo.'

Ruben zocht op de schap boven de werktafel en vond in een oude sigarendoos de weggestopte wijwaterkwast.

'O, dat ding,' zei Hans. 'Ik dacht dat ik het weggegooid had.'

Ruben trok met het scherpe eind van het handvat een kras over de onderkant van zijn voeten. De ondiepe kras in de huid trok niet weg. Zijn vader voelde niets. Ruben stelde voor morgen naar de dokter te gaan.

'Maar als hij wat vindt en ik moet naar het ziekenhuis... ik kan de boel toch niet in de steek laten!'

'Wie zegt dat je naar het ziekenhuis moet. Ik denk dat het wel meevalt.' Maar zijn zoon geloofde zijn eigen woorden niet.

De suitedeuren waren opgeschoven, ook in de voorkamer brandde de kachel. Margje had hem wat hoger gedraaid omdat er kou mee naar binnen was gebracht. Tom was net voor het bezoek de voordeur uitgegaan om nog even sigaretten te trekken, onder aan de straat. Hij had zijn moeder oprecht beloofd met een paar minuten terug te zijn.

Hans had zijn stoel naar de familiekring gedraaid. Margje serveerde gebak bij de koffie. Vanuit de keuken kwamen de geuren van tomatensoep en gebraden rollade. Ze had zoveel mogelijk al voor de Eerste Kerstdag gekookt om haar man ter wille te zijn. Aan de groente, de aardappels, het toetje – gewelde appels in vanillepudding – was ze op kerstavond begonnen. Hans had het niet over zijn hart kunnen verkrijgen mee te helpen, maar geen opmerkingen gemaakt, had zelfs met een welwillend oog naar de toebereidselen gekeken.

Op zijn bureau lag de bijbel opengeslagen, hoewel hij de tekst die hij straks wilde lezen uit zijn hoofd kende. De vader van Johanna, een deftig man met golvend dik grijs haar en een choker van groene zijde in plaats van een stropdas, herinnerde aan zijn eigen verlovingstijd die in zijn geval, door toedoen van de oorlog, meer dan negen jaar had geduurd. Achteraf, meende hij, had hij beter van zijn huwelijk kunnen afzien. Maar grapjes over godsdienst, op dringend verzoek van Johanna, liet hij na.

Hans glimlachte flauw, nam niet aan het gesprek deel, wreef over zijn vermoeide ogen, hield zijn middelvinger tegen zijn slaap, liet hem daar om zich te concentreren.

Zijn gezicht stond strak.

'Vader, u bent zo stil,' merkte Johanna bezorgd op.

Nu was alle aandacht op hem gericht.

'Och,' zei hij en glimlachte vaag, dankbaar. Hij was gespannen. 'Toms koffie staat koud te worden,' zei Margje, en met een lachje naar Johanna's moeder: 'Hij kan elk moment terug zijn.' Hans probeerde vergeefs vat op het opengeslagen Boek te krijgen, ging staan. Tegenover hem, in de kring, Johanna's vader, gepromoveerd op de noodlottige invloed die de religie volgens hem had gehad via Griekse tragedieschrijvers op de Westerse cultuur. Naast hem zijn vrouw, die deze opvatting van haar man deelde. Hans Sievez begon: 'En in het graf ingegaan zijnde zagen zij een jongeling zittende ter rechterhand, bekleed met een lang wit kleed, en waren verbaasd.' Zijn stem trilde, maar was helder. 'Geen krijgsknechten, geen verzegeling, geen steen tegen de deur van het graf, maar een engel die in het graf de komst van de vrouwen afwachtte. Die engel zat. Hij liep niet, vloog niet heen en weer. Nee, hij was heel rustig. Ach, waarom zou hij dat ook niet geweest zijn? Lieve toehoorders, zijn houding gaf rust te kennen. Rust, kent U dat woord? Is er rust in de wereld? Nee. De goddeloze kent geen rust.' Hij citeerde uit het hoofd, associeerde, zei wat hem inviel, wat hem werd gegeven, zonder hapering, in volzinnen, verkregen tijdens jaren lectuur, proefde de woorden, dacht na. Zijn toehoorders zagen hem denken. Hans Sievez sprak over de leegte van het mensenhart. 'Die leegte is voor God bestemd. Hem moeten we een plaats bereiden, opdat het Woord in ons wone, een plaats waar het Woord zijn tent kan opzetten.'

De ouders van Johanna luisterden verbaasd, bewonderend, om de mooie taal die hij gebruikte, de archaïsche aanvoegende wijs. Hier was iemand aan het woord die zich wegcijferde, zich uitwiste, het niet-zijn verkoos en zich juist daarmee op de voorgrond stelde. 'Laat ons voor ons zelven de goedertierenheid des Heren gedenken; dat zal het morrend klagen stuiten, dankbaarheid opwekken, de hoop verlevendigen.' Hij sprak met grote vastberadenheid, krachtig, goed articulerend, geen klank verraadde zijn afkomst uit het land achter de IJssel. Soms brak zijn stem. Het gaf des te meer reliëf aan het heilige Woord. Hij stelde dingen aan de orde die zij radicaal ontkenden: Eeuwigheid, Heil, Heiland, Hemel. Genade. Beledigende zaken voor hen, opgevoed in het positivistische denken. Zij waren van mening dat religie te vuur en te zwaard moest worden bestreden, zij vonden dat gelovigen met hun benauwde wereld bespot en belachelijk gemaakt dienden te worden.

Een curieus tafereel voor wie nietsvermoedend door het raam naar binnen keek. Wat is daar gaande? Een samenkomst. De spreker: Hans Sievez, een bekeerde, een bekommerde bekeerde, een door God bewogene, aangeraakte, die bij deze gelegenheid bijna sprak zonder het zelf te willen, zonder duidelijk plan, haast wellustig, maar zonder triomfantelijkheid want niets is uit hemzelf. Zijn houding, zowel naar buiten als naar binnen gericht. Zoals ook zijn blik. Het was eigenlijk heel vanzelfsprekend dat hij daar stond te praten over het toekomende heil. Wie naar hem keken zagen op zijn gezicht iets sluimeren, iets dat op het punt stond om naar buiten te komen waarvan hij zichzelf nauwelijks bewust was. Hij sprak als een Kind Gods. De Eeuwige, de Onzienlijke zelf, deelde hem de woorden mee.

Margje hield haar adem in. Waar liep dit op uit? Hij zag heel bleek, zijn wangen waren zo ingevallen. Hoe lang zou hij doorgaan? Het was maar goed dat Tom wegbleef en ze bad dat hij niet voor het einde van de toespraak zou binnenkomen. Margje hield haar koffiekopje zo stijf in haar handen geklemd dat het bloed onder haar nagels wegtrok. 'Wie met de Heere God twisten, worden gebroken. Over hen dondert Hij in de hemel. De Heere richt.'

Hij sprak. Niet nerveus, niet prekerig, niet nuffig zijn vingers verstrengelend. Wel zwaar, donker, ernstig. Diep ernstig. Het gaat ook over gewichtige zaken. Vol ontzag voor de Schepper van hemel en aarde, in mystieke en mysterieuze verrukking, verhief hij zijn hoofd, vol innerlijke aandacht voor de woorden die hij mocht uitspreken, die voor hem werden gevonden. Hans wist dat hij sprak als zijn meest begaafde medebroeders. Hij voelde zich voor het eerst hun gelijke. Alles om hem heen was door de Onzienlijke, hier aanwezig, aangeraakt. Hij kon nauwelijks op zijn benen blijven staan.

Margje, frêle in haar donkere feestjurk, voor deze gelegenheid aangeschaft, bewonderde hem en maakte zich zorgen, moest zich beheersen om niet zijn hand te pakken. Ze zag hem in de lage huiskamer staan, op de rand van het tapijt, met de hier en daar ontbrekende franje, keek naar hem op, zag hem op het schoolplein in Lathum zwarte doeken voor zich uitspreidend, nog andere doeken te voorschijn trekkend, kleurige, uit een lor van een boodschappentas, glipte ongemerkt van dat beeld over naar het veen, waar ze met lichte passen overheen loopt, haar voeten hoog optrekkend. Margjes blik glijdt over de verzonken wilg, de berg Sinaï. 'En Mozes beklom de berg en naderde de donkerheid waarin God was.'

Hij zong, in zijn eentje, want niemand had de moed hem bij te staan, luid het verloofde paar toe. Margje, Ruben, Johanna, haar ouders, keken bedeesd naar de vloer. Hij was niet in staat zijn psalmboek vast te houden, maar hij kende de tekst van de psalm uit het hoofd:

...op u daal',
Zijn gunst uit Sion u bestraal'.
Hij schiep het heelal, Zijn Naam ter eer,
Looft, looft nu aller Heren Heer.'

Wit weggetrokken, bevend als een hond in zijn magere schouders, had hij tot slot nog enkele speciale woorden te zeggen. Terwijl hij de namen van Johanna en Ruben uitsprak en aan een zin begon, kon hij zich de woorden al niet meer herinneren. Een stormwind kwam uit het noorden die hem opnam naar de troon boven het uitspansel, en daarop een gedaante als van een mens, omgeven door een glans van vuur. Dit moest de heerlijkheid des Heren zijn en toen hij haar zag, viel hij op zijn aangezicht, hoorde nog ver weg Margjes stem: 'Ruben, het gaat niet goed met pappa.' Hoorde nog zachter: 'Zijn kleren, de laatste tijd, zijn hem veel te wijd geworden...' Daarna werd het helemaal stil.

78

~

Drie auto's zwenkten vanaf de Bergweg het pad van de kwekerij op, portieren zwaaiden open. Vijf mannen, allen met aktetas, stapten uit.

'Daar zijn die lui van de gemeente,' zei Margje. 'Wel ja, met z'n vijven! Wat kost dat niet?' Hans keek naar zijn handen, dun en bleek op de keukentafel. Tijdens het wekenlange verblijf op de reuma-afdeling van het gemeenteziekenhuis hadden ze geen zon gevoeld. Margje zat vlak bij hem, liet hem drinken. Het ziekenhuis kon niets voor hem doen, had hem met glyphanan en andere pijnstillers naar huis gestuurd. Goudinjecties waren beter geweest, maar die zaten niet in het ziekenfondspakket.

'Ik ben er niet gerust op,' had Margje zich al een paar keer tegenover de kinderen uitgesproken. 'Als er maar niets anders achter zit.' Ze vond hem zienderogen achteruitgaan, bij de minste beweging raakte hij buiten adem, hij vermagerde, zijn stem bleef schor. Het hoesten was wel minder geworden. Hans keek naar zijn handen als weke, dode dieren. Hij herinnerde zich de dag dat hij alleen thuis was geweest. De telefoon had gerinkeld, hij was toen nog wel in staat geweest om de hoorn af te nemen, maar voor hij iets had kunnen zeggen, had hij hem uit zijn handen laten vallen, de hoorn bengelend aan het eind van de draad had zacht tegen de muur geslagen. De handen op het aanrecht had hij naar buiten gestaard en beseft dat hij nooit meer zou kunnen werken. Margje kleedde hem 's morgens aan. Aan zijn bureau sloeg hij de bladzijden van de *Nagelen en prikkelen* met zijn polsen om.

Buiten op het pad werd door de mannen gedelibereerd. Er werd aan de achterdeur geklopt.

'Wij zijn van de gemeentelijke sociale dienst. U heeft een aanvraag ingediend. Komt het gelegen?'

'Gelegen komt het nooit,' zei Margje tamelijk vinnig.

Hans sloeg kort zijn verschoten blauwe ogen naar haar op, bijna smekend. Niet die toon, Margje! Daar bereik je niets mee, daar raak je nog verder mee van huis. Margje schoof extra stoelen bij en de heren namen plaats.

Een beetje van hen afgekeerd, kortaf, de tafel overziend, vroeg ze of iedereen koffie wilde. De hoogste in rang, degene die het woord voerde, sprak namens allen. Ze wilden graag koffie. Margje met de rug naar hen toe, vroeg toen of ze wel officieel gemachtigd waren. 'Je hoort zulke rare dingen.' De woordvoerder toonde met een plechtig gezicht een legitimatiebewijs. Margje keek er niet eens naar.

Op tafel werd een dubbelformulier opengevouwen.

'Dit,' zei de ambtenaar, 'zal niet zoveel tijd in beslag nemen, we komen wat gegevens opnemen en een babbeltje maken.' Margje was aan de korte kant van de tafel vlak naast haar man gaan zitten. Hans had zijn blik op het middenpad gericht. Vannacht was een lekker buitje gevallen. Groeizaam weer. Over de hele tuin lag een groen waas. Was hij gezond geweest dan lag hij nu geknield op het land om de bedden her in te richten, met de haspel lijnen uit te zetten. Met een schuwe blik keek hij van de heren weg. Ook van Margje die losbarstte: 'Mijn man is altijd zelfstandig geweest, we hadden nooit met iemand iets van doen.' Van agitatie moest ze op adem komen. Hans zag dat ze er klein en moe van geworden was, gekrompen onder de slagen. 'Mijn man,' vervolgde ze, 'was aan het gieten en de gieter viel hem zomaar uit de handen. We hebben allemaal gedacht dat het een zenuwkramp was, maar al gauw kon hij helemaal niets meer. Hij kan nog geen bladzij van een boek omslaan. Wie had kunnen denken dat het zover zou komen. We zijn op onze vrijheid gesteld.'

Hans voelde geen behoefte iets aan deze woorden toe te voegen. Liever had hij gezien dat Margje helemaal niets over zijn ziekte had verteld. Ze hadden er niets mee te maken. De ambtenaren hadden aandachtig geluisterd, roerden zwijgend in hun koffie, de oudste streepte alinea's door. Niet van toepassing. Net toen hij zijn mond opendeed om het woord te nemen kon ze niet nalaten hem te vragen: 'Waarom komt u met z'n vijven? Wie betaalt dat?'

De man antwoordde dat mevrouw er maar van moest uitgaan dat zij alle vijf in deze situatie van nut waren.

'Wij zijn hier om u te helpen. De situatie is niet bepaald rooskleurig.' Zijn metgezellen vertrokken geen spier, dronken hun kopje leeg, keken de keuken rond alsof ze deze inspecteerden op zijn eventuele verkoopwaarde. De woordvoerder vervolgde kalm: 'Ik begrijp dat er geen enkel inkomen is. In dit soort gevallen voorziet de Algemene Bijstandswet.'

Margje keek naar Hans die zich slechts gedeeltelijk naar de tafel had toegewend.

'Mijn man en ik hebben met dat woord niets van doen. Hans, dat is toch zo? Dat woord willen we liever niet horen.' Margje stond op om de vitrage voor het keukenraam helemaal dicht te trekken.

'Een ander heeft er niets mee te maken.'

De ambtenaar schoof een nieuw formulier over tafel naar haar toe. Het was de bedoeling dat zij dit de komende week met haar man invulde.

'Als u een boekhouder heeft die uw administratie bijhoudt, kunt u het hem vragen.'

'Nee, er is geen boekhouder, wij doen alles zelf.' Ze wierp een snelle blik op het formulier. 'Dat dacht ik wel.' Geschrokken keek ze Hans aan. 'Pappa, ze willen de boeken inzien. We moeten ons helemaal blootgeven. U begrijpt, niet dat we iets te verbergen hebben, maar geen mens heeft iets met ons inkomen te maken.'

Hans zei niets, hoopte dat deze samenkomst gauw voorbij zou zijn. Hij was het met Margjes opmerking eens, hij stond achter haar, maar nam haar die scherpe toon kwalijk.

De ambtenaar meldde nog ten overvloede dat hij door hun oudste zoon op de hoogte was gesteld van veel onbetaalde rekeningen: eenruiters, jong plantgoed, kleinere bloemisterijartikelen. Dan waren er nog de vaste lasten. U zult toch moeten eten. U zult mee moeten werken. Wij gaan nu inspecteren. Zij, heel verbaasd: 'Inspecteren? Maar wat? Gelooft u niet in onze opgaven?'

Een van de heren zei dat hij als kadastraal agent precies moest weten hoe de ligging van het bedrijf was.

Margje vertrok haar gezicht, lachte van angst.

'Er moet een zeer nauwkeurige schatting gemaakt worden. Wij houden van precisie in ons werk. Anders komen er brokken van.'

De ambtenaren waren al een flinke tijd op de tuin bezig. Margje had de buitendeur opengezet.

'Net zag ik ze nog lopen. Wat ze nu uitvoeren?' Ze ging op haar tenen staan om over de bessenstruiken heen te kunnen kijken, maar ze bleef klein van gestalte. 'Ik wil ernaartoe.'

'Ik ga mee.'

'Kun je dat stuk wel lopen? We gaan het proberen. We doen het rustig aan.'

Hij kwam overeind, zij pakte zijn hand. Met de andere steunde hij op het aanrecht. Hij zette een stap. Het lopen ging steeds moeilijker. De ene keer tilde hij zijn voet te hoog op, plantte hem dan neer in een vreemde, dwarse stand, of hij schoof hem over de grond. Hij had er geen macht meer over. Ook zijn voeten waren dode dingen geworden. Gisteravond had Margje op zijn verzoek met een haarspeld geprikt. Ze waren volledig gevoelloos. 'Wat dat met reumatiek te maken heeft?' had zij zich toen afgevraagd.

De paar stappen om buiten te komen hadden ze nu afgelegd. Hand in hand stonden ze achter het huis, rustten, liepen enkele meters. Het waterbassin was nog ver. Het was de vraag of die afstand te overbruggen was. Ze hadden net oog op de eerste kassen waarvan de muren door verzakking uit stand stonden. Cement liet los, uit diepe scheuren groeiden berk en vlier. Een uiteenge-

vallen rietmat was van de ruiten geschoven, roeden waren door-
gezakt, verf bladderde af en krulde op als een bosvaren die net
boven de grond komt. Er was altijd gerepareerd, opgelapt. Geld
voor vernieuwing was er nooit geweest. Nevel steeg op van de
aangelegde bedden tussen de eerste kassen en de composthopen.
De primula veris bloeide overdadig. Door de nevel was een bed
met bloeiende irissen onzichtbaar. De tuin was vandaag wel erg
klein. In de verte, met notitieboekjes, kas in kas uit lopend, overleggend, de ambtenaren, alsof het hun land was.

'Ruben en ik hebben gisteren nog het middenpad geharkt. Het
moet er toch netjes blijven uitzien.' Ze keek hem aan. Zijn gezicht
was lang van magerte. Margje luisterde naar zijn hijgende ademhaling.

Hans besefte dat de kwekerij hem volkomen onverschillig was
geworden. Er was geen kwekerij meer. Er waren slechts die vijf
mannen, over bedden springend, de pijn en de gevoelloosheid,
de zwabberende voeten. 'De Heere is mijn Herder,' zei hij in zichzelf en hoopte uit die paar woorden troost te putten. Hij vond
geen troost. 'Wat Hij doet, is welgedaan.' Geen troost. Maar Gods
Woord was troostrijk. De troost ontkennen was al heiligschennis
en Gods bloedstortende werk ontkennen. Hij legde zijn handen
in elkaar want hij kon ze niet meer vouwen en hief zijn hoofd.
'De Heere is mijn Herder,' zei hij hardop. 'De Heere is mijn Herder.' Hij bleef die zin maar herhalen. Het hielp, het troostte. Hij
merkte dat hij zich van haar afwendde en haar de rug toegekeerd
had. Koning Davids zinnetje bleef hij herhalen – want het had
miljarden vóór hem getroost, de wolk van getuigen die hem was
voorgegaan – met een steeds hoger stemmetje en toen hij stopte
en doodstil bleef staan, nog steeds van haar afgewend, dacht zij
dat hij geluidloos huilde en ze draaide zich helemaal naar hem
om, maar hij staarde slechts gelaten, schuw, met grote ogen, het
pad af. Ze keken samen het pad af en de eenzaamheid die ze kenden leek niet op die van eerdere momenten.

Ze keerden om. De afstand was onoverbrugbaar. Hij wilde
toch niets meer zien. Tien minuten hadden ze nodig om de tien

411

meter naar de achterdeur af te leggen. Uitgeput kwam hij in de keuken. Ze hielp hem in een gemakkelijke stoel in de huiskamer. Op de brede leuningen kon wel een boek liggen. Ze wilde nog vragen of ze hem een boek zou aanreiken en welk? Hans was al in slaap gevallen, ademde luidruchtig. Ze legde de *Navolging* op de leuning. Het zou er al snel van moeten komen dat beneden in de voorkamer een bed werd geïnstalleerd. Dan zou (Margje keek over haar slapende man heen de voorkamer in) het theekastje met het huwelijksservies naar boven verhuizen.

De ambtenaren stonden aan de achterdeur. De woordvoerder meldde dat de situatie gedetailleerd was opgenomen, de inspectie was afgerond. Ze zouden bericht krijgen. Margje moest een papier tekenen. In het pad sloegen de portieren dicht. De auto's reden achteruit de straat op.

Toen ze de kamer binnenkwam, zag ze dat hij wakker was geworden. Hij had iets meer kleur gekregen. 'Inspectie afgelopen!' Ze beet op de lettergrepen, imiteerde de ambtenaar, trok een gezicht. 'Bij de bouw van het zwembad en de afsluiting van het pad heb ik ze niet gezien. Het is erg dat we ze op de tuin moesten toelaten. Ik had ze er net zo lief af getimmerd. Voor dat soort kan ik geen respect opbrengen.'

Hans sloot vermoeid zijn ogen. Margjes uitval diende nergens meer toe.

Zij kwam met een boterham en een glas melk bij hem zitten, voerde hem.

'Maar je was wel blij dat Tom vanmorgen zo aardig deed.'

'Dat viel me nog honderd procent mee.' Hans had zijn scheerapparaat op de grond laten vallen. Tom was juist de kamer binnengekomen, had het opgeraapt en zijn vader geschoren, had er alle tijd voor genomen en boven zelfs een crème gepakt van zijn eigen kamer en de huid heel zacht gemasseerd. Margje had in de keuken moeten huilen. 'Ja, dat deed mij goed,' zei Hans.

In de loop van de middag kwam Johanna. Margje zei: 'Ik weet niet wat het worden moet. Het lopen gaat bijna niet meer. Gisteren was ook zijn maag van streek. Of dat door alle pijnstillers komt! Er bleef niets in en pappa had altijd zo'n sterke maag.'

Johanna ging bij hem zitten.

'Zal ik wat voorlezen?'

'Och kind...' was zijn reactie. Hij bedoelde te zeggen: Jij met je mooie, gezonde lichaam... Dat bedoelde hij zo ongeveer en nog wat anders: zijn immense onvermogen. Maar hij doelde niet op haar ongeloof. Johanna's ongeloof, extreem geformuleerd, verhoogde haar zelfs boven alle anderen. Voor hem zelf was dat niet uit te leggen. Ja, hij knikte. Ja, hij wilde heel graag dat ze hem voorlas.

'En heeft u voorkeur voor een hoofdstuk?' Zij mocht kiezen en ze bladerde even en las: 'Niemand heeft ooit voor God kunnen wenen als een kind zolang hij Hem niet kent als zijn verzoende vader.' En ze las ook: 'De Heere is niet verplicht het gebed van een ongelovige te verhoren, maar Hij is een God die zelfs de jonge raven hoort als zij tot Hem roepen; zo zou Hij ook u kunnen horen, vragend om een zegen.' Zijn lichtblauwe ogen waren op haar gericht.

'Dan hoop ik dat Hij u beter maakt.'

'Je leest mooi op toon.'

Ze las nog een passage, zijn lippen bewogen mee. Margje kwam binnen.

'Ik wil niet storen. Als jij, Johanna, bij pappa blijft heb ik gelegenheid om boodschappen te gaan doen.'

'Ik blijf de hele avond.'

'Daar ben ik blij om.'

Margje liep met de fiets langs het huis, keek door het raam, zwaaide.

Johanna las: 'De zonde baart krankheid, zegt de grote Heelmeester...' Zij hield abrupt op.

'Daar ben ik het niet mee eens. Alsof uw ziekte met zonde te maken heeft!'

Een flauwe glimlach trok over het gezicht van Hans Sievez. Op dat punt konden ze niet met elkaar discussiëren.

'Meisje,' zei hij, 'ik wilde je wat vragen. Zou jij iemand willen informeren over mijn ziekzijn? Je moet maar in eigen bewoordingen vertellen hoe het er met mij voorstaat. Heel kort.' Hij wees op de onderste la van zijn bureau. Onder het laatste boek lag het telefoonnummer van Mieras. 'Zou je hem nu willen bellen? Je zou mij er een groot plezier mee doen.'

Ze hurkte bij zijn bureau, vond het telefoonnummer in de onderste la. Op het moment dat ze naar de keuken wilde lopen vroeg hij haar tegen Margje hierover te zwijgen.

79

~

Maanden gingen voorbij. Ruben betaalde de kosten voor levensonderhoud. Onverwacht kwam er een schrijven van de gemeente. Het bedrijf op naam van H. Sievez, kadastraal bekend onder sectie F nr 2058 kwam voor sanering in aanmerking. Er zat genoeg waarde aan grond in (de opstal was kennelijk niets meer waard) om van gemeentewege een renteloos voorschot te krijgen dat wekelijks werd uitbetaald. Het was geen gift, geen bijstand, de gemeente schoot even voor, zolang Hans Sievez in leven was. De schuld aan de gemeente zou te zijner tijd worden verrekend met de verkoop.

'Daar zit iets heel oneerlijks in,' vond Margje. 'Je kunt in dit land maar beter niets bezitten. Wij moeten eerst alles waar we een leven lang voor gewerkt hebben opsouperen.' Voorwaarde voor de sanering was dat het bedrijf officieel op slot ging. Er mocht niet meer geteeld worden. De komende weken was het van belang om wat aan waardevols nog in de kassen stond, en aan vaste planten buiten, zoveel mogelijk te verkopen. Ruben bezocht collega's van zijn vader. De meesten waren bereid om niet onder de prijs te gaan zitten. Een koopman in oud ijzer sloopte de ketels, de leidingen. Ongebruikte rietmatten op de zolder van het sprookjeshuis brachten ook nog wat op. Alles bij elkaar een kleine negenhonderd gulden. Het was niet veel. Het was iets. Ruben en Johanna brachten Hans' bibliotheek naar de zolder van het woonhuis. Voor de officiële sluiting werd een dag afgesproken.

Dit keer reed slechts één auto het pad op en stapten twee ambtenaren uit. Daar had je ze weer. Ruben reed zijn vader tot voor de werkplaats. Het was ook mogelijk geweest om Margje te machtigen. (Eén moest met eigen ogen de sluiting aanschouwen.) Maar dan zou de feitelijke ingangzetting van de uitbetaling zeker een week langer duren.

Gearmd tussen zijn zoon en schoondochter stond hij in de werkplaats, waarvan de vloer met breekijzers was opengebroken. Opkopers hadden gehoopt loden buizen te vinden. Maar voor lood was nooit geld geweest. Hij staarde naar een richel stof achter een weggehaalde kast, een nutteloze spijker in de deurstijl waaraan altijd de blanke raffia hing, een in tweeën gebarsten kweekbak met een rest verspochte varensporen, een bol uitgedroogd, geel sfagnummos en op de schap een voorraadje verspeenrietjes met inkeping. Bij sommige was het ingescheurde rietvlies nog aanwezig. Voor dat verspeenwerk moest je fijne vingers hebben. Die had hij, volgens zijn leraar aan de tuinbouwavondcursus in Boskoop. Zijn blik gleed langs de leeggehaalde tabletten, de schappen met de lege waterschotels daarboven, de rij moerplanten helemaal achterin, die niemand had willen hebben. Jarenlang hadden ze hem stekken geleverd.

Hij staarde. Zijn ogen waren zo helder. Je zou zeggen: verblind door het licht.

'O, Hans,' zei Margje.

Uit het zwembad kwam geschreeuw. De golven kwamen op hen af rollen. Hij schudde niet begrijpend zijn hoofd. Zijn verdriet en angst waren onmetelijk. Hij keek om naar Margje en stak zijn hand naar haar uit. Ze bleven elkaar maar aankijken, zeiden niets. Het zwijgen betekende: de kwekerij is niet meer terug te halen. Het is geweest en gebeurd en je bent te moe om er nog over na te denken.

Zijn slapen bewogen.

De ambtenaren verzegelden de deur van de werkplaats en de deuren van de andere kassen, zelfs die van het voormalige vrijgezellenhuis. 'Nou, ze vertrouwen ons niet erg,' merkte Margje op.

Stroken vochtwerend papier werden over de deurspleten geplakt, met het stempel van de gemeente. 'Ik kan er nog niet bij,'
zei Margje. 'We zullen er nooit mee leren leven.' Ze hielpen Hans
in de auto, die bij de composthoop keerde en naar het woonhuis
terugreed. Nee, ze zouden er nooit mee leren leven.

80

~

De bijstand! Ze zaten toch niet in de bijstand? En wat hadden ze te maken met dat gele gebouw aan de Kastanjelaan, waar de gemeentelijke Sociale Dienst gevestigd was en het geld wekelijks moest worden opgehaald? 'Als je nagaat...!' Maar Margje maakte de zin niet af. 'We zijn toch niet de eersten de besten...' Ja, ze had haar trots. De eerste uitbetaling was niet eens doorgegaan omdat een verkeerd formulier was ingevuld. De bijstand. De Sociale Dienst. Als stof daalden die woorden op het dagelijkse leven neer. Je kon de hele dag wel blijven vegen, wrijven, boenen. En je had je nog niet omgedraaid, weer een nieuwe laag. Waar het vandaan kwam...?

Hans had de teeltvergunningen voor siergewassen verkocht. Er was toch geen opvolger voor het bedrijf. Hij was er zeker van geweest dat hij het recht had ze te verkopen. De gemeente was erachter gekomen. Bij de schatting hadden ze die over het hoofd gezien. Die twaalfhonderd gulden – de opbrengst van de vergunningen – behoorde aan de gemeente. Niets was meer van jezelf. Alle zeggenschap over het gebied waren ze kwijtgeraakt. Margje had er geen woorden voor. En waarom kon het wekelijkse bedrag niet gewoon worden overgemaakt, waarom kon een ander niet gemachtigd worden? Hans' voetstappen werden steeds onvaster. Hij was nauwelijks in staat om vanaf de stoep in het kolossale gebouw te komen. Nee, hier kon niet gemachtigd worden, de uitkering moest persoonlijk worden opgehaald.

Intussen verdween alles wat er nog van waarde op de kwekerij was. Het land, grenzend aan het zwembad, aan zoveel achtertuinen van villa's, was weerloos, onverdedigbaar. Rotsplanten die over het hoofd waren gezien werden gestolen, oude, verschimmelde vloerkleden, bloempotten, glas, lijsten van eenruiters, een zandstenen slijpsteen, tot aan het plaveisel uit het middenpad en de oude ladder van het tuinhuis toe. De tuin zelf raakte in de kortste keren met dit groeizame weer overwoekerd door hard raketgras en andere onkruiden, maar wie goed keek kon onder de chaos nog de strakke lijnen van de bedden onderscheiden. Omdat er niet meer werd gewied kreeg zaad dat van buiten op de tabletten was terechtgekomen de kans te ontkiemen. In de half onttakelde kassen bloeiden de wonderlijkste bloemen.

Zon in de keuken, over de tafel, het stenen aanrecht. Hij, in de auto geholpen door Ruben, zou haar naam wel willen gillen tot hij geen stem meer had; hij herinnerde zich hoe zij in zijn veenhut op haar haarvlecht kauwde.

Weggedoken in zijn jas, stak hij achter het autoraampje een kleine, bleke hand naar haar omhoog, terwijl Ruben de auto het pad uitreed, dat in het volle licht lag.

Hans keek naar zijn verstarde handen en vertelde Ruben dat hij vannacht had gedroomd. 'In de kas bloeiden de gloxinia's. De lila exemplaren hadden wel zes of zeven bloemen. Pure kwaliteit. Er kwam ook een bestelling binnen. Ik zocht de mooiste uit en wikkelde de bloemen in zacht vloei tegen het smetten. Ik snoof de lucht van de bloemen en de vochtige turf op. Het was allemaal zo echt...'

Ruben herinnerde zich de bedwelmende geur in de gloxinia-kas en legde zijn rechterhand op de knie van zijn vader, stuurde met de andere de auto de Kastanjelaan in. Om hem af te leiden begon hij aan een van de achtentachtig verzen van psalm 119 die hij voor hem uit zijn hoofd had geleerd. 'Dat was jou zelfs te veel.' Een flauw glimlachje verscheen op Hans' gezicht.

Ruben dacht aan de tijd dat zijn vader krachtig en gezond was. Hij had heimwee naar de tijd toen hij op de kwekerij speelde. In die stemming durfde hij het aan over de vuurkolom te beginnen, de stem die daarin geklonken had. Die extase zou hij zelf in zijn leven willen meemaken.

Hans zweeg. Wat moest hij daarop zeggen? Over de vuurkolom en Gods stem kon hij niet nadenken. Tegenover de Heerser van alles voelde hij zich als een gespeend kind. Hij bestond niet, hij bezat geen wil. Hans kon niet op de woorden van Ruben ingaan, want deze zoon, in al zijn hulpvaardigheid, was tegelijk ook een geestelijke vijand.

De massieve gele villa domineerde de omgeving. Waar ooit een gazon met slingerende borders was had men een grindplein aangelegd. Borden gaven aan dat hier alleen personeel mocht parkeren. Ruben was niet van plan de parkeerplaats op te rijden. In een langzaam gangetje reed hij het gebouw voorbij, stopte na een kleine honderd meter, net uit het zicht van het gebouw.

Hans' gezicht vertrok, hij legde zijn hand een moment op Rubens arm, alsof hij bang was dat iets hem zou worden aangedaan. Tegen deze wekelijkse gang zag hij steeds meer op.

Ruben was uitgestapt, liet de motor draaien.

Door het raampje stelde hij zijn vader gerust.

'Ik denk dat het vandaag niet druk is. Ik ben zo terug.'

Ruben rende naar de villa. De vader keek hem na door de achterruit. Aan de familie die al voor de oorlog in de villa woonde had hij jarenlang planten geleverd. Hij zag zijn zoon de treden naar de monumentale voordeur oplopen. Ruben zou een blik in de vestibule werpen waar de loketten waren en een wachtruimte met tegen de muur getimmerde banken.

In het voorjaar als het erg druk was op de kwekerij, had Hans vaak een los werkman in dienst genomen om te spitten en ander zwaar werk te doen. Het waren mensen die van de bijstand trokken en iets bij wilden verdienen. Hij zag niet op ze neer, maar schaamde zich hen hier tegen te komen. Zij waren gelijk gebleven, hij was gezonken.

Ruben rende terug naar de auto. De kust was veilig. Hij reed de auto achteruit tot vlak voor het gebouw, hielp zijn vader naar

buiten. Dat het zover met hem had moeten komen. Steun trekken. Een lichaam dat niet meer wilde.

Stapje voor stapje, zwaar leunend op zijn zoon, bereikten ze de
voordeur. Ruben duwde die open, speurde voor alle zekerheid
nog een keer de hal af. Er waren geen bekenden. De parketvloer
fonkelde. Hans' nieuwe schoenen die hij nog nauwelijks had gedragen kraakten.

Ze waren direct aan de beurt. De uitbetaling leek elke keer
meer tijd in beslag te nemen. Op steeds nieuwe formulieren
moesten stempels en handtekeningen worden gezet.

Zijn handtekening leek nergens meer op, de pen ging alle kanten uit. Ruben hield zijn hand vast. Nadat het geld was uitbetaald
vroeg Ruben de lokettist of het mogelijk was kort na sluitingstijd
te komen. Daar kon natuurlijk geen sprake van zijn. Sluitingstijd
betekende sluitingstijd, dat betekende dat niet alleen de deuren,
maar ook de kas afgesloten was.

81

~

E en onbekende man stond bij het toegangshek aan de Berg-
wegzijde. Ze had hem opgemerkt toen ze de gordijnen van
de als ziekenvertrek ingerichte voorkamer dichttrok.

Hij had een spits gezicht, droeg een zwarte hoed en een lange
zwarte jas, en moest wel tot het groepje van Steffen en Mieras behoren. Ze redderde om het bed dat midden in de kamer op hoge
grijsmetalen klossen stond, streek over de wang van haar weg-
soezende man. Een uitputtende hoestbui was eindelijk bedaard.
Margje streek over zijn gladde hoofd. Door de kuur was hij in enkele dagen zijn haar kwijtgeraakt. Hij had altijd zo'n lekkere bos
gehad. Ze had het voorvoeld. Het was geen reuma geweest. Reuma had er misschien in het begin bij gezeten. De artsen in het gemeenteziekenhuis hadden longkanker geconstateerd. De tumor
zat op een plaats die niet kon worden geopereerd.

Waarom had men het steeds maar op die reuma gegooid? Het
hoesten, de benauwdheid hadden een dokter toch op andere gedachten kunnen brengen? Dan waren ze er misschien nog op tijd
bij geweest. Na een week ziekenhuisopname was hij naar huis gestuurd.

Hij hijgde in zijn oppervlakkige slaap.

'Pappa,' zei ze zacht, boog zich over hem heen, drukte een kus
op zijn wang.

Margje deed het gordijn iets open. De man maakte geen aanstalten om het pad op te lopen of het tuinhekje open te doen om
aan te bellen. Zou ze naar hem toelopen en vragen wat hij daar

deed? Ze zag hem aandachtig de straat afkijken, een hand opsteken. In het licht van de straatlantaarn verscheen Jozef Mieras. De beide mannen begroetten elkaar, Jozef ging de ander voor het pad in.

Margje ving hen bij de achterdeur op. Ze noemde Mieras eerst meneer, deed even of ze hem niet herkende, zei toen: 'O ja, natuurlijk, pardon. Nu zie ik het.' Jozef Mieras was ook sterk afgevallen. Toen hij zijn hoed afzette, zag ze dat nog een sliert dun haar glad over zijn schedel was gekamd.

Vandaag had hij geen koffer bij zich. De andere was Taverne. Onder zijn loshangende zwarte jas droeg hij een geruit boerenhemd met voorgestrikte stropdas. Deze had ze niet eerder gezien. De donkere, bijna zwarte ogen in het dichtbehaarde gezicht hadden een precieze, snijdende blik. Ze schatte hem niet ouder dan dertig jaar. Er zat dus groei in de beweging.

Ze waren op de hoogte van de situatie, begrepen dat het niet goed ging met broeder Sievez.

'Maar hoe weet u...?'

'Die dingen raken bekend, mevrouw.' Meer wilde Jozef niet loslaten.

'O,' zei Margje, ze stond met de mannen in de deuropening, deed een poging diep adem te halen, zag in de verte achter hen de verlaten, onttakelde tuin, bekeek de mannen alsof ze zeldzame exemplaren waren uit Burgers' Dierenpark, haar mond iets open, in angstige verbazing.

'Ik dacht niet dat ik u ooit nog zou zien.' Maar ze was niet strijdlustig. Ze dacht aan de laatste plukjes die ze in haar hand hield toen ze Hans voorzichtig had gekamd. Jozef kneep zijn ogen tot spleetjes en zag er nog zachtaardiger en vriendelijker uit. Ze wilden Hans opzoeken, ze hadden het beste met hem voor.

Jozef zei: 'Het is zeker dat uw man naar ons uitkijkt. Oefenaar Steffen moet van ver komen, maar zal zich bij ons voegen in de loop van de avond. We komen hem bijstaan in deze moeilijke uren. Wij hebben zijn roepstem gehoord.' Jozefs gezicht was neerwaarts gericht, maar de stekende ogen van Taverne hadden haar geen moment losgelaten. Bij Jozef had de goedmoedige grijns inmiddels plaatsgemaakt voor de flauwe naar binnen gerichte glimlach van iemand die op een vanzelfsprekende wijze in voortdurend en nauw contact staat met de Onzienlijke, en de rest van de wereld onwetend weet.

Beide mannen, Jozef voorop, liepen direct door naar de gang om hun jas en hoed op te hangen. Als waren ze kind aan huis.

Margje haastte zich de huiskamer door naar Hans toe: 'Pappa, wakker worden, er is bezoek voor je.' Boven het door roze nevels versluierde veen kwam de zon op. Was dat de rand van de hemel, de rode loper van het Hemelse Jeruzalem waar 's ochtends een andere zon over scheen, zoals op de plaat in de statenbijbel bij het boek der Openbaringen? Er zal geen nacht meer zijn en er zal daar geen licht van een lamp of het licht van de zon nodig zijn, want de Heere God verlicht tot in alle eeuwigheden. Hans keek toe.

'Pappa, wakker worden, kijk wie er zijn!'

Hij deed glimlachend zijn ogen open, nog vervuld van de dingen die hij gezien had.

Had ze er goed aan gedaan hen binnen te laten? Was een van de anderen thuis geweest, dan had ze steun gehad en misschien anders gehandeld. Margje had zich teruggetrokken in de achterkamer, keek toe, luisterde. Of was ze te meegaand geweest dit keer en had ze zich te veel laten leiden door de ernst van de ziekte? De mannen hadden Hans zoveel mogelijk rechtop gezet, en zaten aan weerszijden, de handen gevouwen op het dek. Zijn gezicht was recht op het hare gericht, maar hij leek haar niet te zien. Misschien konden zijn ogen niet meer zo ver reiken.

De ziekte tastte alles aan. Jozef zei: 'Ik zal de woorden voor je vinden. Zeg mij na: "Heere, ik ben zwak. Ik ben niet een mens, een worm."' Jozef beklemtoonde elke lettergreep. Hans mompelde, was al nauwelijks in staat om nog woorden te articuleren. 'Ik ben zwak...'

Margje keek naar het schrikbarende bezoek en dacht: Ik heb er verkeerd aan gedaan, ik had ze niet moeten binnenlaten.

De mannen wachtten geduldig, herhaalden de woorden en Hans, doodziek, half onderuitgezakt, sprak hen na:

'...niet een mens...' Daarna werd zijn stamelen onhoorbaar.

Margje luisterde naar voetstappen op het pad. De gordijnen van de huiskamer liet ze altijd open, omdat het grote raam daar op het pad uitzag. Je wilde weten wie de kwekerij opkwam. Het was Huib Steffen. De oefenaar liep direct door naar de gang waar hij zijn jas en hoed ophing en nam na de begroeting in een oude leunstoel plaats die Ruben in verband met Hans' ziekte van boven had gehaald. Steffen had een zwarte, platte tas bij zich waaruit hij een papier trok. Hij maakte notities. Had hij al meer zieke gelovigen bezocht of deed hij verslag van de situatie? Hij was dikker geworden, vooral in zijn gezicht. De uitwas boven de boord zat er nog, als vroeger, onveranderd, griezelig, een onvolgroeide vinger, daar in de nek.

Oefenaar Steffen kwam overeind, met een bijna onzichtbare hoofdbeweging nam hij over van Mieras.

'Zeg mij na, broeder Sievez: Ik wil U o Heere mijn God dienen.' Zijn stem klonk hoog en ijl, snerpte.

Hans die getrouw naar Huib opkeek, herhaalde: 'Ik wil U dienen, o Heere.'

'In mij is de vreugdevolle opwelling alles te geven, o Aanbiddelijk Opperwezen.'

'In mij...' De stem van Hans Sievez stokte. Hij kon geen woord meer uitbrengen. Hij was doodop. Waarom had ze hen binnengelaten? Waarom joeg ze hen niet alsnog weg?

Oefenaar Steffen bad, de handen gevouwen, ver voor zich uit, boven de zieke. Luidkeels, gillend riep hij de Heere aan, sprak over aanklevende, inklevende en inwonende zonden. Hans, terugdeinzend in het kussen bewoog zijn lippen, bad voor zover mogelijk mee. Hij moest meebidden, het oog niet alleen op Christus gevestigd houden, maar vooral op de oefenaar. 'Leeft u, o ongehoorzame en trage van hart, in in Christus' wonden en daalt met hem ter helle.' Hans bracht nog een flard van een woord uit, hijgend van inspanning. Margje, in de andere kamer, trok nerveus aan een sigaret. In de schemer van de weggedraaide wandlamp bij het bed hadden de gezichten van de drie mannen alle dezelfde uitdrukking van loodzware ernst – waren tegelijk uitdrukkingsloos.

Een gebaar naar Taverne. Die nam over. '...de verbondsbetrekking op God, de ziel onder de tucht der wet gesteld, de bekeerde die juist leed, die juist diende te lijden, omdat hij onder het zegel van de verkiezing lag...'

Zij luisterde, keek van haar man, die zijn ogen gesloten had, naar de tronies boven het bed. Je zou er bijna gefascineerd door raken, als het allemaal niet zo vreselijk was. Ze bedwelmden, je vergat te denken. Die nieuwe met die spitse snoet, een muis. Ze hadden elk nog wel zoveel eigens dat je ze met één woord kon typeren: de muis, de uitwas, en Mieras was voor haar al lang de mier. Chris Ibel, niet meer op deze aarde, zou de griezel of de dwerg zijn. Die arme man van mij. Ze kunnen hem niet met rust laten. Hij wil niet door hen met rust gelaten worden. Toen hij de broeders zag, klaarde zijn gezicht op. Van hen verwachtte hij, zo niet lichamelijke dan toch geestelijke uitredding.

Steffen kwam de huiskamer in.

'Uw man heeft het zwaar. Wij kunnen niet veel, we staan hem bij voor zover het in ons vermogen ligt. Het moet van Hem daarboven komen.' Daarna liep hij de gang in om naar de wc te gaan.

'Keer terug, gij afkerige en Ik zal uw afkering genezen!' Taverne sprak. Jozef trok zijn wangen glad. De staande lamp verspreidde zacht licht. Pappa leek te slapen, murw, verdoofd. Als ze terugdacht... ze zag hem in de gang zijn overjas aantrekken, weer uittrekken, over zijn arm hangen, zijn hoed opzetten. Als ze eraan terugdacht... ik ben zo vaak de straat afgelopen, ik heb op de bus uit de stad gewacht om te kijken of hij erin zat... Zoals hij toen op straat mij voorbijliep, mij niet zag, jas over de arm... Huib Steffen kwam terug van de gang, keek haar aan met een blik of zij iets gevraagd had.

'Zal ik koffie maken?'

'Nu niet. Ik denk dat er straks wel trek zal zijn.'

Hij nam zijn plaats weer in. Na een rondgaande blik stonden alle drie op, riepen in koor het vreselijke woord uit Ezechiël: 'Bekeert u, anders wordt gij geworpen in de buitenste duisternis waar wening is en tandengeknars.' De woorden klonken als zweepslagen. Hans durfde zijn ogen niet open te doen. Maar hij moest oefenaar Steffen wel vast blijven houden, met geestelijke ogen, anders zou hij hopeloos ten onder gaan. Op hem had hij, tenminste op aarde, al zijn vertrouwen gesteld. De woorden van de profeet klonken tegen de binnenkant van zijn hersenpan, weerklonken. Hans geloofde. Christus was er. Hij moest geloven. Meer dan ooit kwam het erop aan zich aan Hem te geven, zo zuiver mogelijk. Want de dood naderde, op kousenvoeten. Met angst en beven zag hij het einde tegemoet. Ja, God was daar. Of was het Christus, Zijn eniggeboren Zoon? Of was het de Heilige Geest?

Iets onzichtbaars gleed door de kamer, iets ging gebukt in de schaduw van de suitedeuren, of bij de deur naar de gang...

Rond het bed werd nu zacht gemurmeld. Jozef Mieras draaide zijn vermagerde nek langs de kraag van zijn colbert en zijn blik ging daarbij afwezig mee. Hij mediteerde. Steffen zoog op zijn lip, maakte smakgeluidjes met zijn tong.

'Och, moge de drinkbeker aan dit zondige, aan dit ongehoorzame kind voorbijgaan!' Het was Taverne die deze woorden onophoudelijk herhaalde. Hans kermde zacht. Alles deed hem nu pijn, tot in de haartjes op zijn vingers.

Al dat vertoon van woorden, mompelde Margje, maar een menselijk woord uitbrengen, een troostwoord, ho maar! Ze stond op om naar de keuken te gaan, ging koffie zetten en boterhammen maken. Die lui zouden straks wel honger hebben.

82

~

Margje dacht: Hij is al lang niet meer van mij.

In de voorkamer heerste de wijkverpleegster, een potige, boerse vrouw met korte voortanden die nauwelijks een woord sprak. Zij waste Hans, verschoonde, föhnde zijn doorgelegen billen. Zij mocht wél dicht bij hem komen, hem aanraken. Margje observeerde haar vanuit de achterkamer. Toen de vrouw klaar was met haar werk gebaarde ze naar haar. In de gang zei ze: 'Als ik uw man zo zie, denk ik dat hij spoedig gaat hemelen.' De toon was vlak, niet werkelijk meelevend, als was de opmerking eigenlijk van weinig belang. 'U kunt mij altijd bellen.'

'Wat zegt u?' Margje kende de uitdrukking niet, maar begreep hem direct. Ze slikte. Het was ook niet een uitdrukking die de broeders zouden gebruiken. Er lag onverschilligheid in het woord, of platte liefelijkheid. Vast en zeker een term in zwang onder wijkverpleegsters.

'Ik wilde u alleen zeggen dat u mij altijd bellen kunt.' De verpleegster deed zelf de voordeur open, trok hem achter zich dicht.

Hans hoorde ook de voordeur dichtslaan. Hij staarde over de stang van het voeteneind de achterkamer in, volgde de voetstappen van Margje vanuit de gang. Over enkele ogenblikken zou ze de voorkamer binnenkomen, het bed naderen, snel, het liefst ongezien, heel licht met haar hand over zijn wang, zijn voorhoofd strijken, bijna zonder de huid aan te raken, nog voor hij gelegenheid kreeg zijn hoofd af te wenden. Hij wist nooit van welke kant zij naderde en hem opgeruimd toesprak: 'Ik kom gezellig bij je. Wat zal ik voor je maken? Wacht, ik doe het kleine lampje aan, het is zo donker buiten.'

Ze ging bij hem zitten, maar hij had zich afgewend, de ogen gesloten. 'Zo, dat staat gezelliger.' Margje legde het Boek recht, trok het laken strakker. 'Zal ik iets voorlezen?'

Hij gaf niet toe. Het was aangenaam haar kleine hand op zijn voorhoofd te voelen, maar hij mocht niets laten merken. Hij hoorde dat zij het boek in haar hand nam en haar aanbod herhaalde: 'Pappa, zal ik wat voorlezen?' Nee, het kon niet. Steffen had het hem uitdrukkelijk verboden. Op dit moment van zijn leven zeker niet. Haar niet toelaten. Zijn naasten uitsluiten. Geen onbekeerde laten lezen uit Gods Woord. Dat was een strikt gebod. Noch door Margje, noch door Ruben. Beiden hadden het aangeboden. Bij Ruben had hij getwijfeld. Ruben stond in deze dingen nog het dichtste bij. 'Maar papa,' had Ruben hem zacht verweten, 'Johanna mag wel voorlezen!'

Hij had het hem niet kunnen uitleggen, en had gezegd: 'Johanna heeft een heldere stem.' Dat was waar, maar er speelde wat anders. Johanna kon er niets aan doen dat ze onbekeerd was. Zij kwam uit een gezin waar Gods Woord niet verkondigd werd en, Johanna was Johanna.

Margje bukte in het licht van de lamp, zocht iets in zijn la, om wat om handen te hebben, om zich een houding te geven, om bij hem te zijn.

'Je bent weer lekker schoon. En frisse lakens.' Ze had een bepaalde manier ontwikkeld om hem zo blijmoedig mogelijk tegemoet te treden. Hij lag op zijn rug (hij was niet in staat om zelf op zijn zij te draaien) zijn gezicht naar de gangdeur gericht. Het was hem onmogelijk Margje in de ogen te kijken Zij schoof haar stoel dichterbij, legde haar hoofd tegen zijn wang en hoopte dat ze tussen zijn hijgen door, in een warme uitademing, haar naam zou horen. Hij onderging de liefkozing zo onverschillig mogelijk. Ze boog zich over hem, om nog dichter bij zijn gezicht te komen, hij volgde haar bewegingen.

'Zeg iets tegen mij!'

Maar hij zweeg. Daar voelde hij zich schuldig over, maar met haar praten, juist met haar zou zijn schuld alleen maar vermeerderen. Als op het moment van de overgang een onbekeerde tot hem sprak, zou hij eeuwig verloren gaan. 'Hans, alsjeblieft!' Ze keek om zich heen, zocht iets om zich aan vast te klampen, deed er niet toe wat, zelfs al was het iets huiveringwekkends, om de doffe, vormeloze angst te verjagen. Hij soesde niet, zijn bewustzijn was heel scherp, misschien wel omdat zijn uitgemergelde lichaam het bijna begaf. Hij stond bij de rand. Zwavel en het eeuwige vuur of de eeuwige lofprijzing Gods. Zij was aan de andere kant gaan zitten, raakte hem aan. Het was te gek om nu zijn hoofd af te wenden (had hij daartoe de kracht bezeten) en hij sloot stijf zijn ogen. Zij streelde de rug van zijn hand, luisterde naar zijn gejaagde adem, fluisterde: 'Ik blijf toch bij je zitten.' En even later: 'Ik denk dat ik Johanna hoor.'

'Wat zal ik lezen?' Hans wees op de kleine zwarte zakbijbel. Johanna sloeg bij de bladwijzer open. 'Ik roep tot U om hulp, maar Gij antwoordt mij niet.' Hij luisterde, zijn gezicht naar haar toegewend.

Margje observeerde hen vanaf de keukendrempel. Johanna had een streepje voor.

Johanna zag Margje toekijken.

'Moeder, kom toch.'

Margje aarzelde, maar bleef in de andere kamer.

'Komt u naast me zitten?'

'Nee, het is goed zo. Ik laat jullie, ik ben al blij als hij wat afleiding heeft.' Margje wreef zenuwachtig haar vingers over elkaar, een beving trok over haar wangen.

Johanna kwam op haar toe, sloeg een arm om haar heen.

Samen liepen ze naar de keuken zodat Hans hen zeker niet kon horen.

'Waarom doet hij zo?'

'Lieve kind, hij heeft iets tegen mij. Ik weet niet wat ik in zijn ogen zie. Tegelijk heb ik met hem te doen. Hij is doodziek. Altijd mooi, dik haar, nu is hij zo kaal als Huib Steffen. Het is allemaal al zo moeilijk. En dan dit nog erbij. Ik wil dicht bij hem zijn maar hij wijst me af.'

Margje rilde van een diepere kou, beet haar lippen stuk. 'Ga jij maar naar hem toe. Tegen mij doet hij wantrouwend, alsof ik hier niet hoor te zijn.'

Het licht was afgenomen. Bij de ingang van het pad klonk rumoer. Daar had je ze weer, vroeger dan anders. Een voor een verschenen ze bij het toegangshek. Hun verzamelplaats. Ze overlegden, verdeelden hun taken. Jozef Mieras was er, zijn armen gekruist achter zijn rug, als het jongetje op de moederdagaffiche. Ook Taverne, de muis, die met de vingers van de ene hand op de bovenkant van de andere trommelde, zoals vroeger Ibel.

Ze stonden dicht bij elkaar, schouder aan schouder, in het laatste avondlicht en in het schijnsel van de straatlantaarn. Steffen kwam erbij staan en nog twee nieuwen, met zwarte hoeden die ze zover naar voren droegen dat de schaduw ervan over hun hele gezicht viel; bandieten, struikrovers, bendeleden. En nog twee kwamen erbij. Mannen zonder tal, in het donker gekleed. Er zouden stoelen bijgeschoven moeten worden.

Ze wachtten, kalm, zeker van hun zaak, waren allen uit hetzelfde deeg gekneed, en met uitzondering van Mieras uit een bepaald segment van de samenleving: de arbeiders, de kleine middenstand. Ze hadden allen dezelfde obsessie: een mens redden uit de strik van de vogelvanger, een mens bijstaan in zijn overgang naar het andere leven. Ze droegen allen een sleetse, zwarte jas, en gladde, hoge schoenen. Hun contouren waren scherp en duidelijk. Heel ver weg en heel hoog was het gonzen in de hoogste takken van de sequoia's hoorbaar.

Nog eentje. Wie weet hoeveel er nog kwamen aanwaaien. Ze hoorden erbij. Het zou vreemd zijn geweest als ze niet gekomen waren. Ze hoorden erbij, waren nodig, hard nodig, maar Margje

ging eerst de gordijnen van de voorkamer dichtdoen. De buitenwereld had er niets mee te maken. Anders kon een nietsvermoe-
dende voorbijganger die naar binnen keek zich afvragen: Wat is
hier in 's hemelsnaam aan de hand?

83

~

'O, Heere, zie dit zondige kind in uw genadige ontferming aan.' Jozef bad staande aan het voeteneind, met de rug naar de huiskamer. Aan de ene zijde van het bed stonden Steffen en Taverne, tegenover hen, aan de andere zijde, achter elkaar zes onbekenden. Zoveel tegelijk waren er nog nooit geweest. Die nieuwen hadden zich gedragen alsof ze hier al jaren kwamen, waren direct naar de gang doorgelopen, hadden hun jassen uitgedaan, hun zwarte gleufhoeden afgezet en waren naar de voorkamer gegaan. Margje, aan de huiskamertafel, tussen haar oudste zoon en Johanna in, kreeg nauwelijks een groet.

'Amen, ja amen,' baden allen in koor, hun hoofden op en neer. Tegen een zijwand vielen vlekjes licht van de straatlantaarn door het bovenraam, niet groter dan de nagel van een pink.

'Want zie, de dag komt brandend als een oven. Dan zullen de overmoedigen en de goddelozen zijn als stoppels en de dag die komt zal hen in brand steken, zegt de Heere der Heerscharen.' Uit Hans' mond kwam geen woord ter bevestiging, alleen een zwaar, onafgebroken hijgen.

Jozef boog zich heel diep over het hoofdeinde en vroeg abrupt: 'Is de Heere er?' Nauwelijks merkbaar werd door Hans ontkennend met het hoofd geschud.

'Verschrikkelijk,' zei Margje. 'Hoe bedenkt een mens het.'

Mieras en de oefenaar wisselden blikken. Steffen nam over: 'O, God van Abraham, Izaäk en Jacob, zie hem aan! Zie hem aan! Zie hem aan!' Margje mompelde: 'Het hele huis ruikt naar oefenaar, naar prediker.'

Jozef Mieras kwam op zijn tenen de achterkamer in, fluisterde zacht, met bedroefde ogen (maar zijn grote bruine hondenogen hadden altijd iets droefs!) dat de strijd heel zwaar was. Hij moest nog meer worden afgesneden. Van alles wat hem hier bond, van al het zijne. 'Hij behoort in zichzelf ontkracht te zijn. Uw man en vader, en schoonvader, als ik het goed heb begrepen, is nog niet klaar. De afwisseling van donkere en lichte momenten in de genadestaat is nog te groot. Oefenaar bidt. We laten hem niet los. U kunt daarop ten volle vertrouwen.'

Langs zijn donkerglimmende gestalte keken ze de voorkamer in.

'Hoort mijn vader de woorden die u spreekt?' vroeg Ruben. 'Wij zouden er graag bij zijn.'

'Hij is geheel bij kennis. Dat is beter ook. Wat uw laatste vraag betreft: Het kan niet, het mag niet. Hij bereidt zich voor.'

'Wij zitten hier maar,' smeekte Margje, 'we doen niets, we mogen niets. Mag ik nu even naar hem toe?'

'Mevrouw, ik heb het u al eerder gezegd, ik kan geen toestemming geven. Een woord van u op het moment van sterven kan hem zijn heil kosten. Wij weten zo weinig. Daarom kunnen we geen risico nemen.'

Johanna schonk koffie voor Jozef in. Ze losten elkaar af bij de gebedsovername, om koffie te drinken, om naar de wc te gaan. Jozef ging bij hen zitten, sloeg zijn benen over elkaar. Hij droeg zijn donkerste pak plus zwarte stropdas, zwarte hoge rijglaarzen. Alles glom van slijtage en ouderdom.

'Dit is het uur der verlatinge. Zijn ziel moet geloogd, gekastijd, getuchtigd worden.'

'Zet er maar wat koekjes bij,' zei Margje. Johanna bracht een schaaltje naar de voorkamer.

De pendule sloeg middernacht.

Margje wendde zich tot Ruben.

'Tom is er nog niet. Heb je hem gezegd dat hij thuis moet komen?'

'Hij heeft het beloofd. Ik heb erg aangedrongen. Secondenlang keek hij me zo aan dat ik hem wel moest geloven.'

'Hij is er al met al nog niet.'

'Ik heb gezegd dat het met pappa... niet goed ging, dat hij er zijn leven lang spijt van zal hebben...'

'Is hij in de bar van het zwembad?'

Ruben knikte.

'Dus hij zit daar te drinken. Op nog geen tweehonderd meter afstand.'

Ruben vertelde er niet bij dat Toms mooie gezicht verwrongen was geweest door een uitdagende grijns, verhitting, opgeblazenheid.

Oom Huib Steffen hief zijn handen boven het gezicht van de stervende: 'Voorwaar, ik zeg u, indien gij geloofdet en niet twijfeldet gij zoudt tot de berg Zerubbabel zeggen: Wordt opgenomen en in de glazen zee geworpen, geloofdet broeder Sievez, anders wordt gij geworpen in de buitenste duisternis waar weninge is en knersinge der tanden.'

Jozef, zittend bij hen, bad hardop mee, deed toen zijn colbertje uit. Zweet vormde flinke vochtplekken die zijn huid zichtbaar maakten.

Margje stak de ene sigaret met de andere aan. Ze kon er al weken niet meer buiten. Terwijl de eentonige reeks van smeekbeden in de voorkamer voortging – en Margje soms de indruk had, in het drukke spel van licht en schaduw, in de ononderbroken bewegingen die de broeders met hoofd en handen maakten, dat Hans al zo hoog gelegen bewoog, zich verhief – legde Mieras uit dat de strijd daar geleverd onzeker en onbeslist was. Nadrukkelijk keek hij ieder een voor een aan, tuitte speeksel spetterend zijn lippen. Het waren allemaal aanzetten om van onderwerp te veranderen. Hij werd zakelijk, hij moest zakelijk worden: 'Na de overgang moeten we het aan Hem overlaten. Het aardse leven is dan voorbij. Er rest dan nog één ding dat we niet over het hoofd moeten zien. Ik zou graag willen dat u te zijner tijd met ons overlegt aangaande de tekst op de grafsteen.' En met klem: 'Onder geen beding mag daar staan: Hij stierf veilig in Jezus' armen of:

Hij heeft de eeuwige zaligheid verworven! Dat is niet aan ons. Wij mogen ons geen oordeel aanmeten en als mens in het gericht treden. Op de jongste dag als de graven zullen worden geopend, en niet eerder, zal het laatste oordeel plaatsvinden. Wie zal dan bestaan? Overigens, een neutrale tekst als "De Heer is mijn Herder" zou acceptabel zijn.'

Verlamd staarden ze Mieras aan. Ze konden zich niet meer verroeren, knikten afwezig alsof wat hij zei zeker een reëel probleem was dat om een praktische oplossing vroeg die in gezamenlijk overleg genomen moest worden. Margjes schouders schokten, Johanna pakte haar hand. Maar Margje liet zich niet kennen, veegde haar tranen al weer weg. Mieras ging terug naar de voorkamer.

'Ik wil maar één ding: naar hem toe.'

'Ach, mocht het toch zo zijn...' klonk het uit de mond van de oefenaar. Hij werd door de anderen bijgevallen. Een zwaar, donker grommen golfde de achterkamer in. Margje mompelde voor zich uit dat hem in de loop van de jaren al zoveel was aangepraat.

'En wij hebben het allemaal toegelaten... Je denkt dat het zo'n vaart niet zal lopen, dat de dingen zich wel weer zullen voegen naar het oude. Hadden we hardhandig moeten ingrijpen...? Soms leek hij er zelf ook genoeg van te hebben, nam afstand.'

'O, Heere, laat de drinkbeker aan dit kind voorbijgaan!' Steffens stem sloeg over.

De voeten van de zieke bewogen onder het dek. Hij kreunde zacht.

Taverne was aan zijn koffie toe. Hij bleef staan en zei zonder dat iemand het woord tot hem richtte: 'Sievez is nog niet zover dat hij vraagt: Heere, wanneer komt u. Ik heb er zin in. Ik verlang. Hij is nog te beangst in zijn consciëntie. Hij zit midden in zijn Gethsemane.' Hij hief zijn magere, donkere hoofd, alles was zwart aan hem, zijn ogen, zijn wenkbrauwen, zijn huid. (Margje herinnerde zich van vroeger een plaatje uit het geschiedenisboek van een Spanjaard die zichzelf geselde.) Het was volgens Taverne niet onmogelijk dat op dit moment de ziel zich ontkrachtte, ontgrondde, ontledigde.

'Broeder Sievez!' Oefenaar Steffen riep hem, aandringend. 'Ervaart gij de Heere God en Zijn Heiland en Dien gekruisigd?'

Margje kon niet zien of hij zijn ogen opende maar ze was opgestaan en hoorde hem fluisteren dat zijn ziel dor was, dat hij niets ervoer. Zijn hese, maar heldere stem klonk gelaten en wanhopig. Zij kwam tot bij de drempel van de suitedeuren, maar werd door twee broeders tegengehouden. Taverne begeleidde haar terug naar de achterkamer.

'Mevrouw, God houdt met zichzelf raad.'

Margje zei tegen de kinderen dat het een wonder mocht heten dat pappa nog zo vaak normaal was blijven doen. Het liefst hadden die kerels gezien dat hij alles in de steek gelaten had. Ze keek op de pendule. Het liep tegen enen. Tom was er nog steeds niet. 'Hij wil niet thuis zijn. Thuis is pappa.'

Ruben stond op.

'Ik ga nog eens kijken. Als Tom ja zegt bedoelt hij nee.' Naar het hem uitkwam sprak hij de waarheid of loog, met hetzelfde gemak. 'Dit keer breng ik hem mee naar huis.'

Ze hoorden Ruben even later langs het huis lopen. Alle broeders in eenzelfde beweging bogen zich over het bed.

De vrouwen zagen van verre toe.

84

~

Het was koud voor de tijd van het jaar, die nacht van de negentiende augustus, kouder dan de dagen ervoor, en winderig, de wind striemde de lege kassen en de kou trok door de kieren en de plaatsen waar het glas ontbrak en de bloemen en het onkruid die op de tabletten woekerden en langs de roeden opklommen bewogen en een vergeelde papieren zak met verzamelde varensporen woei op. In de rechtopgaande sequoia's klonk een hoog weeklagen.

Oefenaar Steffen stond een moment voor het zijraam en noemde de onmetelijke ontoereikendheid van de kosmos waarin sterren slechts kil en onwetend waren. Ruben had zijn broer niet in de bar van Phelipe aangetroffen. Er was hem gezegd dat hij al een uur geleden in haast was vertrokken. Ruben was toen naar een café in de Oranjestraat gegaan, in de Wilhelminastraat, onder aan de Bergweg. Overal was hij net vertrokken. Zijn broer zwierf van de ene kroeg naar de andere, goot zich vol, zwierf misschien op dit moment wel om het huis heen.

Om de paar regels werd nu overgenomen. 'Onze ziel is bedroefd tot de dood toe. Hij is in Gethsemane. Het is alles smart in zijn hart. O, Vredevorst, haal dit kind thuis! O, ontbonden te worden en met Christus te zijn. Met Christus te zijn. Met Christus te zijn. Haal hem thuis!'

In steeds gehaaster litanieën. 'Niets zal ons scheiden van de liefde Gods die in Christus is. Want deze lichte verdrukking die zeer haast voorbijgaat, werkt in ons een zeer uitnemend gewicht der heerlijkheid.'

438

Hans' zwakke stem fluisterde daar amen op.

Margje gaf een teken. Alle drie stonden tegelijk op. Margje stapte als eerste de drempel over. Hans onderscheidde haar vaag in de warreling van plotse bewegingen, schaduwen, en deed een ultieme poging zijn hoofd van haar af te keren, had niet de kracht daartoe, keek een tel haar in de ogen.

Steffen en Taverne hielden Margje en de anderen hoofdschuddend tegen.

'Nee, nee! Begrijp toch dat de dingen in deze zaak – de stervenszaak – niet hun normale manier van gebeuren hebben. Laat hem in Gods naam met rust.' Steffen leidde haar terug, een hand licht op haar schouder. Zij schudde hem af. Hij volgde haar tot zij ging zitten. 'Mevrouw, de wagens van Jozef uit Egypte zijn onderweg om hem te halen. Wij kunnen als mens nooit met een gerust hart de verschrikkingen van het laatste oordeel afwachten. Maak het hem niet moeilijker dan het al is. Er is bijna geen tijd van leven meer.'

Taverne leidde Ruben en Johanna behoedzaam, maar zonder omhaal van woorden, naar hun plaats terug. Intussen gingen rond het bed de smekingen door.

'Broeder Sievez, besef dat gij buiten deze verbondsbetrekking op God allerrampzaligst zijt, een erfwachter van eeuwige verdoemenis, want gij ligt onder de vloek van de overtreden wet. Vervloekt is hij die niet blijft in al hetgeen geschreven is. Die zal, ja die zal, ijselijk moeten aanhoren: Gaat weg van mij, gij vervloekte, gaat weg van mij!'

De nacht vorderde. De wind was gaan liggen, een zachte regen viel. Een lekker, groeizaam zomerregentje zou Hans in goeden doen zeggen, waarin de velden met scabiosa en brandende liefde extra glans kregen. Hans Sievez hoorde de regen niet, hoewel een bovenraam openstond en het zijraam op het haakje. De geringe aandacht die hij nog op kon brengen was voor de woorden die over hem werden uitgestort. Het was zijn afgepeigerde lichaam onmogelijk om ze alle te verstaan, hij deed zijn uiterste best, de toon verstond hij, soms kwam een woord, een zinsnede door en hij had lang genoeg met ze geleefd om ze met elkaar in verband te kunnen brengen. Maar het was vooral de angst die hem belette goed te luisteren. Kon de angst slechts een weinig verzacht worden. Waar was de Herder aan zeer lieflijke wateren van wie hij zo vaak gezongen had? Die zou hem toch kunnen voeren naar de oevers van die zeer stille wateren? Die had toch ook gesproken bij de limoen, in de vuurkolom? Waarom zweeg hij nu? Ik ben bang. Ik ben onmetelijk bang. Mozes naderde de donkerheid waarin God was. Hoor! De sequoia's! In de winter krakend onder de last van de sneeuw, in de herfst het razen, het gonzen en suizen in de zomer. De zuring in het veen bloeit, de zon brandt op zijn nek, op zijn huid, onder de dunne afgedragen bloes. Bereklauw drijft naar hem toe, hij kan op Herderstasje springen, een regenwolk scheert over het laguneland, door het blauw. Ik wil zo blijven liggen. Wat is die pijn? Wat drukt er toch? Is het een tak van de verzakte wilg of iets anders? Het is niet eens echte pijn, ik ben zo moe. Straks als ik wat meer ben uitgerust, zal ik mij omdraaien. Ik ruik de zware geur van het donkere veenwater en een andere, fijnere geur. Hier moet tussen de golvende zuring een toef van de blauwe campanula staan. Ik zal, als ik wat meer kracht heb, een boeket blauwe klokjes voor Margje plukken en woorden bedenken voor het moment dat ik ze haar geef. Voor jou. Voor jou, mijn allerliefste. Later wil ik niet op de steenfabriek, niet in het boerenvak. De zon in het veen is nog niet helemaal onder. Mijn schaduw ligt lang over het land en ik kijk er peinzend naar. Onder het veenwater huizen de zwarte slangen, Teken van het Beest, en nog dieper, onder de bittere alruinwortels weggestopt en ermee verstrikt, de herinnering aan vader in de varkensschuur. De pijn in mijn benen trekt weg. Nog even wachten, dan doe ik mijn ogen open. Als ik nog even wacht zal ik helemaal beter zijn en kan ik weer aan het werk gaan. Ik zie de krijtstrepen die ik op het schoolplein heb getrokken. Margje kijkt vanaf de hoogste trede toe. Ik spring van Dovenetel op Herderstasje, het warme konijn tegen mij aan. Moeder is op een platte kar naar het veer gebracht. Het veen gloeit. Die glinsteringen daar? Ze belagen moeder...

'Hij is rustiger, mevrouw. Christus is denkelijk bij hem. Hem aan zijn zijde te weten betekent voor eeuwig geborgen zijn. De mens moge zijn voornemen veranderen of zijn woord verbreken, maar nimmer God. Hij is getrouw.'

Oefenaar Steffen nam een flinke slok koffie, slikte een hap koek door. Hij vervolgde: 'Maar even niet opletten en de duivel herneemt zijn rechten. De strijd mag niet niet-licht zijn, moet ondragelijk zwaar zijn, des te lichter de eeuwigheid.'

Hij stak een Willem-II op en ging aan de eettafel zitten op de plaats van Hans. Op tafel had hij twee boekjes neergelegd. Het ene heette *Het zieleraadsel opgelost*, het andere, nog dunner, droeg als titel *Duizend snipperhoutjes*. Ze waren bestemd voor wie belangstelling had. Mieras was ook aan tafel gaan zitten. Ze dronken rustig koffie, genoten van de dik met boter besmeerde koek, keken nu en dan achterom naar de voorkamer waar de anderen doorgingen. 'Dienaangaande zond Hij zijn eniggeboren Zoon en sloot met Zijn Zoon het verbond der verlossing, als borg. De Heere heeft welgedaan. De Heere is goed.' Schaduwen bewogen tegen de wanden. Zonder de stervende was het bijna een verjaarsfeestje, met familie, buren.

Steffen bladerde in het dunste geschrift: 'We moeten niet vergeten dat satan tot het laatste ogenblik mee doet. O, dood waar is uw prikkel? In het zicht van het einde neemt de zekerheid gered te zijn steeds meer af. In plaats van het geloof komt de angst voor het verderf.' Omdat er achter hem onrust ontstond, liep hij naar het bed toe, veranderde van toon, verhief zijn stem, vouwde zijn grote handen van slagersknecht om die van Hans. 'O, vermurw het weerbarstige hart van broeder Sievez. O Christus wees voorspraak bij de Almachtige voor deze grote zondaar, deze kleingelovige!' Hij wendde zich naar zijn medegelovigen: 'Er is nog maar weinig tijd.'

Margje moest wel drie keer haar keel schrapen voor ze een woord kon uitbrengen.

'Soms verdroeg ik hem niet meer en dan zei ik: Ga maar weg!

Dan bleef hij in tweestrijd staan.' Ze nam een slok water om niet in huilen uit te barsten. 'Zie hem daar nou liggen. Over een paar dagen is hij jarig.' Ze zweeg omdat ze Rubens voetstappen langs het huis hoorde. Hij kwam binnen, zonder Tom. Alle cafés waren intussen dicht. Hij was nog door de straten in de buurt gerend, in de hoop hem bij toeval tegen het lijf te lopen.

'Toeval bestaat niet, als ik zo vrij mag zijn,' onderbrak Jozef hem. 'Uw vader is in Den Haag al op mijn weg gezet.'

'Waar kan dat kind toch zijn?' vroeg Margje zich af.

Steffen riep met luider stem: 'Waar is God? Die psalmen geeft in de nacht!'

Het was vier uur in de ochtend. De kassen werden bleek in het morgenlicht. Een vogel zong. Nog een. De nokken van de broei-kassen staken zwart af. Margje dacht dat ze Tom hoorde.

'Hoor je dan niet, broeder Sievez, het geluid van de engelen en de cherubs en de cherubijnen die Gods Zoon begeleiden.' Allen hielden hun gevouwen handen ver voor zich, boven het bed. 'Er is geen vastigheid dan in U!'

Margje stond op de drempel van de voorkamer, Ruben en Jo-hanna naast haar. Zij zei: 'Dag pappa, dag.' Onder het laken was een kleine schokkende beweging. Het bidden ging nog even door. 'Dag pappa.' Het gebed stopte. 'Mevrouw, uw man is ingegaan. Nu vermag gebed niets meer. Mogen wij hopen dat deze sterfdag zijn blijdste dag zal zijn.'

Zij streelde zijn nog warme voorhoofd, zijn wangen. Toen klonken onregelmatige voetstappen. Een passerende schim werd zichtbaar in het zijraam van de achterkamer.

Hij leunde zwaar tegen de muur, eerst op de ene hand, plat te-gen de bakstenen, zette een stap, en verplaatste tegelijk de andere, probeerde houvast te vinden, trok zijn schouders op bij elke ver-wisseling van de hand, bereikte na deze 'over-arm' van dronk-aard het keukenraam, de keukendeur. Niemand ging hem tege-moet.

'Het is nog een wonder dat hij niet valt,' zei Margje.

In de gang trokken de broeders hun jas aan. Er was in dit gezin voor hen geen werk meer te doen. Zij zouden, wie weet, morgen of overmorgen, dezelfde uitredding brengen in Goes, in Hardinxveld-Giessendam, in Wekerom of Genemuiden. Hun belangstelling voor dit adres was opgelost als sneeuw voor de zon.

Tom verscheen zwaaiend in de achterkamer, zijn gezicht rood verhit, in zijn palmbeach-achtige kostuum, besmeurd, de ogen klein en doorlopen. Ze keken hem aan. 'Pappa is dood,' zei Margje. 'Net ademde hij nog. En nu is hij dood.'

Margje keek de broeders na toen ze over het brede middenpad, in colonne, in rotten van twee, de straat opliepen.

Ze wendde haar blik naar haar dode man en dacht: Nu is hij van mij, sloeg haar arm om Tom heen, keek van Ruben naar Johanna aan weerszijden van het bed, en zei: 'Nu is hij van ons, en wij bepalen zelf wat op de steen komt te staan.'

Ze hoorden de achterdeur opengaan. Jozef Mieras was teruggekomen. 'Mevrouw, ik ben bedroefd. Uw man, Hans, was niet de eerste de beste.' Hij liep naar het bed, legde zijn gevouwen handen op de stang van het voeteneind, bad zacht: 'God, ons leven is kortstondig als het gras, U hebt onze dagen een handbreed gesteld, en zij gaan voorbij als een schaduw, O Heere. Laat dit een zegepralende, een overwonnen dood zijn.' Het amen was niet hoorbaar. Mieras' stem brak. Nog een tijdje hield hij de ogen gesloten, toen nam hij voor de tweede keer afscheid.

Margje hoorde hem de deur achter zich dichttrekken.

De steenhouwer prees een donkergele travertin aan, die volgens hem chic aandeed, waarop het licht in alle jaargetijden als moiré viel en die in verhouding niet duur was.

'Chic hoeft het niet aan te doen,' merkte Margje licht geërgerd op. 'Ook niet goedkoop. Het moet een eenvoudige steen zijn passend bij mijn man.'

Ze keken elkaar aan, overlegden kort, kozen voor de travertin. Hans zou het wel mooi gevonden hebben, dacht Margje. Hij had oog voor een mooie lichtval. En op het graf moest veel ruimte voor beplanting komen. Margje wilde ook een steekvaas voor losse bloemen.

In een voorbeeldenboek viel Toms oog op een fijne donkere letter die goed bij het travertin zou staan.

Zijn moeder zei: 'We volgen Tom hierin.' Ze trok de jongste naar zich toe.

Onder de naam van de overledene, met geboorte- en sterfdatum, zou de volgende tekst komen:

IN DE HEERE ONTSLAPEN

Ruben vroeg wanneer de steen werd afgeleverd. Dat kon zeker drie maanden duren.

'Zo lang?' Margje dacht aan de eeuwigheid waar Hans nu verkeerde. 'Och ja, het is goed.'

Ze zouden bericht krijgen.

Tussen de hoge stapels platen van rood en grijs marmer haastten ze zich over het stenige terrein naar de uitgang, Margje en Johanna gearmd, dicht tegen elkaar aan, de beide broers daarachter.

'Ik heb gedroomd, kort na pappa's dood,' zei Tom. 'Ik werd gedwongen glas in stukken te bijten. Al mijn tanden braken af.' Die droom was nu in alle scherpte bovengekomen.

'Als ik toch terugdenk aan die tijd...' zei Margje tegen Johanna. 'Het is goed dat dit geregeld is. Pappa kon er ook niet tegen als dingen bleven liggen. Ik zag erg tegen deze gang op. Meer kunnen we niet doen.'

Die avond waren Tom en zijn schoonzusje de lege, onttakelde tuin opgelopen. Margje zei dat ze daar niets meer te zoeken had. Ruben was bij haar gebleven.

'Mam,' begon hij, 'ik vroeg me af...' maar hij wist niet of hij verder zou gaan. Ruben, de voorbeeldige zoon, wilde woorden van troost spreken, wilde haar laten weten dat zij, ook in alle herinneringen, er niet alleen voor stond. 'Mam, voor jou...'

Zij keek hem vragend aan.

Maar moest hij uitspreken wat hij op zijn hart had? Hij was ineens niet meer zo zeker van zichzelf, herinnerde zich zijn angst in de klas, zag zijn vader die zich in zijn zondagse kostuum de straat uit haastte, moeder in de keuken, beide handen op het aanrecht.

'Voor jou is het toch vaak heel moeilijk geweest met pappa...'

Hij zweeg abrupt.

Margje keek hem verstoord aan, begreep hem niet, wilde hem niet begrijpen. Waar doelde hij op? Ze staarde langs hem heen door het zijraam, zag de donkere nokken van de glasloze broeikassen. Hoe kon Ruben zoiets zeggen? Met pappa en haar was het altijd goed geweest. Waarom moest haar oudste daar nu op terugkomen? Zij hief haar hoofd, keek verlangend door het zijraam naar de tuin om te zien of haar jongste er al aankwam.

Ze dacht: Later zie ik Hans terug. Ik zie hem terug.

Zonder twijfel.

Bronvermelding

L.F. Dros en N.J.P. Sjoer, *Als een eenzame mus op het dak. Jan Pieter Paauwe (1872-1956) zijn leven, zijn werk, en volgelingen.* Kampen, 1994

J.M. Vermeulen, *Het wonderlijkste wonder.* Kampen, 1999